D0307239

Ontembaar

P.C. Cast & Kristin Cast bij Boekerij:

Verkozen
Verraden
Uitverkoren

www.boekerij.nl

P.C. Cast & Kristin Cast

Ontembaar

Eerste druk augustus 2011
Tweede druk september 2011

ISBN 978-90-225-5779-2
NUR 280

Oorspronkelijke titel: *Untamed*
Oorspronkelijke uitgever: St. Martin's Press, LLC
Vertaling: Henny van Gulik
Omslagontwerp: Erin Fiscus en DPS design & prepress services, Amsterdam
Omslagbeeld: Herman Estevez
Zetwerk: CeevanWee, Amsterdam

Dit boek is voor de leerlingen van heden en verleden van South Intermediate High School in Broken Arrow, Oklahoma. Bedankt voor jullie enthousiasme, gevoel voor humor en steun aan de serie. SIHS is super!

Verder voor de dames van Tulsa Street Cats. Weliswaar geen nonnen, maar wel degelijk kattenheiligen!

1

Het gekras van één stomme kraai hield me de hele nacht wakker. (Nou, preciezer gezegd: de hele dag, want ik ben zoals je weet een halfwas vampier en dag is voor ons nacht, en omgekeerd.) Hoe dan ook, ik heb vannacht/vandaag geen oog dichtgedaan. Maar de ellende van niet slapen is wel het minste van mijn problemen aangezien het leven zwaar kut is als je vrienden pissig op je zijn. En ik kan het weten. Ik ben Zoey Redbird, momenteel de onbetwiste koningin van Jaag-je-vrienden-tegen-je-in-het-harnasland.

Persephone, de grote roodbruine merrie die ik als de mijne mag beschouwen zolang ik in het Huis van de Nacht woon, draaide haar hoofd om en duwde haar neus tegen mijn wang. Ik kuste haar zachte snoet en ging verder met het borstelen van haar hals. Persephone hielp me altijd mijn gedachten te ordenen en zorgde dat ik me beter voelde, en ik had allebei absoluut nodig.

'Oké, ik heb het dus klaargespeeld om de Grote Confrontatie twee dagen uit de weg te gaan, maar zo kan ik niet doorgaan,' zei ik tegen de merrie. 'Ja, ik weet dat ze op dit moment als de beste maatjes gezellig met elkaar in de kantine zitten, terwijl ze mij buitensluiten.'

Persephone snoof en knabbelde rustig door van het hooi.

'Ja, ik vind het ook lullig van ze. Ik heb natuurlijk tegen hen gelogen, maar voornamelijk door dingen te verzwijgen. En ja, ik heb bepaalde dingen voor hen verborgen gehouden. Voornamelijk om hun eigen bestwil.' Ik slaakte een zucht. Nou, dat gedoe over het feit dat Stevie Rae ondood is, was om hun eigen bestwil. Dat gedoe over het feit dat ik iets had met Loren Blake – vampier-poet laureate en docent aan het Huis van de Nacht – nou, dat was meer om mijn éígen bestwil. 'Maar toch.' Persephone draaide een oor naar achteren om naar me te luisteren. 'Ze zijn wel erg hard in hun oordeel.'

Persephone snoof weer. Ik slaakte weer een zucht. Shit. Ik kon ze niet langer uit de weg blijven gaan.

Na een laatste knuffel voor de merrie liep ik langzaam van haar box naar de tuigkamer om de verzameling manen-/staartborstels en roskammen op te ruimen waarmee ik haar het afgelopen uur had verzorgd. Ik snoof de lucht van leer en paarden diep in en stond de kalmerende geur toe mijn spanning weg te nemen. Ik zag mezelf weerspiegeld in de gladde glazen ruit van de tuigkamer en haalde werktuiglijk mijn vingers door mijn donkere haar in een poging er minder uit te zien alsof ik net uit mijn bed kwam. Ik was iets meer dan twee maanden geleden als halfwas vampier gemerkt en naar het Huis van de Nacht verhuisd, maar mijn haar was al zichtbaar dikker en langer. En superhaar was slechts een van de vele veranderingen die zich in mijn lichaam voltrokken. Sommige waren onzichtbaar – zoals het feit dat ik een affiniteit heb voor alle vijf de elementen. Andere waren opvallend zichtbaar – zoals de unieke tatoeages die in ingewikkelde, exotische krullijnen mijn gezicht omlijstten. Het saffierblauwe patroon liep vervolgens verder, anders dan bij welke andere halfwas of volwassen vampier ook, over mijn hals en schouders, langs mijn ruggengraat, en onlangs had het zich uitgespreid tot om mijn middel, iets wat alleen mijn kat Nala, onze godin Nux en ikzelf wisten.

Wie had ik het kunnen laten zien?

'Nou, nog maar gisteren had je niet één maar drie vriendjes,' zei ik tegen de ik met de donkere ogen en het cynische flauwe lachje die in de ruit werd weerspiegeld. 'Maar dat heb je geregeld, en hoe! Vandaag heb je niet alleen nul komma nul vriendjes, maar het zal heel lang duren, weet ik veel, jaren misschien, voor iemand je ooit nog zal vertrouwen.' Nou, behalve Aphrodite, die er twee dagen geleden volledig van de kook vandoor is gegaan omdat ze mogelijk opeens weer in een mens was veranderd, en Stevie Rae, die achter de hysterische, weer-mens-geworden Aphrodite aan is gerend omdat zij mogelijk de oorzaak was van Aphrodites verandering van halfwas tot mens toen ik een cirkel wierp en haar veranderde van een griezelige ondode dode meid in een bizar-rood-getatoeëerde-vampier-maar-wel-weer-zichzelfmeid. 'Hoe het ook zij,' zei ik hardop tegen mezelf, 'je bent erin geslaagd om je zo'n beetje bij iedereen met wie je iets te maken hebt onmogelijk te maken. Goed gedaan, meid!'

Mijn lip trilde en tranen brandden in mijn ogen. Nee. Ik zou er niets mee opschieten om mijn ogen rood te janken. Ik bedoel, zonder gekheid, als dat zo was dan zouden mijn vrienden en ik het twee dagen geleden al hebben afgezoend (nou, niet letterlijk natuurlijk). Ik zou de confrontatie moeten aangaan en een begin maken met mijn best doen om alles recht te breien.

Het was eind december en de avond was koel en een beetje mistig. De flakkerende gaslantaarns langs het voetpad tussen de stallen en het veldhuisterrein van de school en het hoofdgebouw hadden kleine stralenkransen van geel licht en boden een prachtige, ouderwetse aanblik. Feitelijk was de hele campus van het Huis van de Nacht betoverend mooi en deed die me altijd denken aan iets wat eerder thuishoorde in een Arthurlegende dan in de eenentwintigste eeuw. *Ik vind het hier heerlijk*, bracht ik mezelf in herinnering. *Het is thuis. Ik voel me hier op mijn plaats. Ik ga het goedmaken met mijn vrienden en dan is alles weer oké.*

Terwijl ik bijtend op mijn lip piekerde over hoe ik het met mijn vrienden goed moest maken, werd mijn getob onderbroken door een eigenaardig fladderend geluid dat de lucht rondom me vervulde. Iets aan het geluid bezorgde me koude rillingen. Ik keek omhoog. Boven me was niets dan duisternis en lucht en de winterkale takken van de reusachtige eiken naast het voetpad. Ik huiverde en had even dat gevoel van er-loopt-iemand-over-mijn-graf toen de nacht van zacht en mistig veranderde in duister en onheilspellend.

Ho even: duister en onheilspellend? Wat een idioterie! Wat ik had gehoord was waarschijnlijk niets bedreigends; gewoon de wind die door de bomen ruiste. Jeetje, mijn zenuwen gingen met me op de loop.

Ik schudde mijn hoofd en liep door, maar na enkele stappen gebeurde het weer. Het eigenaardige gefladder boven mijn hoofd deed de lucht, die tien graden kouder leek, wild tegen mijn huid slaan. Ik wierp werktuiglijk een hand omhoog en stelde me vleermuizen en spinnen en allerhande griezelige dingen voor.

Mijn vingers raakten niets, maar het was een steenkoud niets, en een ijzige pijn trok door mijn hand. Doodsbang slaakte ik een gil, en ik klemde mijn hand tegen mijn borst. Heel even wist ik niet wat ik moest doen; mijn lichaam was verlamd van angst. Het gefladder werd luider en de kou intenser toen ik er eindelijk in slaagde in beweging te komen. Met gebogen hoofd deed ik het enige wat ik kon bedenken: ik rende naar de dichtstbijzijnde deur van de school.

Ik glipte naar binnen, sloeg de dikke houten deur achter me dicht en draaide me hijgend om om door het kleine boograam midden in de deur naar buiten te turen. De nacht golfde en rimpelde, net zwarte verf die over een donkere bladzijde werd uitgegoten. Het afschuwelijke gevoel van ijskoude angst was ik nog niet kwijt. Wat gebeurde er toch? Bijna zonder te beseffen wat ik deed, fluisterde ik: 'Vuur, kom tot me. Ik heb behoefte aan uw warmte.'

Het element reageerde onmiddellijk en vulde de lucht rondom me met de troostende warmte van een haardvuur. Ik staarde door het kleine raam naar buiten en drukte mijn handpalmen tegen het ruwe hout van de deur. 'Daarbuiten,' prevelde ik. 'Stuur uw warmte ook daarheen.' In een warme vlaag trok het element bij mij vandaan, de deur door en de nacht in. Er klonk een sissend geluid, als stoom die van droog ijs opstijgt. De mist kolkte, dik en brijachtig. Ik werd duizelig en voelde me opeens een beetje misselijk, en toen begon de vreemde duisternis te vervliegen. De warmte verjoeg de kou en opeens was de nacht weer rustig en vertrouwd.

Wat was er zojuist gebeurd?

Een brandende pijn in mijn hand trok mijn aandacht bij het raam vandaan. Ik keek erop neer. Op de bovenkant van mijn hand zaten rode striemen, alsof iets met klauwnagels over mijn huid had geschraapt. Ik wreef over de pijnlijke striemen, die staken als een brandwond van een krultang.

Toen kwam het gevoel bij me op, krachtig, overweldigend, en mijn door de godin geschonken zesde zintuig vertelde me dat ik hier niet in mijn eentje zou moeten zijn. De kou die de nacht had aangetast, het spookachtige iets dat me naar binnen had gejaagd en mijn hand had gestriemd, bezorgde me een gruwelijk voorgevoel, en voor het eerst in lange tijd was ik doodsbang. Niet omdat ik bang was dat mijn vrienden iets zou kunnen overkomen, of mijn oma of mijn menselijke ex-vriendje of zelfs mijn van mij vervreemde moeder. Ik was bang dat ikzelf gevaar liep. Ik wílde niet alleen het gezelschap van mijn vrienden; ik had mijn vrienden nodig.

Wrijvend over mijn hand dwong ik mijn benen om in beweging te komen, en ik wist zonder enige twijfel dat ik liever de pijn en teleurstelling van mijn vrienden tegemoet zou treden dan het duistere iets dat mogelijk in de verhullende nacht op me wachtte.

Ik bleef even staan net buiten de openstaande deuren van de drukke eetzaal (ook wel 'de schoolkantine' genoemd) en keek naar de andere halfwassen, die ongedwongen en vrolijk met elkaar kletsten. Bijna werd ik overweldigd door de plotselinge wens dat ik gewoon een halfwas als alle anderen zou zijn, dat ik geen bijzondere vermogens had en de verantwoordelijkheden die met die vermogens gepaard gingen. Heel even was die wens om gewoon te zijn zo sterk dat ik nauwelijks adem kon halen.

Toen voelde ik de wind zachtjes langs mijn huid strijken; hij leek verwarmd door een onzichtbare vlam. Ik rook de oceaan, terwijl er toch echt geen oceaan in de buurt van Tulsa, Oklahoma, is. Ik hoorde vogelgezang en rook versgemaaid gras. En mijn geest huiverde van stille blijdschap terwijl die mijn krachtige, mij door de godin geschonken gaven van een affiniteit voor elk van de vijf elementen erkende: lucht, vuur, water, aarde en geest.

Ik was niet gewoon. Ik was als geen ander, halfwas of vampier, en het was verkeerd van me om te wensen dat dat anders zou zijn. En een deel van mijn niet-gewoon-zijn vertelde me dat ik naar binnen moest gaan om te proberen vrede te sluiten met mijn vrienden. Ik rechtte mijn rug en liet mijn blik, waaruit elk spoortje zelfmedelijden verdwenen was, over de eetzaal gaan, en vond al snel mijn groepje vrienden aan onze tafel.

Ik ademde een keer diep in en uit en liep snel de kantine door met een knikje of flauw lachje naar de halfwassen die me groetten. Iedereen leek met zijn of haar gebruikelijke mengeling van respect en ontzag op me te reageren, wat betekende dat mijn vrienden me niet zwart hadden lopen maken. Het betekende ook dat Neferet geen openlijke aanval op me had ingezet. Nog niet.

Ik pakte een salade en een bruin frisdrankje, en met mijn blad zo stevig omklemd dat mijn knokkels wit werden, stevende ik linea recta op onze tafel af en ging ik op mijn normale plek naast Damien zitten.

Toen ik plaatsnam, keek niemand me aan, maar hun ongedwongen gesprek viel onmiddellijk stil, iets waar ik een bloedhekel aan heb. Ik bedoel, wat is erger dan naar een groepje van je zogenaamde vrienden lopen met als gevolg dat ze allemaal hun mond houden zodat je zeker weet dat ze het over jou hadden? Jegh.

'Hoi,' zei ik, in plaats van weg te rennen of in tranen uit te barsten, zoals ik het liefst had gedaan.

Niemand zei iets.

'Nog iets bijzonders te melden?' Ik richtte de vraag tot Damien, in de wetenschap dat mijn homovriend natuurlijk de zwakste schakel in de niet-tegen-Zoey-pratenketting was.

Helaas was het de tweeling die antwoordde en niet de homoseksuele en dus gevoeligere en beleefdere Damien.

'Geen snars, hè, tweelingzus?' zei Shaunee.

'Wat je zegt, tweelingzus, geen snars. Want we zijn te onbetrouwbaar om ook maar ergens een snars van te weten,' zei Erin. 'Tweelingzus, wist jij dat we volslagen onbetrouwbaar zijn?'

'Nou, nog maar net, tweelingzus. En jij?' zei Shaunee.

'Ik ben er ook nog maar pas achter gekomen,' besloot Erin.

Oké, de tweeling is geen echte tweeling. Shaunee Cole is een karamelkleurige Jamaicaans-Amerikaanse die aan de Oostkust is opgegroeid. Erin Bates is een waanzinnig mooie blondine die in Tulsa geboren is. De twee meisjes hebben elkaar leren kennen toen ze gemerkt waren en op dezelfde dag naar het Huis van de Nacht verhuisden. Het klikte onmiddellijk; het was alsof genetica en geografie niet bestonden. Ze maakten letterlijk elkaars zinnen af. En op dat moment keken ze me allebei aan met dezelfde nijdige achterdocht in hun ogen.

God, ik werd er doodmoe van.

En ook kwaad. Ja, ik had dingen voor hen geheimgehouden. Ja, ik had tegen hen gelogen. Maar dat had niet anders gekund. Nou, voor het merendeel dan. En hun identieke heiliger-dan-de-paus-houding werkte behoorlijk op mijn zenuwen.

'Hartelijk dank voor jullie geweldige verklaring. En nu zal ik proberen mijn vraag te stellen aan iemand die niet hoeft te antwoorden in een stereoversie van die krengerige Blair uit *Gossip Girl*.' Ik richtte mijn aandacht nu op Damien, maar ik hoorde de tweeling naar lucht happen en zich klaarmaken om iets te zeggen waar ze naar ik hoopte op een dag spijt van zouden hebben. 'Wat ik eigenlijk had willen vragen toen ik vroeg "Nog iets bijzonders te melden?" is of iemand van jullie de laatste tijd buiten iets van griezelig, spookachtig gefladder heeft gemerkt. Is jou zoiets opgevallen?'

Damien is een lange jongen, echt leuk om te zien, met prachtige jukbeenderen en bruine ogen, die doorgaans warm en expressief waren, maar op dit moment behoedzaam en ijskoud. 'Een fladderend, spookachtig iets?' zei hij. 'Sorry, ik weet echt niet wat je bedoelt.'

Mijn hart kneep samen bij zijn afstandelijke toon, maar ik zei tegen mezelf dat hij tenminste mijn vraag had beantwoord. 'Toen ik onderweg was van de stallen naar hier, ben ik door iets aangevallen. Ik kon niet zien wat het was, maar het was koud en het liet een grote striem op mijn hand achter.' Ik hield mijn hand op om het hem te laten zien... maar de striem zat er niet meer.

Geweldig.

Shaunee en Erin snoven in koor. Damien keek me alleen maar meewarig aan. Ik deed mijn mond open om uit te leggen dat er enkele minuten eerder echt een striem op mijn hand had gezeten toen Jack kwam aangesneld.

'O, hoi! Sorry dat ik zo laat ben, maar toen ik mijn shirt aantrok, zag ik dat er een gigantische vlek op zat. Ik schrok me wild!' zei Jack, terwijl hij zijn blad met eten neerzette en naast Damien ging zitten.

'Een vlek? Toch niet in die beeldschone, blauwe Armani met lange mouwen die ik je voor de kerst heb gegeven?' vroeg Damien, die opschoof om plaats te maken voor zijn vriendje.

'O-mijn-god, welnee! Daar zou ik nooit op morsen. Ik ben er dol op en...' Hij zweeg abrupt toen zijn blik van Damien naar mij gleed. Hij slikte geschrokken. 'O... eh... Hoi, Zoey.'

'Hoi, Jack,' zei ik, en ik glimlachte naar hem.

Jack en Damien zijn een stelletje. Ze zijn gay. Mijn vrienden en ik en iedereen die niet kleingeestig en volslagen bevooroordeeld is, hebben daar natuurlijk geen enkel probleem mee.

'Ik had niet verwacht jou te zien,' zei Jack. 'Ik dacht dat je nog steeds... eh... nou ja...' Hij maakte zijn zin niet af, zag er ongemakkelijk uit en kreeg een mooi roze kleurtje.

'Dacht je dat ik me nog steeds in mijn kamer schuilhield?' zei ik hulpvaardig.

Hij knikte.

'Nee,' zei ik resoluut. 'Daar ben ik klaar mee.'

'Krijg nou wat,' begon Erin, maar voordat Shaunee haar zoals gebruikelijk bij kon vallen, deed een onbeschaamd sexy lachje bij de deur achter ons iedereen zich omdraaien en met open mond staren.

Aphrodite kwam heupwiegend de eetzaal binnen. Ze lachte en knipoogde naar Darius, een van de jongste en grootste spetters van de Zonen van Erebus, de vampierkrijgers die het Huis van de Nacht beveiligden, en zwiepte met haar weelderige haar. Die meid was altijd al steengoed in multitasking, maar ik was verbijsterd over hoe nonchalant en volslagen rustig en beheerst ze oogde. Nog maar twee dagen eerder was ze bijna dood geweest en daarna radeloos van schrik toen ze ontdekte dat de saffierkleurige omtrektekening van een maansikkel – die op het voorhoofd van iedere halfwas verschijnt, het merkteken dat aangeeft dat ze aan de Verandering zijn begonnen die ze of tot een vampier maakt of tot hun dood leidt – van haar gezicht was verdwenen.

Wat betekende dat ze op de een of andere manier weer een mens was geworden.

2

Oké, ik had gedacht dat ze weer een mens was geworden, maar zelfs vanaf waar ik zat, kon ik zien dat Aphrodites merkteken terug was. De kille blik in haar blauwe ogen gleed door de eetzaal en ze lachte spottend naar de starende halfwassen, waarna ze haar aandacht weer op Darius richtte en haar hand op de borst van de grote krijger legde.

'Het was reuzelief van je om me naar de eetzaal te begeleiden. Je hebt gelijk. Het was een beetje dom van me om er twee dagen over te doen om mijn vakantie af te breken. Met al die krankzinnige toestanden van de laatste tijd is het veel verstandiger om op de campus te blijven, waar we beschermd worden. En aangezien jij voor de deur van het meisjesverblijf op wacht staat, is dat beslist de veiligste en bovendien aanlokkelijkste plek om te zijn,' zei ze. Ze sprak op een suikerzoet toontje. Jegh, om kotsmisselijk van te worden. Als ik niet zo verbaasd was geweest om haar te zien, zou ik toepasselijke kokhalsgeluiden hebben gemaakt. Luid en duidelijk.

'En ik moet nu terugkeren naar mijn post daar. Goedenacht, milady,' zei Darius. Hij maakte een diepe buiging voor haar, waardoor hij net een romantische knappe ridder leek, maar dan zonder het paard en de glimmende wapenrusting van weleer. 'Het is mij een genoegen om je van dienst te zijn.' Hij glimlachte nog eens naar Aphrodite, draaide zich keurig op zijn hakken om en liep de kantine uit.

'En ik wil wedden dat het ook een genoegen zou zijn om jóú van dienst te zijn,' zei Aphrodite wellustig zodra hij buiten gehoorsafstand was. Toen draaide ze zich met haar gezicht naar de starende, zwijgende halfwassen. Ze trok een perfect geëpileerde wenkbrauw op en vergastte iedereen op haar karakteristieke spottende grijns. 'Wat zitten jullie nou te staren? Het lijkt wel of jullie nog nooit schoonheid hebben gezien. Jezus, ik ben maar een paar dagen weggeweest. Jullie kortetermijngeheugen zou beter moeten zijn. Kennen jullie me nog? Ik ben dat beeldschone kreng dat jullie zo graag haten.' Toen niemand iets zei, rolde ze met haar ogen. 'Ach, laat ook maar.' Ze liep heupwiegend naar de saladebar en schepte haar bord vol. Toen brak de geluidsdam eindelijk door. Alle halfwassen maakten afkeurende geluiden en bogen zich, Aphrodite verder negerend, weer over hun bord.

Voor wie niet beter wist, leek Aphrodite weer helemaal haar normale arrogante zelf, maar ik kon zien hoe zenuwachtig en gespannen ze in werkelijkheid was. Ik begreep precies hoe ze zich voelde; ik had zelf ook zojuist spitsroeden gelopen. Feitelijk deden we dat allebei nog steeds.

'Ik dacht dat ze weer een mens was geworden,' fluisterde Damien in het algemeen. 'Maar haar merkteken is terug.'

'Nux' wegen zijn ondoorgrondelijk,' zei ik, waarbij ik mijn best deed wijs en hogepriesteres-in-opleidingachtig te klinken.

'Ik heb voor Nux' wegen een ander woord in gedachten, tweelingzus,' zei Erin. 'Doe eens een gok.'

'"Geen touw aan vast te knopen"?' zei Shaunee.

'Precies,' zei Erin.

'Dat zijn zes woorden,' zei Damien.

'Doe toch niet altijd zo schoolmeesterachtig,' zei Shaunee. 'Het punt is dat Aphrodite een helleveeg is en dat we min of meer hoopten dat Nux haar had gedumpt toen haar merkteken verdween.'

'Laat dat "min of meer" maar weg, tweelingzus,' zei Erin.

Iedereen staarde naar Aphrodite. Ik probeerde salade naar binnen te werken. Het zit dus zo: Aphrodite was vroeger de populairste, machtigste, krengerigste halfwas van het Huis van de Nacht. Sinds ze de hogepriesteres, Neferet, tegen zich in het harnas had gejaagd en compleet uitgekotst was, was ze alleen nog maar de krengerigste halfwas van het Huis van de Nacht.

Vreemd genoeg (en typisch weer iets voor mij) waren zij en ik zeg maar bij toeval vriendinnen geworden, zo niet hechte vriendinnen, dan wel bondgenoten. Al hingen we dat niet aan de grote klok. Hoe dan ook, ik had me zorgen over haar gemaakt toen ze ervandoor ging, ondanks het feit dat Stevie Rae achter haar aan was gegaan. Ik bedoel, ik had twee dagen lang van geen van beiden iets gehoord.

Mijn andere vrienden: Damien, Jack en de tweeling, hadden natuurlijk een bloedhekel aan haar. Dus om te zeggen dat ze geschokt en niet bijster blij waren toen Aphrodite naar onze tafel kwam en naast me kwam zitten, is net zo zwak uitgedrukt als toen de ridder in die *Indiana Jones*-film zei 'Geen goede keus' toen de schurk de verkeerde bokaal oppakte, ervan dronk, en zijn lichaam uiteenviel.

'Staren is niet beleefd, zelfs niet naar iemand die zo verbluffend mooi is als *moi*,' zei Aphrodite, voor ze een hapje van haar salade nam.

'Waar ben je in godesnaam mee bezig, Aphrodite?' vroeg Erin.

Aphrodite slikte en knipperde onschuldig met haar ogen naar Erin. 'Eten, debiel,' zei ze poeslief.

'Dit is een verboden-voor-slettenzone,' zei Shaunee, die eindelijk haar spraakvermogen had teruggevonden.

'Ja, dat staat hier,' zei Erin, wijzend naar een denkbeeldig bord op de rugleuning van hun bank.

'Ik verval niet graag in herhalingen, maar in dit geval zal ik een uitzondering maken. Ik zeg dus nog eens: "Val dood, sukkeliamese tweeling."'

'Dat was de druppel,' zei Erin; het kostte haar duidelijk moeite om haar stem niet te verheffen. 'Mijn tweelingzus en ik gaan dat vervloekte merkteken van je gezicht rammen.'

'Ja, en misschien blijft het dan wel weg,' zei Shaunee.

'Ophouden,' zei ik. Toen de tweeling me met tot spleetjes geknepen ogen nijdig aankeek, voelde ik mijn maag verkrampen. Hadden ze dan echt zo'n hekel aan me als hun uitdrukking deed vermoeden? Het idee deed mijn hart pijn, maar ik stak mijn kin vooruit en keek terug. Als ik de Verandering tot vampier voltooide, zou ik op een dag hun hogepriesteres zijn, en dat betekende dat ze maar beter naar me konden luisteren. 'We hebben dit al uitgepraat. Aphrodite is nu lid van de Duistere Dochters. Ze maakt tevens deel uit van onze cirkel, aangezien ze een affiniteit voor het element aarde heeft.' Ik aarzelde terwijl ik me afvroeg of ze die affiniteit nog had of dat ze die was kwijtgeraakt toen ze van halfwas in een mens en vervolgens, blijkbaar, weer in een halfwas was veranderd, maar dat was zo verwarrend dat ik haastig verder sprak. 'Jullie hebben ermee ingestemd om haar in beide posities te accepteren, zonder scheldpartijen en hatelijke opmerkingen.'

De tweeling zei niets, maar Damien zei, met een stem die ongewoon vlak en emotieloos klonk: 'Dáármee hebben we ingestemd, maar we hebben niet beloofd dat we vrienden met haar zouden worden.'

'Ik heb nooit gezegd dat ik vrienden met jullie wilde worden,' zei Aphrodite.

'Nou, wij ook niet, kreng!' zei de tweeling in koor.

'Bekijk het maar,' zei Aphrodite, die aanstalten maakte om haar blad op te pakken en weg te lopen.

Ik deed mijn mond open om tegen Aphrodite te zeggen dat ze moest blijven zitten en tegen de tweeling dat ze hun kop moesten houden, toen een bizar geluid galmend uit de gang de openstaande deuren van de kantine binnentrok.

'Wat voor de...?' begon ik, maar voordat ik mijn vraag had kunnen afmaken, kwamen een stuk of tien katten woest blazend de kantine binnenrennen.

Oké, in het Huis van de Nacht zijn dus overal katten. Letterlijk. Ze lopen achter ons aan en slapen bij de halfwas van hun keuze. Mijn kat Nala loopt daarbij dikwijls tegen me te klagen. Een van de eerste coole dingen die we bij vampiersociologie leerden was dat katten en vampiers altijd al nauw met elkaar verbonden waren geweest. Dat betekende dat iedereen eraan gewend was om overal katten te zien rondlopen. Maar ik had ze zich nog nooit zo krankzinnig zien gedragen.

Beëlzebub, de grote grijze kater van de tweeling, sprong op de bank tussen hen in. Hij was opgeblazen tot tweemaal zijn normaal al reusachtige grootte en hij keek met zijn barnsteenkleurige ogen, die hij woedend tot spleetjes had geknepen, naar de openstaande deuren van de eetzaal.

'Beëlzebub, schattebout, wat is er met je?' zei Erin in een poging hem te sussen.

Nala sprong op mijn schoot. Ze legde haar kleine, met wit afgezette pootjes op mijn schouder en gromde onheilspellend terwijl ook zij in de richting staarde van de deur en het chaotische geluid dat nog steeds uit de gang kwam.

'Hé,' zei Jack. 'Ik weet wat dat voor geluid is.'

En op dat moment wist ik het ook. 'Het is hondengeblaf,' zei ik.

Toen stormde iets wat meer van een grote gele beer dan van een hond weg had, de kantine binnen. De beerhond werd op de voet gevolgd door een jongen die op zijn beurt werd gevolgd door verscheidene geagiteerd ogende docenten, wat je maar zelden zag, onder wie onze scherminstructeur Draak Lankford, onze rijinstructrice Lenobia en diverse Zonen van Erebus-krijgers.

'Hebbes!' schreeuwde de jongen toen hij de hond had ingehaald en vlak bij ons slippend tot stilstand kwam. Hij pakte het blaffende dier bij zijn halsband (van roze leer met rondom zilveren metalen spikes) en klikte er een lijn aan vast. Zodra de beer weer aangelijnd was, hield hij op met blaffen, plofte op zijn ronde achterwerk op de vloer neer en keek hijgend naar de jongen op. 'Ja hoor, geweldig. Nu opeens besluit je om je netjes te gedragen,' hoorde ik hem tegen de overduidelijk grijnzende hond mompelen.

Hoewel het geblaf was opgehouden, waren de katten in de kantine nog niet bedaard. Om ons heen werd zo heftig geblazen dat het klonk als lucht die uit een lekke binnenband ontsnapt.

'Zie je, James, dit is nou wat ik je probeerde uit te leggen,' zei Draak Lankford, terwijl hij fronsend op de hond neerkeek. 'Het wordt niets met dit dier in dit Huis van de Nacht.'

'De naam is Stark en niet James,' zei de jongen. 'En zoals ik aan u probeerde uit te leggen: de hond moet bij me blijven. Zo is het en niet anders. Als u mij wilt, krijgt u haar erbij.'

De nieuwe jongen met de hond had in mijn ogen een vreemde

manier van doen. Hij was niet openlijk onbeschoft tegen Draak, maar hij sprak evenmin met het respect en soms zelfs de angst waarmee de meeste pas gemerkte halfwassen tegen vampiers spraken. Ik speurde met mijn blik de voorkant van zijn vintage Pink Floyd-T-shirt af. Geen klasinsigne, dus ik had geen idee hoeveelstejaars hij was en hoe lang geleden hij was gemerkt.

'Stark,' zei Lenobia; ze probeerde de jongen duidelijk tot rede te brengen. 'Het is gewoon onmogelijk om een hond in deze campus te integreren. Je ziet toch hoe erg ze de katten van hun stuk brengt?'

'Die raken wel aan haar gewend. Zo ging het ook in het Huis van de Nacht in Chicago. Ze weet zich heel goed te gedragen en zit ze doorgaans niet achterna, maar die grijze kat heeft er echt om gevraagd met dat geblaas en gekrab.'

'Oeps,' fluisterde Damien.

Ik hoefde niet te kijken; ik voelde dat de tweeling opzwol als kogelvissen.

'Goeie genade, wat is dit voor hels kabaal?' Neferet kwam de eetzaal binnen, beeldschoon, krachtig, en een toonbeeld van zelfbeheersing.

Ik zag de ogen van de nieuwe jongen groot worden toen hij haar betoverende schoonheid in zich opnam. Om je dood te ergeren dat iedereen automatisch in trance leek te raken als ze voor het eerst onze hogepriesteres en mijn nemesis, Neferet, zagen.

'Neferet, ik verontschuldig me voor de opschudding.' Draak legde zijn vuist op zijn hart en boog eerbiedig voor zijn hogepriesteres. 'Dit is mijn nieuwe halfwas. Hij is zojuist aangekomen.'

'Dat verklaart de aanwezigheid van de halfwas, maar níét van dat daar.' Neferet wees naar de hijgende hond.

'Ze hoort bij mij,' zei de jongen. Toen Neferet haar mosgroene ogen op hem richtte, bootste hij Draaks saluut en buiging na. Ik was hevig gechoqueerd toen hij zich weer oprichtte en Neferet met een scheve, brutale grijns aankeek en zei: 'Ze is mijn versie van een kat.'

'O?' Neferet trok een fijne kastanjebruine wenkbrauw op. 'Ze lijkt merkwaardig genoeg meer op een beer.'

Ha! Ik was dus niet de enige die dat zag.

'Nou ja, ze is een labrador, priesteres, maar u bent niet de eerste die zegt dat ze op een beer lijkt. Haar poten zijn beslist groot genoeg om van een beer te kunnen zijn. Kijk maar.' Ik keek ongelovig toe toen de jongen Neferet de rug toedraaide en tegen de hond zei: 'Geef me de vijf, Duch.' De hond hief gehoorzaam een reusachtige poot en sloeg ermee op Starks hand. 'Brave meid!' zei hij, terwijl hij haar over haar hangoren streek.

Oké, ik moest toegeven dat het een leuk kunstje was.

De jongen richtte zijn aandacht weer op Neferet. 'Maar hond of beer, zij en ik zijn al samen vanaf het moment dat ik vier jaar geleden werd gemerkt, dus dat maakt haar genoeg kat voor mij.'

'Een labrador-retriever?' Neferet liep om de hond heen en bekeek haar van alle kanten. 'Ze is verschrikkelijk groot.'

'Nou, ja, Duch is altijd een grote meid geweest, priesteres.'

'Duch? Is dat haar naam?'

De jongen knikte grijnzend, en hoewel hij een zesdeklasser was, verbaasde ik me weer over het gemak waarmee hij tegen een volwassen vampier sprak, en dan nog wel een machtige hogepriesteres. 'Het is een afkorting van Duchess.'

Neferet keek van de hond naar de jongen en haar ogen vernauwden zich. 'Hoe heet jij, jongen?'

'Stark,' zei hij.

Ik vroeg me af of ik de enige was die haar kaak zag verstrakken.

'James Stark?' vroeg Neferet.

'Een paar maanden geleden heb ik mijn voornaam laten vallen. Ik heet gewoon Stark,' zei hij.

Ze negeerde hem en wendde zich tot Draak. 'Is hij de halfwas die vanuit het Huis van de Nacht in Chicago is overgeplaatst?'

'Ja, priesteres,' zei Draak.

Toen Neferet weer naar Stark keek, zag ik haar mondhoeken omkrullen in een berekenende glimlach. 'Ik heb heel wat over je gehoord, Stark. Jij en ik zullen binnenkort een lang gesprek voeren.' Zonder de halfwas met haar blik los te laten zei Neferet tegen Draak: 'Zorg ervoor dat Stark te allen tijde toegang heeft tot alle boogschuttersbenodigdheden die hij wil gebruiken.'

Ik zag een klein schokje door Starks lichaam trekken. Neferet zag het blijkbaar ook, want haar glimlach werd breder en ze zei: 'Het nieuws over je talent is je vooruitgesneld, Stark. Het zou zonde zijn om uit vorm te raken alleen maar omdat je van school bent veranderd.'

Stark leek voor het eerst niet op zijn gemak te zijn. In wezen was dat veel te zwak uitgedrukt. Toen Neferet 'boogschuttersbenodigdheden' zei, was Starks gezichtsuitdrukking van bijdehand en een beetje sarcastisch overgegaan in koud en bijna gemeen.

'Ik heb hun gezegd dat ik stopte met de competitie als ze me overplaatsten.' Starks stem klonk vlak en zijn woorden bereikten nauwelijks onze tafel. 'Van school veranderen verandert daar niets aan.'

'Competitie? Bedoel je die onbenullige boogschutterscompetitie tussen de verschillende Huizen van de Nacht?' Neferets lach bezorgde me kippenvel. 'Het interesseert me niet of je wel of niet meedoet. Vergeet niet: ik ben hier de spreekbuis van Nux en ik zeg dat het belangrijk is dat je je door de godin gegeven talent niet vergooit. Je weet nooit wanneer Nux een beroep op je zou kunnen doen... en dat zal niet voor een dwaze competitie zijn.'

Mijn maag maakte een salto. Ik wist dat Neferet doelde op haar oorlog tegen de mensen. Maar Stark, die daar totaal geen idee van had, leek alleen opgelucht te zijn over het feit dat hij niet meer aan de competitie hoefde mee te doen, en zijn gezichtsuitdrukking veranderde weer in onverschilligheid met een zweem van brutaliteit.

'Geen probleem. Ik heb er niets op tegen om te oefenen, priesteres,' zei hij.

'Neferet, wat wil je dat we met de... eh... hond doen?' vroeg Draak.

Neferet aarzelde even en liet zich toen elegant voor de gele labrador op haar hurken zakken. De hond draaide haar grote oren naar voren. Ze hief haar natte neus en besnuffelde nieuwsgierig Neferets uitgestoken hand. Beëlzebub, die tegenover me aan de andere kant van de tafel zat, blies dreigend. Nala gromde diep in haar keel. Neferet sloeg haar ogen op en ze ontmoette mijn blik.

Ik probeerde mijn gezicht uitdrukkingsloos te houden, maar ik weet niet of ik daar helemaal in slaagde. Ik had Neferet niet meer gezien sinds ze me twee dagen geleden uit de aula naar buiten was gevolgd nadat ze de mens-vampieroorlog had afgekondigd die ze wilde beginnen als vergelding voor de moord op Loren. We hadden natuurlijk woorden gehad. Zij was Lorens geliefde geweest. Ik ook, maar dat was irrelevant. Loren had niet van me gehouden. Neferet had dat hele gedoe tussen Loren en mij bekokstoofd, en ze wist dat ik dat wist. Ze wist ook dat ik wist dat Nux de dingen die Neferet had gedaan niet goedkeurde.

Het kwam erop neer dat Neferet mij dusdanig op mijn hart had getrapt dat ik haar bijna evenzeer haatte als vreesde. Ik hoopte dat geen van die gevoelens van mijn gezicht was af te lezen toen onze hogepriesteres rustig op onze tafel afliep. Ze gebaarde Stark en zijn aangelijnde hond om haar te volgen. De kat van de tweeling blies nog eens hartgrondig en ging er toen vandoor. Ik bleef verwoed Nala aaien en hoopte maar dat ze niet uitzinnig van angst zou worden toen de hond naderbij kwam. Neferet bereikte onze tafel en bleef staan. Haar blik flitste snel van mij naar Aphrodite en bleef toen op Damien rusten.

'Ik ben blij dat je er bent, Damien. Ik wil je vragen om Stark zijn kamer te wijzen en hem wegwijs te maken op de campus.'

'Met alle plezier, Neferet,' zei Damien snel, en zijn ogen schitterden toen Neferet hem haar dank-je-welglimlach van honderd watt schonk.

'Draak helpt je wel met de details,' zei ze. Toen richtte ze haar groene ogen op mij. Ik zette me schrap. 'En Zoey, dit is Stark. Stark, dit is Zoey Redbird, de leider van onze Duistere Dochters.'

Hij en ik knikten naar elkaar.

'Zoey, aangezien jij onze hogepriesteres in opleiding bent, zal ik de kwestie van Starks hond aan jou overlaten. Ik ga ervan uit dat een van de vele gaven waarmee Nux je heeft begunstigd je zal helpen Duchess in onze school te laten acclimatiseren.' Haar kille ogen lieten de mijne geen moment los. Ze vertelden een ander verhaal dan haar suikerzoete stem. Ze zeiden: *Vergeet niet dat ik hier de leiding heb en dat jij maar een kind bent.*

Ik verbrak doelbewust ons oogcontact en glimlachte gespannen naar Stark. 'Ik zal met alle plezier je hond helpen zich aan te passen.'

'Voortreffelijk,' kirde Neferet. 'O, en Zoey, Damien, Shaunee en Erin.' Ze glimlachte naar mijn vrienden en mijn vrienden grijnsden als debielen terug. Ze negeerde Aphrodite en Jack. 'Ik heb voor vanavond half elf een speciale bestuursvergadering belegd.' Ze wierp een blik op haar met diamanten bezette, platina horloge. 'Het loopt al tegen tienen dus jullie moeten opschieten met eten, want ik verwacht dat de prefecten ook aanwezig zijn.'

'We zullen er zijn!' Ze kwinkeleerden als idiote babyvogeltjes.

'O, Neferet, voor ik het vergeet,' zei ik, waarbij ik mijn stem verhief zodat die in de hele eetzaal te horen was. 'Aphrodite zal zich ook bij ons aansluiten. Aangezien ze door Nux is begunstigd met een affiniteit voor aarde, vinden we allemaal dat ze ook lid moet zijn van de prefectenraad.' Ik hield mijn adem in en hoopte dat mijn vrienden niet zouden tegensputteren.

Godzijdank zei niemand iets, behalve Nala, die diep in haar keel naar Duchess gromde.

'Hoe kan Aphrodite een prefect zijn? Ze is niet langer lid van de Duistere Dochters.' Neferets stem was ijskoud geworden.

Ik straalde onschuld uit. 'Ben ik u dat vergeten te vertellen? Neemt u me alstublieft niet kwalijk, Neferet! Dat komt waarschijnlijk door al die gruwelijke gebeurtenissen van de laatste tijd. Aphrodite is weer lid geworden van de Duistere Dochters. Ze heeft mij en Nux plechtig beloofd dat ze onze nieuwe gedragsregels hoog zal houden, en toen heb ik haar weer toegelaten. Ik bedoel, ik dacht dat u dat zou willen: dat ze terugkwam naar onze godin.'

'Dat klopt.' Aphrodite klonk voor haar doen erg ingetogen. 'Ik heb ingestemd met de nieuwe regels. Ik wil mijn fouten uit het verleden goedmaken.'

Ik wist dat Neferet gemeen en wraakgierig zou overkomen als ze Aphrodite openlijk zou afwijzen nu ze zo duidelijk had aangegeven dat ze wilde veranderen. En voor Neferet was niets belangrijker dan hoe ze overkwam.

De hogepriesteres glimlachte naar de aanwezigen in het algemeen zonder mij of Aphrodite aan te kijken. 'Het is bijzonder edelmoedig van onze Zoey om Aphrodite weer in de Duistere Dochters op te nemen, vooral omdat zij verantwoordelijk zal worden gehouden voor Aphrodites gedrag. Maar onze Zoey lijkt zich erg gemakkelijk te voelen onder de druk van veel verantwoordelijkheid.' Toen keek ze mij aan en de haat in haar blik deed mijn adem stokken. 'Pas op dat je niet verstikt onder zo veel zelfopgelegde druk, mijn beste Zoey.' Toen, alsof ze een schakelaar had omgezet, straalde haar gezicht weer beminnelijkheid en licht uit en zei ze tegen de nieuwe jongen: 'Welkom in het Huis van de Nacht, Stark.'

3

'Goed... eh... heb je trek?' vroeg ik Stark toen Neferet en het groepje vampiers de kantine hadden verlaten.

'Ja, best wel,' zei hij.

'Als je opschiet, kun je bij ons komen zitten eten en dan kan Damien je je kamer wijzen voordat we naar de bestuursvergadering moeten,' zei ik.

'Ik vind je hond erg mooi,' zei Jack, terwijl hij om Damien heen keek om Duchess goed te kunnen bekijken. 'Ik bedoel, ze is groot, maar wel mooi. Ze bijt toch niet, hoop ik?'

'Alleen als jij haar eerst bijt,' zei Stark.

'O, jegh,' zei Jack. 'Ik moet er niet aan denken: hondenharen in mijn mond.'

'Stark, dit is Jack. Hij is Damiens vriendje.' Ik besloot om de introducties en de mogelijke *O nee! Een flikker*-kwestie af te werken.

'Hoi,' zei Jack met een warme glimlach.

'Ja, hoi,' zei Stark. Het was geen overdreven hartelijk 'hoi', maar hij leek geen homohaat uit te stralen.

'En dit zijn Erin en Shaunee.' Bij het noemen van elke naam wees ik naar het betreffende meisje. 'Ze worden ook wel "de tweeling" genoemd, wat duidelijk wordt zodra je ze zo ongeveer twee komma vijf minuten kent.'

'Hoi,' zei Shaunee, met een zwoele blik.

'Idem dito,' zei Erin, met een identieke zwoele blik.

'Dit is Aphrodite,' zei ik.

Zijn licht sarcastische lachje was terug. 'Dus jij bent de liefdesgodin. Ik heb veel over je gehoord.'

Aphrodite keek naar Stark met een eigenaardige intensiteit, die niet bij uitstek flirterig leek, maar toen hij tegen haar sprak, voerde ze werktuiglijk een spectaculaire zwiep met haar haar uit en zei ze: 'Hoi, ik vind het altijd leuk als ik word herkend.'

Zijn glimlach werd breder en nog sarcastischer. 'Het zou moeilijk zijn om je niet te herkennen: de naam spreekt voor zich.'

Ik zag dat Aphrodites intense blik van het ene op het andere moment vervloog en plaatsmaakte voor haar veel vertrouwdere gezichtsuitdrukking van snobistische minachting. Voor ze de kans kreeg om verbaal het mes in de nieuwe jongen te zetten, zei Damien: 'Stark, ik laat je even zien waar je de dienbladen en zo kunt vinden.' Hij kwam overeind, maar bleef vlak voor Duchess staan, met een onzekere uitdrukking op zijn gezicht.

'Maak je geen zorgen,' zei Stark. 'Ze blijft gewoon zitten. Zolang er geen katten zijn die stommiteiten uithalen.'

Zijn blik was naar Nala gegaan, de enige kat die nog bij Duchess in de buurt was. Nala gromde niet meer, maar ze zat op mijn schoot strak naar de hond te staren, en ik voelde de spanning in haar lijfje.

'Nala gedraagt zich wel,' zei ik, en ik hoopte dat ze dat inderdaad zou doen. Ik had totaal geen controle over mijn kat. Maar zou er ook maar iemand zijn die naar waarheid kon zeggen dat hij of zij controle had over welke kat ook?

'Goed dan.' Hij knikte naar me en zei toen tegen de hond: 'Duchess, blijf!' En ja hoor, toen Stark achter Damien aan liep naar het buffet, bleef Duchess zitten.

'Weet je, honden maken veel meer herrie dan katten,' zei Jack, die naar Duchess keek alsof ze een scheikunde-experiment was.

'Dat gehijg alleen al,' zei Erin.

'En ze zijn veel winderiger dan katten, tweelingzus,' zei Shaunee. 'Mijn moeder heeft van die enorme poedels en die hebben me toch een last van darmgassen!'

'Oké, goed, dit was allemaal echt niet-gezellig,' zei Aphrodite. 'Ik ga ervandoor.'

'Blijf je niet eens om naar die nieuwe jongen te lonken?' vroeg Shaunee liefjes.

'Ja, en hij leek jou nog wel zo leuk te vinden,' zei Erin net zo poeslief.

'Ik laat de nieuwe jongen aan jullie over, wat niet meer dan gepast is aangezien hij zo dol is op teven. Zoey, wil je even naar mijn kamer komen als je klaar bent met je kudde oenen? Ik wil voor de bestuursvergadering iets met je bespreken.' En met een zwiep van haar haar en een spottend lachje naar de tweeling, liep ze de kantine uit.

'Ze is echt niet zo naar als ze zich voordoet,' zei ik tegen de tweeling. Ze keken me ongelovig aan en ik haalde mijn schouders op. 'Al doet ze zich wel erg vaak als een kreng voor.'

'Nou, ze kan van ons de rambam krijgen met haar schijthouding,' zei Erin.

'Door Aphrodite begrijpen we waarom er vrouwen zijn die hun baby hebben verzopen,' zei Shaunee.

'Jullie moeten Aphrodite een kans geven,' zei ik. 'Ze gunt me af en toe een kijkje achter die onsympathieke façade die ze optrekt. En echt, soms is ze best aardig.'

De tweeling zei niets. Enkele seconden later keken ze elkaar aan terwijl ze gelijktijdig hun hoofd schudden en met hun ogen rolden. Ik slaakte weer een zucht.

'Maar dan nu een veel belangrijker onderwerp,' zei Erin.

'Ja, de nieuwe spetter,' zei Shaunee.

'Hij heeft een lekker kontje,' zei Erin.

'Liet hij die spijkerbroek maar een beetje afzakken zodat ik het beter kon bekijken,' zei Shaunee.

'Tweelingzus, een afzakkende broek is echt uit de tijd. Een volkomen afgezaagde zogenaamde bendelook uit de jaren negentig van de vorige eeuw. Spetters zouden daar gewoon niet aan mee moeten doen,' zei Erin.

'Toch zou ik graag zijn kont willen zien, tweelingzus,' zei Shaunee. Toen keek ze mij lachend aan. Het was een terughoudende versie van haar vroegere vriendelijke lach, maar het was tenminste niet de sarcastische behoedzaamheid waarmee ze me de afgelopen paar dagen had bejegend. 'Wat vind jij? Is hij een spetter à la Christian Bale of à la Tobey Maguire?'

Ik kon wel janken van blijdschap en wilde het uitschreeuwen: *Hoera! Jullie praten weer tegen me!* In plaats van in gejubel uit te barsten stortte ik me met de tweeling op het beoordelen van de nieuwe jongen.

Ze hadden inderdaad gelijk. Stark was leuk om te zien. Hij was middelgroot, niet quarterbacklang zoals mijn menselijke ex-vriendje Heath of abnormaal spetterig Superman-lang zoals mijn halfwas-inmiddels-vampier-geworden ex-vriendje Erik. Maar hij was ook niet klein. Hij was ongeveer van Damiens lengte. Hij was nogal mager, maar spieren tekenden zich af onder zijn oude T-shirt, en hij had absoluut lekkere armen. Hij had leuk warrig, rossig haar, die kleur tussen blond en bruin. Ook zijn gezicht was aantrekkelijk. Hij had een krachtige kin, een rechte neus, grote bruine ogen en mooie lippen. Ontleed in verschillende delen was Stark dus een prima ogende jongen. Terwijl ik naar hem keek, besefte ik dat zijn kracht en zelfvertrouwen hem van 'mwah' tot 'een spetter' maakten. Zijn manier van doen wekte de indruk dat alles wat hij deed doelbewust was, maar dat die doelbewustheid vermengd was met sarcasme. Het was alsof hij thuis was in de wereld maar daar tegelijkertijd de draak mee stak.

En ja, het was bizar dat ik dat zo snel doorhad.

'Ik vind hem echt leuk,' zei ik.

'O-mijn-god! Ik besef opeens wie hij is!' zei Jack, naar lucht happend.

'Vertel op,' zei Shaunee.

'Hij is James Stark!' zei Jack.

'Je meent het!' zei Erin, rollend met haar ogen. 'Jacky, dat wisten we al.'

'Nee, nee, nee. Je begrijp het niet. Hij is dé James Stark, de beste boogschutter ter wereld! Weten jullie niet meer dat we op internet over hem hebben gelezen? Hij heeft iedereen ingemaakt tijdens de atletiek-Zomerspelen van het afgelopen jaar. Hij is uitgekomen tegen volwassen vampiers, Zonen van Erebus, en hij heeft ze allemaal verslagen. Hij is een ster...' besloot Jack met een dromerige zucht.

'Godallemachtig! Zijn wij even traag van begrip, tweelingzus! Jacky heeft gelijk!' zei Erin.

'Ik wist dat hij een gigaspetter was,' zei Shaunee.

'Wauw,' zei ik.

'Tweelingzus, ik ga proberen om zijn hond leuk te vinden,' zei Erin.

'Uiteraard doen we dat, tweelingzus,' zei Shaunee.

We zaten natuurlijk alle vier als debielen naar Stark te staren toen hij met Damien naar de tafel terugkwam.

'Wat is er?' vroeg hij met een hap sandwich in zijn mond. Zijn blik ging van ons naar Duchess. 'Heeft ze iets gedaan terwijl ik weg was? Ze likt graag tenen.'

'Getver, wat...' begon Erin, maar ze brak haar zin af toen Shaunee haar onder de tafel een trap gaf.

'Nee, Duchess heeft zich als een dame gedragen terwijl je weg was,' zei Shaunee, met een wel erg hartelijke glimlach naar Stark.

'Goed zo,' zei Stark. Toen iedereen naar hem bleef staren, ging hij ongemakkelijk verzitten. Alsof ze een teken had gekregen, schoof Duchess dichterbij zodat ze tegen zijn been kon leunen en liefdevol naar hem kon opkijken. Ik zag dat hij zich ontspande terwijl hij werktuiglijk zijn hand naar beneden stak en de oren van de hond liefkoosde.

'Ik herinnerde me opeens gehoord te hebben dat jij bij boogschieten al die vampiers hebt verslagen!' flapte Jack eruit. Toen perste hij zijn lippen op elkaar en kreeg een felroze kleur.

Stark keek niet op van zijn bord. Hij haalde alleen maar zijn schouders op. 'Ja, ik ben goed in boogschieten.'

'Ben je díé halfwas?' vroeg Damien, bij wie nu pas het muntje viel. 'Goed in boogschieten? Je bent een fantástische boogschutter!'

Stark keek op. 'Zoals je wilt. Het is gewoon iets waarin ik goed ben sinds ik werd gemerkt.' Zijn blik ging van Damien naar mij. 'Over beroemde halfwassen gesproken: ik zie dat de geruchten over je extra merktekens waar zijn.'

'Die zijn waar.' Ik haatte zo'n eerste kennismaking. Ik voelde me verschrikkelijk ongemakkelijk wanneer ik iemand leerde kennen en diegene alleen maar de überhalfwas en niet de echte Zoey kon zien.

Toen drong het tot me door. Wat ik voelde, was waarschijnlijk vergelijkbaar met wat Stark voelde.

Ik vroeg het eerste wat bij me opkwam om het gesprek af te leiden van hoe 'bijzonder' hij en ik wel waren. 'Hou je van paarden?'

'Paarden?' Het sarcastische lachje was terug.

'Ja, nou ja, je lijkt me echt iemand die van dieren houdt,' zei ik schaapachtig, met een ruk van mijn kin in de richting van zijn hond.

'Ja, ik hou wel van paarden. Ik hou van de meeste dieren. Behalve van katten.'

'Behalve van katten!' bracht Jack verschrikt uit.

Stark haalde weer zijn schouders op. 'Ik heb het nooit zo op katten gehad. Ze zijn me te krengerig.'

Ik hoorde de tweeling in koor snuiven.

'Katten zijn onafhankelijke dieren,' begon Damien. Ik hoorde de belerende schoolmeesterstoon in zijn stem en wist dat mijn poging om op een ander onderwerp over te gaan was geslaagd. 'We weten natuurlijk allemaal dat ze in veel oude culturen over de hele wereld werden aanbeden, maar wist je dat ze ook...'

'Eh, jongens, sorry dat ik jullie moet onderbreken,' zei ik, terwijl ik opstond en mijn greep op Nala verstevigde om te voorkomen dat ik haar boven op Duchess zou laten vallen, 'maar ik moet even bij Aphrodite langs om te horen wat ze me voor de bestuursvergadering wilde vertellen. We zien elkaar daar, oké?'

'Ja, oké.'

'Best.'

'Zoals je wilt.'

Het was tenminste een soort van gedag zeggen.

Ik glimlachte hartelijk naar Stark. 'Ik vond het leuk om je te leren kennen. Als je iets nodig hebt voor Duchess, laat me dat dan even weten. Er is hier vlakbij een uitstekende winkel voor dierenbenodigdheden. Ze verkopen een heleboel spullen voor katten, maar vast en zeker ook voor honden.'

'Ik geef wel een gil,' zei hij.

En toen, terwijl Damien zijn katten-zijn-geweldigverhandeling hervatte, knikte Stark naar me, met een knipoog die duidelijk zei dat hij mijn allesbehalve subtiele verandering van onderwerp waardeerde. Ik knipoogde terug en was al bijna bij de buitendeur voor ik besefte dat ik als een debiel liep te grijnzen in plaats van stil te staan bij het feit dat ik de laatste keer dat ik buiten was geweest door iets leek te zijn aangevallen.

Ik stond als een hulpeloos kind voor de grote eiken deur toen een groep Zonen van Erebus-krijgers de trap af kwam lopen die voerde naar de eetzaal van de docenten op de eerste verdieping.

'Priesteres,' zeiden verscheidenen van hen toen ze me in het oog kregen, en de hele groep bleef staan om een eerbiedige buiging voor me te maken en me met hun vuist tegen hun gespierde borst te groeten.

Ik beantwoordde de groet gespannen.

'Priesteres, sta mij toe de deur voor je te openen,' zei een van de oudere krijgers.

'O... eh... dank je,' zei ik, en op een ingeving voegde ik eraan toe: 'Zou een van jullie me misschien naar het meisjesverblijf willen begeleiden en me een lijst kunnen geven van de namen van de krijgers die het meisjesverblijf zullen bewaken? Volgens mij voelen de mannen zich meer thuis als we hun naam kennen.'

'Dat is bijzonder attent van je, milady,' zei de oudere krijger, die nog steeds de deur voor me openhield. 'Ik zal je graag een lijst namen geven.'

Ik bedankte hem glimlachend. Onderweg naar het meisjesverblijf sprak hij hoffelijk over de krijgers die zouden worden aangewezen om ons te bewaken, terwijl ik knikte en gepast reageerde en ondertussen steels naar de rustige avondhemel opkeek.

Niets fladderde of maakte de lucht koud, maar ik kon het angstige gevoel dat iemand of iets me gadesloeg niet van me af zetten.

4

Ik had nauwelijks de deurkruk van mijn kamer aangeraakt toen de deur werd opengetrokken en Aphrodite me bij mijn pols vastgreep. 'Schiet een beetje op! Godallemachtig, je bent zo langzaam als een dikke meid met krukken, Zoey.' Ze trok me de kamer binnen en sloeg de deur met een klap achter ons dicht.

'Ik ben niet langzaam, en jij hebt verdomme heel wat uit te leggen,' zei ik. 'Hoe ben je binnengekomen? Waar is Stevie Rae? Wanneer is je merkteken teruggekomen? Wat...?' Mijn spervuur van vragen werd onderbroken door een luid, hardnekkig geklop dat van mijn raam kwam.

'Ten eerste: je bent een debiel. Dit is het Huis van de Nacht en niet de Tulsa-kostschool. Niemand doet zijn of haar deur op slot, dus ik ben gewoon je kamer in gelopen. Ten tweede: Stevie Rae is daar.' Aphrodite snelde langs me heen naar het raam. Ik keek toe terwijl ze de dikke gordijnen openschoof en het zware glas-in-loodraam probeerde open te maken. Ze wierp me over haar schouder een geërgerde blik toe. 'Hallo! Een beetje hulp zou prettig zijn.'

Volslagen confuus liep ik naar het raam. Met vereende krachten lukte het ons het raam open te rukken. Ik keek naar buiten door het raam op de bovenste verdieping van het oude gebouw van ruwe steen, dat meer op een kasteel dan op een leerlingenhuis leek. De late-decemberavond was nog steeds koud en somber en er zat regen in de lucht. In de duisternis en tussen de sluier van bomen door kon ik net de oostmuur zien. Ik huiverde, maar halfwassen voelen zelden de kou, en het was niet het weer dat me kippenvel bezorgde. Het was de glimp van de oostmuur, een plek van kracht en gruwelijkheden. Aphrodite slaakte een zucht en boog zich uit het raam zodat ze langs de muur naar beneden kon kijken. 'Hou op met klooien en kom binnen. Nog even en je wordt betrapt. En belangrijker nog: door het vocht gaat mijn haar kroezen.'

Toen Stevie Raes hoofd boven de vensterbank verscheen, deed ik het zowat in mijn broek.

'Hoi, Z!' zei ze vrolijk. 'Te gek, hè, mijn nieuwe ultracoole klimvaardigheid.'

'O-mijn-god. Maak. Dat. Je. Binnenkomt.' Aphrodite stak haar arm naar buiten, greep een van Stevie Raes handen vast en gaf er een ruk aan. Stevie Rae floepte als een ballon de kamer binnen. Aphrodite deed vlug het raam dicht en sloot de gordijnen.

Ik deed mijn open mond weer dicht, maar bleef staren terwijl Stevie Rae overeind kwam, haar Roper-spijkerbroek afveegde en haar shirt met lange mouwen in haar broek stopte.

'Stevie Rae,' wist ik eindelijk uit te brengen, 'ben je zojuist tegen de muur op geklommen?'

'Ja!' Ze grijnsde naar me en knikte zo heftig dat haar korte blonde krullen dansten als de krullen van een fanatieke cheerleader. 'Cool, hè? Het is net of ik deel uitmaak van de stenen waarvan het gebouw is gemaakt en ik gewichtloos word, en, nou ja, hier ben ik.' Ze spreidde haar handen.

'Net Dracula,' zei ik, en ik besefte dat ik hardop had gedacht toen Stevie Rae fronsend vroeg: 'Wat is net Dracula?'

Ik plofte neer op het voeteneinde van mijn bed. 'In het boek *Dracula* van Bram Stoker,' legde ik uit, 'zegt Jonathan Harker dat hij Dracula langs de muur van zijn kasteel naar beneden ziet kruipen.'

'O, nou, dat kan ik dus, ja. Toen je zei "Net Dracula" dacht ik dat je bedoelde dat ik op Dracula leek: griezelig en lijkbleek met goor haar en van die lange, scherpe vingernagels. Maar dat bedoelde je niet, toch?'

'Nee, integendeel, je ziet er geweldig uit.' En dat meende ik. Stevie Rae zag er echt geweldig uit, vooral vergeleken met haar uiterlijk (en gedrag en stank) van de afgelopen maand. Ze leek weer op Stevie Rae, voordat het lichaam van mijn beste vriendin een maand geleden de Verandering had afgestoten en ze was gestorven om vervolgens op de een of andere manier ondood te worden. Maar ze was anders geweest, geknakt. Haar menselijkheid was ze bijna volledig kwijtgeraakt, en zij was niet de enige halfwas wie dat was overkomen. Een hele bende onplezierige ondode jongens en meisjes hield zich schuil in de oude tunnels uit de tijd van de drooglegging onder de verlaten remise in de binnenstad van Tulsa. Het had niet veel gescheeld of Stevie Rae was een van hen geworden: gemeen, boosaardig en gevaarlijk. Haar door de godin Nux gegeven affiniteit voor het element aarde was het enige wat haar had geholpen een nietig stukje van zichzelf te bewaren, maar dat was niet genoeg geweest. Ze was steeds verder weggegleden. Dus had ik, geholpen door Aphrodite (die ook een affiniteit voor het element aarde had gekregen), een cirkel geworpen en Nux gevraagd om Stevie Rae beter te maken.

En de godin had mijn verzoek ingewilligd, maar tijdens dat genezingsproces had het geleken alsof Aphrodite moest sterven om Stevie Raes menselijkheid te redden. Gelukkig was dat niet waar gebleken. Aphrodite was niet gestorven, maar haar merkteken was verdwenen toen Stevie Raes merkteken als door een wonder werd ingekleurd en uitgebreid, een teken dat ze haar Verandering tot vampier had voltooid. Wat echter bijdroeg aan de algemene verwarring was dat Stevie Raes tatoeage niet saffierblauw was, de kleur van het merkteken van alle volwassen vampiers. Stevie Raes merkteken was felrood, de kleur van vers bloed.

'Eh, hallo. Aarde aan Zoey. Iemand thuis?' Aphrodites pedante stem doorsneed mijn mentale gekwebbel. 'Kijk eens goed naar je beste vriendin voor altijd. Volgens mij staat ze op instorten.'

Ik knipperde met mijn ogen. Hoewel ik naar Stevie Rae had staan staren had ik niet echt naar haar gekéken. Ze stond midden in de kamer, die ónze kamer was geweest tot een maand geleden, toen haar dood alles volslagen en voorgoed had veranderd, en keek met grote, betraande ogen om zich heen.

'O, lieve schat, neem me niet kwalijk.' Ik haastte me naar Stevie Rae toe en omhelsde haar. 'Het moet verschrikkelijk moeilijk voor je zijn om hier weer te staan.' Ze voelde stijf en vreemd aan in mijn armen en ik ging een stukje achteruit zodat ik naar haar kon kijken.

De uitdrukking op haar gezicht deed mijn bloed stollen. De betraande ogen en de verschrikte uitdrukking waren vervangen door woede. Ik vroeg me onwillekeurig af waarom haar woede me zo bekend voorkwam; Stevie Rae werd maar zelden nijdig. En toen drong het tot me door. Stevie Rae zag eruit zoals ze er had uitgezien voor ik de cirkel had geworpen en ze haar menselijkheid had teruggekregen. Ik deed een stap bij haar vandaan.

'Stevie Rae? Wat is er?'

'Waar zijn mijn spullen?' De woede in haar stem evenaarde die van haar gezichtsuitdrukking.

'Lieve schat,' zei ik zacht, 'de vampiers halen de spullen van een halfwas weg wanneer ze, eh, sterft.'

Stevie Rae keek me met vernauwde ogen aan. 'Ik ben niet dood.'

Aphrodite kwam naast me staan. 'Zeg, kwaad worden op ons slaat nergens op. De vampiers geloven dat je dood bent, weet je nog?'

'Maar maak je niet ongerust,' zei ik vlug. 'Ik heb ervoor gezorgd dat ze een heleboel spullen teruggaven. En ik weet waar de rest van je spullen ligt. Ik kan alles terughalen, als je dat wilt.'

Haar woede verdween op slag en ik keek weer naar mijn beste vriendin. 'Zelfs mijn lamp die van een cowboylaars is gemaakt?'

'Zelfs die,' zei ik glimlachend. Jeetje, ik zou ook behoorlijk pissig zijn als iemand al mijn spullen had weggehaald.

Aphrodite zei: 'Je zou denken dat als iemand doodgaat haar foute modegevoel zou veranderen. Maar nee. Je slechte smaak is godbewaarme onsterfelijk.'

'Aphrodite,' zei Stevie Rae ferm, 'je zou echt moeten proberen aardiger te zijn.'

'En ik zeg wat ik wil tegen jou en over je countryachtige Mary Poppins-levensopvatting,' zei Aphrodite.

'Mary Poppins was Brits. Dat betekent dat ze niet countryachtig kan zijn,' zei Stevie Rae zelfvoldaan.

Stevie Rae klonk zo veel als haar vroegere zelf dat ik een vreugdekreet slaakte en mijn armen weer om haar heen sloeg. 'Wat ben ik blij je te zien! Het gaat nu echt weer goed met je, toch?'

'Anders dan vroeger, maar goed,' zei Stevie Rae, terwijl ze mijn omhelzing beantwoordde.

De opluchting waardoor ik werd overspoeld overstroomde het 'anders dan vroeger'-deel van wat ze had gezegd. Ik denk dat ik zo blij was om haar te zien, helemaal weer zichzelf, dat ik er behoefte aan had om die wetenschap in mijn binnenste te koesteren, en die behoefte stond niet toe dat ik rekening hield met het feit dat Stevie Rae nog best problemen mee kon brengen. Bovendien bedacht ik nog iets anders. 'Wacht eens even,' zei ik opeens. 'Hoe zijn jullie de campus op gekomen zonder dat de krijgers gek werden?'

'Zoey, je moet echt eens gaan letten op wat er om je heen gebeurt,' zei Aphrodite. 'Ik ben gewoon door de hoofdpoort naar binnen gelopen. Het alarm is uitgeschakeld, wat volgens mij niet meer dan logisch is. Ik bedoel, iedereen die niet op de campus was, heeft waarschijnlijk hetzelfde bericht dat de wintervakantie voorbij was op zijn of haar mobieltje gekregen als ik. Neferet moest haar bezwering tenietdoen omdat ze anders gek zou zijn geworden van al die terugkerende leerlingen die het alarm zouden doen afgaan, en ook natuurlijk die massa's appetijtelijke Zonen van Erebus die als smakelijke attenties voor de leerlingen de school binnenvallen.'

'Bedoel je eigenlijk niet dat al die alarmbellen Neferet nog gekker zouden maken dan ze al is?'

'Ja, Neferet is beslist zo gek als een deur,' zei Aphrodite, die het zowaar voor de verandering helemaal eens was met Stevie Rae. 'Hoe dan ook, het alarm is uitgeschakeld, zelfs voor mensen.'

'Huh? Zelfs voor mensen? Hoe weet je dat?' vroeg ik.

Aphrodite slaakte een zucht, en met een eigenaardig trage beweging bracht ze haar hand omhoog en veegde ze over haar voorhoofd. De omtrek van de maansikkel werd vlekkerig en verdween voor een deel.

Ik hapte naar lucht. 'O god, Aphrodite! Je bent een...' Het woord stokte in mijn keel; mijn mond weigerde het uit te spreken.

'Een mens,' zei Aphrodite met een vlakke, koude stem.

'Maar hoe kan dat? Ik bedoel, weet je het zeker?'

'Heel zeker. Verdomde zeker,' zei ze.

'Eh, Aphrodite, je bent dan misschien een mens, maar je bent beslist geen normaal mens,' zei Stevie Rae.

'Wat betekent dat?' vroeg ik.

Aphrodite haalde haar schouders op. 'Het zegt mij geen zak.'

Stevie Rae slaakte een zucht. 'Je mag van geluk spreken dat je in een mens bent veranderd en niet in een houten jongen, want met al je gelieg zou je neus een kilometer lang zijn.'

Aphrodite schudde vol afschuw haar hoofd. 'Daar heb je haar weer met zo'n stumperige analogie uit een of andere stomme film. Waarom kon ik niet gewoon sterven en naar de hel gaan? Daar zou ik tenminste niet met Disney zijn bestookt.'

'Wil iemand me alsjeblieft vertellen wat er verdomme aan de hand is?' zei ik.

'Je kunt het haar maar beter vertellen. Ze begint al te vloeken,' zei Aphrodite sarcastisch.

'Wat ben je toch een kreng. Ik had je moeten opvreten toen ik dood was,' zei Stevie Rae.

'Je had je countrytrien van een moeder moeten opvreten toen je dood was,' zei Aphrodite, met een handgebaartje alsof ze zo uit het getto kwam. 'Geen wonder dat Zoey een nieuwe beste vriendin voor altijd nodig heeft. Je onverwoestbare optimisme is rampzalig.'

'Zoey heeft geen nieuwe beste vriendin voor altijd nodig!' schreeuwde Stevie Rae, en ze deed dreigend een stap in de richting van Aphrodite, alsof ze haar wilde aanvliegen. Ik meende heel even haar blauwe ogen rood te zien opflitsen zoals toen ze ondood en zichzelf niet meester was.

Met het gevoel dat mijn hoofd zou ontploffen stapte ik tussen hen in. 'Aphrodite, laat Stevie Rae met rust.'

'Roep je vriendin dan tot de orde.' Aphrodite liep naar de spiegel boven mijn wasbak, griste een tissue uit de doos en veegde de uitgesmeerde maansikkelresten van haar voorhoofd. Haar toon was achteloos, maar het viel me op dat haar handen trilden.

Ik richtte mijn aandacht weer op Stevie Rae, wier ogen weer een vertrouwde blauwe kleur hadden.

'Sorry, Z,' zei ze, glimlachend als een schuldbewust kind. 'Ik denk dat twee dagen met Aphrodite op mijn zenuwen heeft gewerkt.'

Aphrodite snoof en ik keek naar haar. 'Je begint niet weer, hè?' zei ik.

'Oké, maak je niet dik.' Onze ogen ontmoetten elkaar in de spiegel en ik was er bijna zeker van dat ik angst in Aphrodites blik zag. Toen ging ze weer verder met het schoonmaken van haar voorhoofd.

Volslagen in de war pakte ik de draad weer op bij het punt waarop het gesprek wel heel erg raar was geworden. 'Vertel op: wat bedoelde je toen je zei dat Aphrodite niet normaal is? En ik bedoel niet haar abnormaal laatdunkende houding,' voegde ik er haastig aan toe.

'Simpel zat,' zei Stevie Rae. 'Aphrodite heeft nog steeds visioenen en visioenen zijn niet normaal voor mensen.' Ze keek Aphrodite smekend aan. 'Vooruit. Vertel het Zoey maar.'

Aphrodite wendde zich van de spiegel af en ging op het krukje zitten dat ik vlakbij had staan. Ze negeerde Stevie Rae en zei: 'Ja, ik heb nog steeds mijn visioenen. Jippie! Het enige wat ik niet leuk vond aan een halfwas zijn is het enige wat ik mag houden nu ik weer een stompzinnig mens ben.'

Ik bekeek Aphrodite nauwlettend en keek door de façade heen die ze zo graag optrekt. Ze zag erg bleek en er zaten donkere kringen onder de camouflerende crème die ze onder haar ogen had gesmeerd. Ja, ze zag er beslist uit als een meisje dat zojuist een hoop ellende over zich heen had gekregen, en een deel daarvan zou een van haar uitputtende, levensveranderende visioenen kunnen zijn. Geen wonder dat ze zich zo krengerig gedroeg. Wat was ik een rund dat me dat niet eerder was opgevallen.

'Wat heb je in het visioen gezien?' vroeg ik.

Aphrodite keek me met een vaste blik in de ogen aan en liet heel even de stalen muur van arrogantie zakken die ze altijd als een schild om zich heen optrok. Een afschuwelijke gekwelde schaduw trok over haar mooie gezicht en haar hand trilde toen ze een lok blond haar achter haar oor streek.

'Ik heb vampiers mensen zien afslachten en mensen vampiers zien vermoorden. Ik heb een wereld vol geweld en haat en duisternis gezien. En in de duisternis heb ik wezens gezien die zo gruwelijk waren dat ik niet kon zien wat het waren. Ik... ik kon niet eens naar ze blijven kijken. Ik heb het einde van alles gezien.' Aphrodites stem was net zo gekweld als haar gezicht.

'Vertel haar ook de rest,' zei Stevie Rae toen Aphrodite even zweeg, en ik was verrast door de zachtheid in haar stem. 'Vertel haar waarom dat allemaal gebeurde.'

Toen Aphrodite sprak, voelde ik haar woorden als glasscherven in mijn hart steken.

'Ik heb dat alles zien gebeuren omdat jij dood was, Zoey. Door jouw dood gebeurde het.'

5

'Jeetje,' zei ik, en toen begaven mijn knieën het en moest ik op mijn bed gaan zitten. Er zat een eigenaardige zoem in mijn oren en ik had moeite met ademhalen.

'Je weet dat dat niet wil zeggen dat het echt gaat gebeuren,' zei Stevie Rae, terwijl ze me bemoedigend op de schouder klopte. 'Ik bedoel, Aphrodite heeft je grootmoeder, Heath en zelfs mij zien sterven. Nou ja, ik bedoel: mij een tweede keer. En geen van die dingen is gebeurd. Dus we kunnen het voorkomen.' Ze keek op naar Aphrodite. 'Toch?'

Aphrodite draaide ongemakkelijk op haar kruk.

'Jeetje,' zei ik nog eens. Toen dwong ik mezelf om om het grote brok angst heen te praten dat zich in mijn keel had vastgezet. 'Er is iets anders aan het visioen over mij, waar of niet?'

'Het kan zijn omdat ik weer menselijk ben,' zei ze langzaam. 'Het is het enige visioen dat ik heb gehad sinds ik weer in een mens ben veranderd, dus het lijkt me niet vreemd dat het anders aanvoelt dan de visioenen die ik had toen ik een halfwas was.'

'Maar?' drong ik aan.

Ze haalde haar schouders op en keek me eindelijk aan. 'Maar het voelde wel anders.'

'In welke zin "anders"?'

'Nou, verwarrender, emotioneler, chaotischer. En ik begreep helemaal niets van sommige dingen die ik zag. Ik bedoel, de gruwelijke wezens die ik in de duisternis zag rondwervelen herkende ik niet.'

'"Rondwervelen"?' Ik huiverde. 'Dat klinkt niet best.'

'Dat was het ook niet. Ik zag schaduwen binnen schaduwen binnen duisternis. Het was alsof geesten terugveranderden in levende wezens, maar de wezens waarin ze terugveranderden waren zo gruwelijk dat ik er niet naar kon kijken.'

'Je bedoelt niet-menselijk en niet-vampier?'

'Ja, dat bedoel ik.'

Ik wreef werktuiglijk over mijn hand en een scheut van angst trok door mijn lichaam. 'O jee.'

'Wat is er?' zei Stevie Rae.

'Toen ik vanavond van de stallen naar de kantine liep ben ik door iets aangevallen, een soort koud schaduwwezen dat uit de duisternis kwam.'

'Dat kan niet goed zijn,' zei Stevie Rae.

'Was je alleen?' vroeg Aphrodite; haar stem klonk scherp.

'Ja,' zei ik.

'Oké, dat is het probleem,' zei Aphrodite.

'Hoezo? Wat heb je nog meer in je visioen gezien?'

'Nou, je bent op verschillende manieren gestorven en dat is iets wat ik nog nooit heb gezien.'

'Op verschillende manieren?' Het werd steeds erger.

'Misschien moeten we een poosje wachten voor we hierover praten voor het geval Aphrodite nog een visioen krijgt waardoor alles duidelijker wordt,' zei Stevie Rae, terwijl ze naast me op het bed kwam zitten.

Ik bleef Aphrodite in de ogen kijken en zag daarin weerspiegeld wat ik al wist. 'Als ik visioenen negeer, komen ze altijd uit,' zei Aphrodite op besliste toon.

'Volgens mij is een deel ervan al aan de gang,' zei ik. Mijn lippen voelden koud en stijf aan en ik had pijn in mijn maag.

'Je gaat niet dood!' riep Stevie Rae, hevig ontdaan en weer helemaal mijn beste vriendin.

Ik gaf Stevie Rae een arm. 'Vooruit, Aphrodite, vertel op.'

'Het was een krachtig visioen, vol levendige beelden, maar het geheel was erg verwarrend. Misschien omdat ik alles vanuit jouw oogpunt ervoer en zag.' Aphrodite zweeg even en slikte krampachtig. 'Ik zag je op twee manieren sterven. Eén keer door verdrinking.

Het water was koud en donker. O ja, en het stonk verschrikkelijk.'

'Stonk het? Zoals die smerige meertjes die je overal in Oklahoma vindt?' vroeg ik, nieuwsgierig ondanks het gruwelijke feit dat ik het over mijn eigen dood had.

Aphrodite schudde haar hoofd. 'Nee, ik weet bijna voor honderd procent zeker dat het niet in Oklahoma was. Daarvoor was er veel te veel water. Het is moeilijk uit te leggen waarom ik daar zo zeker van ben, maar het leek gewoon veel te groot en te diep voor een meer.' Aphrodite zweeg weer even en dacht na. Toen werden haar ogen groot. 'Ik herinner me nog iets. Er was iets dicht bij het water, net een echt paleis op een privé-eiland, wat duidt op oud geld en goede smaak, waarschijnlijk Europees, niet een smakeloze hogere-middenklasseversie van o-ik-heb-geld-laten-we-een-camper-kopen.'

'Wat ben je toch een snob, Aphrodite,' zei Stevie Rae.

'Dank je wel,' zei Aphrodite.

'Oké, je hebt me dus zien verdrinken in de buurt van een echt paleis op een echt eiland, mogelijk in Europa. Heb je misschien nog iets gezien waar we iets mee kunnen?' vroeg ik.

'Nou, behalve het feit dat je je in beide visioenen erg alleen voelde, ik bedoel echt vreselijk alleen, zag ik het gezicht van een jongen. Hij was vlak voor je doodging bij je. Het was iemand die ik nooit eerder had gezien. Tot vandaag.'

'Wat bedoel je? Wie was het dan?'

'Die nieuwe jongen: Stark.'

'Heeft hij me gedood?' Ik had het gevoel dat ik moest overgeven.

'Wie is Stark?' vroeg Stevie Rae, terwijl ze mijn hand vastpakte.

'De nieuwe jongen die van het Huis van de Nacht in Chicago is overgeplaatst en vandaag is aangekomen,' zei ik. 'Heeft hij me gedood?' vroeg ik nog eens aan Aphrodite.

'Volgens mij niet. Ik heb hem maar vluchtig gezien en het was donker. Maar ik had het gevoel dat je je zelfs in de laatste glimp die je van hem opving veilig bij hem voelde.' Ze keek me met opgetrokken wenkbrauwen aan. 'Het ziet ernaar uit dat je je uit die Erik/Heath/Loren-puinhoop zult weten te werken.'

'Ik vind het echt vreselijk voor je. Aphrodite heeft me verteld wat er is gebeurd,' zei Stevie Rae.

Ik deed mijn mond open om Stevie Rae te bedanken, maar toen besefte ik dat Aphrodite en zij nog niet eens alles wisten over de Erik/Heath/Loren-puinhoop. Ze waren niet op de campus geweest, en de media van de mensenwereld hadden niets gemeld over de dood van Loren Blake. Ik ademde een keer diep in en uit. Ik zou bijna nog liever over mijn dood praten.

'Loren is dood,' gooide ik eruit.

'Wát zeg je?'

'Hoe dan?'

Ik keek op naar Aphrodite. 'Twee dagen geleden. Op dezelfde manier als professor Nolan. Loren was onthoofd en gekruisigd en aan de hoofdpoort van de school genageld met een briefje met een weerzinwekkend Bijbelcitaat over dat hij een gruwel was op zijn lichaam geprikt.' Ik sprak erg snel om de smaak van de afschuwelijke woorden zo snel mogelijk mijn mond uit te krijgen.

'O nee!' Aphrodite werd akelig lijkbleek en plofte neer op het vroegere bed van Stevie Rae.

'Zoey, wat afschuwelijk,' zei Stevie Rae. Ik hoorde tranen in haar stem toen ze haar arm om me heen sloeg. 'Jullie waren net Romeo en Julia.'

'Nee!' Omdat het woord scherper uit mijn mond kwam dan ik had bedoeld, keek ik Stevie Rae glimlachend aan en zei ik op normale toon: 'Nee. Hij heeft nooit van me gehouden. Loren heeft me gebruikt.'

'Voor seks? Hè, Z, wat lullig voor je,' zei Stevie Rae.

'Triest genoeg niet voor seks, al ben ik wel zo stom geweest om het met hem te doen. Loren gebruikte me voor Neferet. Zij heeft hem ertoe aangezet om me te verleiden. Zij was zijn ware geliefde.' Mijn gezicht vertrok toen ik dacht aan het hartverscheurende, intieme tafereel van Loren en Neferet die om me lachten. Ik had Loren mijn hart geschonken en mijn lichaam en door onze stempelband een stukje van mijn ziel. En hij had om me gelachen.

'Wacht even. Ga een stukje terug. Zei je dat Neferet Loren ertoe heeft aangezet om je te verleiden?' zei Aphrodite. 'Waarom zou ze dat doen als ze geliefden waren?'

'Neferet wilde me isoleren.' Mijn hart verkilde toen de stukjes van de puzzel op hun plek vielen.

'Huh? Dat slaat nergens op. Hoe zou Lorens komedie om net te doen alsof hij je vriendje was je isoleren?' vroeg Stevie Rae.

'Simpel,' zei Aphrodite. 'Zoey moest stiekem doen om Loren te kunnen zien; hij was immers een docent. Ik kan me natuurlijk vergissen, maar ik denk niet dat ze iemand van de kudde oenen heeft verteld dat ze stout klein schoolmeisje speelde met professor Blake. Ik vermoed bovendien dat Neferet er de hand in had dat onze Erik ontdekte dat Zoey rollebolde met iemand anders dan hem.'

'Hallo, ik zit erbij, hoor. Praat alsjeblieft niet over me alsof ik de kamer uit ben.'

Aphrodite snoof. 'Als ik gelijk heb, zou ik zeggen dat je gezonde verstand de kamer heeft verlaten.'

'Je hebt gelijk,' gaf ik onwillig toe. 'Neferet heeft ervoor gezorgd dat Erik Loren en mij betrapte.'

'Verdomme! Geen wonder dat hij zo pissig was,' zei Aphrodite.

'Watte? Wanneer?' vroeg Stevie Rae.

Ik slaakte een zucht. 'Erik heeft me met Loren betrapt. Hij ging helemaal over de rooie. Toen kwam ik erachter dat Loren en Neferet geliefden waren en dat hij geen snars om me gaf, ondanks het feit dat we met elkaar een stempelband hadden.'

'Een stempelband! Shit!' zei Aphrodite.

'Dus toen had ik het niet meer.' Ik negeerde Aphrodite. Het was al erg genoeg. Ik wilde beslist niet blijven stilstaan bij de bijzonderheden. 'Ik zat te janken toen Aphrodite, de tweeling, Damien, Jack en...'

'O shit, en Erik. Dat was toen je onder de boom zat te huilen,' zei Aphrodite, me onderbrekend.

Ik slaakte weer een zucht in het besef dat ik haar niet kon negeren. 'Ja. En toen heeft Erik het nieuwtje over Loren en mij bekendgemaakt.'

'Op een wat ik zou noemen wel erg gemene manier,' zei Aphrodite.

'Here jee,' zei Stevie Rae. 'Als Aphrodite zegt dat het gemeen was, moet het wel echt hatelijk zijn geweest.'

'Dat was het ook. Zo erg dat haar vrienden haar gerollebol met Loren als een klap in hun gezicht ervoeren. Eriks "Zoey is een slet"-bom gevolgd door de "Zoey heeft ook Stevie Raes ondoodheid verborgen gehouden"-bom had een kudde volslagen pissige oenen tot gevolg die Zoey niet meer wilden vertrouwen.'

'Wat betekent dat Zoey helemaal alleen stond, precies zoals Neferet het had gepland,' besloot ik voor haar. Ik schrok ervan dat het zo makkelijk was om in de derde persoon over mezelf te praten.

'Dat is de tweede dood die ik voor je heb gezien,' zei Aphrodite. 'Je bent helemaal alleen. Er is geen laatste glimp van een leuke jongen en geen kudde oenen. Je isolement is wat in het tweede visioen het sterkst naar voren komt.'

'Hoe ga ik dood?'

'Dat wordt weer verwarrend. Ik krijg een beeld van Neferet die een gevaar voor je vormt, maar het visioen wordt chaotisch als je daadwerkelijk wordt aangevallen. Ik weet dat het bizar klinkt, maar op het laatste moment zag ik iets zwarts om je heen zweven.'

'Zoiets als een geest of zo?' Ik slikte krampachtig.

'Nee. Geen geest. Als Neferets haar zwart was, zou ik zeggen dat haar haar in een krachtige wind om je heen zwierde, alsof ze achter je staat. Je bent alleen en je bent echt doodsbang. Je probeert om hulp te roepen, maar niemand reageert, en je bent zo bang dat je verstart en je niet verzet. Zij, of wat het ook is, reikt om je heen met iets donkers en haakvormigs en snijdt je de keel door. Dat ding is zo scherp dat je wordt onthoofd.' Aphrodite huiverde en voegde er toen aan toe: 'Wat, voor het geval je je dat afvraagt, bloedt. En hoe.'

'Walgelijk, Aphrodite! Was het nou echt nodig om in details te treden?' zei Stevie Rae, terwijl ze haar arm weer om me heen sloeg.

'Nee, het geeft niet,' zei ik vlug. 'Aphrodite moet juist alles wat ze zich herinnert vertellen, zoals ze ook deed toen ze visioenen had van jou en oma en Heath. Dat is de enige manier om te kunnen uitdokteren hoe we de dingen kunnen veranderen.' En toen vroeg ik aan Aphrodite: 'Wat heb je nog meer gezien over mijn tweede dood?'

'Alleen dat je om hulp roept, maar dat niemand reageert. Iedereen negeert je,' zei Aphrodite.

'Ik was vanavond doodsbang toen dat iets wat uit de nacht kwam me aanviel. Zo bang dat ik verstarde en niet wist wat ik moest doen,' zei ik. Ik beefde bij de herinnering alleen al.

'Kan Neferet de hand hebben gehad in wat je toen overkwam?' vroeg Stevie Rae.

Ik haalde mijn schouders op. 'Dat weet ik niet. Het enige wat ik zag, was griezelige zwartheid.'

'Griezelige zwartheid. Hetzelfde wat ik zag. En ik zeg het niet graag, maar je moet ervoor zorgen dat je weer in de gratie komt bij de kudde oenen, want het is niet goed dat je geen vrienden hebt,' zei Aphrodite.

'Dat is makkelijker gezegd dan gedaan,' zei ik.

'Ik zou niet weten waarom,' zei Stevie Rae. 'Je moet ze gewoon de waarheid vertellen over Loren en jou en dat Neferet daarachter zat, en ook dat je niets kon zeggen over het feit dat ik ondood was toen ik dood was omdat Neferet dan...' Stevie Raes stem stierf weg toen ze besefte wat ze zei.

'Ja, geweldig, zeg. Hun even vertellen dat Neferet een duivels kreng is dat een stel ondode dode halfwassen heeft geschapen, zodat de eerste keer dat iemand van de kudde oenen dicht genoeg in de buurt van Neferet komt dat ze hun gedachten kan lezen, de poppen aan het dansen zijn. Ons duivelse kreng van een hogepriesteres zal dan niet alleen weten wat wij weten, maar ze zal waarschijnlijk je makkertjes iets erg akeligs aandoen.' Aphrodite zweeg even en tikte tegen haar kin. 'Hm, bij nader inzien klinkt een deel van dat scenario niet eens zo erg.'

'Hé,' zei Stevie Rae. 'Damien, de tweeling en Jack weten al iets wat ze in de problemen met Neferet zal brengen. Ze weten van mij af.'

'Jeetje,' zei ik.

'Ja, shit,' zei Aphrodite. 'Dat "Stevie Rae is niet dood"-detail was ik helemaal vergeten. Vreemd eigenlijk dat Neferet dat nog niet uit de hersentjes van een van je vrienden heeft geplukt en in alle staten is geraakt.'

'Ze heeft het veel te druk met het smeden van oorlogsplannen,' zei ik. Toen Aphrodite en Stevie Rae me verbijsterd aankeken, drong het tot me door dat Lorens dood niet het enige nieuws was dat ze niet hadden gehoord. 'Toen Neferet te horen kreeg dat Loren was vermoord, heeft ze mensen de oorlog verklaard. Niet openlijk, natuurlijk. Ze wil een akelige terroristachtige guerrillastrijd. God, wat een walgelijk kreng is het toch. Ik begrijp gewoon niet waarom niet iedereen dat ziet.'

'Een bloedige confrontatie met de mensen? Huh. Interessant. De concentratie van Zonen van Erebus wordt dan zeker ons massavernietigingswapen,' zei Aphrodite. 'Wat je noemt de zonzijde van een rotsituatie.'

'Hoe kun je daar zo luchtig over doen?' zei Stevie Rae heftig, terwijl ze van het bed opsprong.

'Ten eerste heb ik het niet zo op mensen.' Aphrodite stak haar hand op om Stevie Raes tirade af te breken. 'Oké, ja, ik weet het. Ik bén weer een mens. Balen dus, en hoe! Ten tweede: Zoey is springlevend, dus ben ik niet echt verontrust bij het idee van die oorlog.'

'Waar heb je het in godesnaam over, Aphrodite?' vroeg ik.

Aphrodite rolde met haar ogen. 'Wil je alsjeblieft proberen om bij de les te blijven? Hallo, ik begrijp het opeens. Mijn visioen ging over oorlog tussen mensen en vampiers en een stel griezelige spookachtige monsters. Die hebben je waarschijnlijk aangevallen, en het zouden heel goed pionnen van Neferet kunnen zijn waarvan we niets af weten.' Ze zweeg en leek van haar stuk gebracht, maar toen haalde ze haar schouders op en vervolgde: 'Maar in elk geval hoeven we er hopelijk niet achter te komen wat het zijn, want de oorlog begon pas nadat je was gedood. Op een tragische, groteske manier. Hoe dan ook, ik denk dat als we jou in leven houden, er geen oorlog komt.'

Stevie Rae slaakte een diepe zucht. 'Daar heb je gelijk in, Aphrodite.' Ze keek mij aan. 'We moeten je in leven houden, Zoey. Niet alleen omdat we van je houden, maar omdat je de wereld moet redden.'

'O, geweldig. Moet ik de wereld redden?' Het enige wat me inviel was: en ik raakte vroeger al gestrest over meetkundeproefwerken.

Jeetje.

6

'Ja, je moet de wereld redden, Z, maar wij zullen bij je zijn,' zei Stevie Rae, terwijl ze weer naast me op het bed neerplofte.

'Nee, sukkel. Ik zal bij haar zijn. Jij moet hier weg tot we hebben bedacht wat we de rest van de kudde oenen moeten vertellen over jou en je onverzorgde, stinkende vriendjes,' zei Aphrodite.

Stevie Rae fronste naar Aphrodite.

'Huh? Vriendjes?' zei ik.

'Ze hebben veel ellende doorstaan, Aphrodite. En mag ik je erop attenderen dat je wassen en optutten helemaal niet echt belangrijk is als je dood bent? Of zelfs ondood?' zei Stevie Rae. 'Bovendien weet je dat ze hun leven hebben gebeterd en dat ze de spullen die je voor ze hebt gekocht ook echt gebruiken.'

'Oké, ik kan jullie echt niet volgen. Over welke vriendjes...' Ik onderbrak mezelf toen het tot me doordrong over wie ze het hadden. 'Stevie Rae, je wilt toch niet zeggen dat je nog steeds omgaat met die walgelijke gasten in de tunnels?'

'Je begrijpt het niet, Zoey.'

'Vertaling: "Ja, Zoey, ik ga nog steeds om met dat walgelijke tunneltuig,"' zei Aphrodite, waarbij ze Stevie Raes boerenaccent nabootste.

'Hou op,' zei ik werktuiglijk tegen Aphrodite, en toen tegen Stevie Rae: 'Nee, ik begrijp het niet. Leg het me alsjeblieft uit.'

Stevie Rae ademde een keer diep in en uit. 'Nou, ik denk dat dit...' – ze wees naar haar felrode tatoeage – '... betekent dat ik me moet ophouden met de andere ondoden met de rode tatoeages om ze te helpen tijdens de Verandering.'

'Hebben die andere ondoden dan dezelfde rode tatoeages als jij?'

Ze haalde ongemakkelijk haar schouders op. 'Nou, min of meer. Ik ben de enige met een volledig ingekleurde tatoeage, wat volgens mij betekent dat ik ben Veranderd. Maar de blauwe omtreklijn van de maansikkel op hun voorhoofd is nu rood. Ze zijn nog steeds halfwassen. Ze zijn alleen, nou ja, een ander soort halfwas.'

Wauw! Ik was sprakeloos en probeerde de implicaties van wat Stevie Rae zei te verwerken. Het was volslagen verbijsterend dat er nu een nieuw soort halfwas was, wat natuurlijk betekende dat er ook een nieuw soort volwassen vampier was. Wat een opwindend idee! Zou dat ook betekenen dat iedereen die werd gemerkt een soort Verandering zou ondergaan en dat er geen halfwassen meer hoefden dood te gaan? Tenminste, niet blijvend? Dat ze gewoon in een rode halfwas zouden veranderen? Wat dat ook mocht betekenen.

Toen bedacht ik hoe afschuwelijk die andere ondoden waren geweest. Ze hadden tieners gedood. Op een gruwelijke manier. Ze hadden geprobeerd om Heath te doden, al had ik hem gelukkig kunnen redden. Jeetje, ze zouden mij ook hebben gedood als ik niet mijn affiniteit voor de vijf elementen had aangewend om ons allebei te redden.

Ik dacht ook aan het rood opflitsen van Stevie Raes ogen toen het leek alsof ze Aphrodite wilde aanvliegen, en de kwaadaardigheid die zo misplaatst had geleken op haar gezicht, maar nu ze weer helemaal als haar vroegere zelf klonk en zich ook zo gedroeg was het makkelijk om mezelf wijs te maken dat ik me had vergist, dat ik me wat ik had gezien had verbeeld of dat ik het had opgeblazen.

Ik schudde mezelf mentaal door elkaar en zei: 'Maar, Stevie Rae, die andere gasten waren afschuwelijk.'

Aphrodite snoof. 'Dat zijn ze nog steeds en ze wonen in afschuwelijk weerzinwekkende omstandigheden. En ja, ze zijn ook nog steeds afschuwelijk onbehouwen.'

'Ze zijn niet meer zo onhandelbaar als vroeger, maar ook niet wat je normaal zou noemen,' zei Stevie Rae.

'Het zijn weerzinwekkende wegwerpgasten, dat is wat het zijn,' zei Aphrodite. 'Zoiets als roodharige stiefkinderen.'

'Ja, sommigen hebben problemen en zijn niet wat je noemt de populairste jongens en meisjes, maar wat dan nog?'

'Ik wil alleen maar zeggen dat het makkelijker zou zijn om te bedenken hoe we jou kunnen helpen als we ons alleen maar met jou hoefden bezig te houden.'

'Er is nou eenmaal niet altijd een makkelijke weg. Het kan me niet schelen wat we moeten doen of wat ik moet doen. Ik zal niet toestaan dat Neferet die andere ondoden gebruikt,' zei Stevie Rae resoluut.

Wat Stevie Rae zei, maakte me opeens iets duidelijk. Ik huiverde van afgrijzen toen mijn gevoel me vertelde dat mijn ingeving juist was. 'O mijn god! Dáárvoor heeft Neferet de stervende halfwassen als ondode doden laten terugkomen. Ze wil ze inzetten in de oorlog tegen mensen.'

'Maar, Z, dat dode halfwassen ondood worden is al een hele tijd aan de gang, en professor Nolan en Loren zijn nog maar pas vermoord, dus Neferet heeft nog maar pas mensen die guerrillaoorlog verklaard,' zei Stevie Rae.

Ik zei niets. Ik kon niets zeggen. Wat ik dacht, was te gruwelijk om uit te spreken. Ik was bang dat de lettergrepen van de woorden in afzonderlijke kleine wapens zouden veranderen en dat ze, als ik ze aan elkaar koppelde, zich zouden samenvoegen om ons allemaal te vernietigen.

'Wat is er?' vroeg Aphrodite, die me akelig nauwlettend gadesloeg.

'Niets.' Ik veranderde de woorden in mijn hoofd zodat ze iets draaglijks werden. 'Maar door dit hele gedoe bekruipt me het idee dat Neferet al heel lang hoopt op een aanleiding om mensen de oorlog te verklaren. Het zou me echt niet verbazen als ze de ondode dode halfwassen heeft geschapen om als haar persoonlijke leger te dienen. Ik heb haar samen met Elliott gezien kort nadat hij zogenaamd was gestorven. Het was weerzinwekkend om te zien hoeveel macht ze over hem had.' Ik huiverde toen ik eraan dacht hoe Neferet Elliott had gecommandeerd en hoe hij zich aan haar had onderworpen en vervolgens haar hem aangeboden bloed op een weerzinwekkende en veel te seksueel getinte manier had opgeslorpt. De aanblik ervan was volslagen obsceen geweest.

'Daarom moet ik naar hen terug,' zei Stevie Rae. 'Ze hebben mij nodig. Ik moet me om hen bekommeren en ze bewijzen dat zij ook kunnen Veranderen. Zodra Neferet erachter komt dat hun merkteken is veranderd, zal ze proberen om ze in haar macht te houden en ervoor te zorgen dat ze, nou ja, laten we maar zeggen, niet zo aardig blijven. Ik geloof dat ze weer oké kunnen worden, zoals ik weer oké ben.'

'Maar degenen dan die nooit oké waren? Weet je nog die Elliott over wie Zoey het zojuist had? Hij was een loser toen hij nog leefde, en ondood is hij dat dus ook. Hij zal nog steeds een loser zijn als hij erin slaagt te Veranderen in een rode wat-dan-ook.' Aphrodite slaakte een overdreven, lankmoedige zucht toen Stevie Rae haar nijdig aankeek. 'Wat ik je probeer duidelijk te maken, is dat ze nooit normaal waren. Misschien valt er voor jou niets aan hen te redden.'

'Aphrodite, het is niet aan jou om uit te maken wie het wel of niet waard is om gered te worden. Ik mag dan voor mijn dood een redelijk normaal iemand zijn geweest, maar nu ben ik niet bepaald normaal,' zei Stevie Rae. 'En ik was het redden waard!'

'Nux,' zei ik, en ze keken me allebei vragend aan. 'Nux maakt uit wie het redden waard is. Niet ik, niet Stevie Rae, en zelfs jij niet, Aphrodite.'

'Ik had helemaal niet meer aan Nux gedacht,' zei Aphrodite, terwijl ze haar gezicht van ons afwendde om de pijn in haar ogen te verhullen. 'Maar de godin wil toch niets met een mens te maken hebben.'

'Dat is niet waar,' zei ik. 'Nux heeft je echt niet laten vallen, Aphrodite. De godin is druk aan het werk. Als ze niets om jou gaf, zou ze je tegelijk met je merkteken ook je visioenen hebben afgenomen.' Terwijl ik het zei, kreeg ik het gevoel dat ik dikwijls krijg wanneer ik absoluut zeker weet dat wat ik zeg klopt. Aphrodite was een lastpost, maar om de een of andere reden was ze voor onze godin belangrijk.

Aphrodites blik ontmoette de mijne. 'Denk je dat of weet je het zeker?'

'Dat weet ik zeker.' Ik bleef haar met een vaste blik aankijken.

'Op je erewoord?' zei ze.

'Op mijn erewoord.'

'Nou, allemaal leuk en aardig, Aphrodite,' zei Stevie Rae, 'maar je moet niet vergeten dat jij ook niet bepaald normaal bent.'

'Maar ik ben aantrekkelijk, fris gebaad, en ik loop niet rond in walgelijke oude tunnels, grommend en naar bezoekers happend.'

'Wat een ander punt naar voren brengt. Waarom was jij eigenlijk in de tunnels?' vroeg ik aan Aphrodite.

'Ze rolde met haar ogen. 'Omdat Miss Cowgirl me zo nodig achterna moest komen.'

'Nou, je was compleet hysterisch toen bleek dat je merkteken was verdwenen en in tegenstelling tot sommige mensen ben ik geen helleveeg met een hoofdletter H. Bovendien was het misschien wel een beetje mijn schuld dat je je merkteken kwijt was en vond ik het niet meer dan gepast om me ervan te vergewissen dat het goed met je ging,' zei Stevie Rae.

'Je hebt me gebeten, halvegare,' zei Aphrodite. 'Natuurlijk was het jouw schuld.'

'Ik heb al gezegd dat dat me spijt.'

'Eh, jongens, kunnen we alsjeblieft bij het onderwerp blijven?'

'Best. Ik ben die stomme tunnels in gegaan omdat je idiote beste vriendin voor altijd zou verbranden als we in het daglicht nog buiten waren.'

'Maar waarom zijn jullie twee dagen weggebleven?'

Aphrodite keek me ongemakkelijk aan. 'Ik heb er twee dagen voor nodig gehad om te beslissen of ik überhaupt terug moest komen. Bovendien moest ik Stevie Rae helpen met het kopen van spullen voor de tunnels en de griezels daarbeneden. Zelfs ik kon niet gewoon weggaan en ze in die...' – ze zweeg even en huiverde dramatisch – '... walgelijke toestand achterlaten.'

'We zijn er gewoon nog niet aan gewend om bezoek te ontvangen,' zei Stevie Rae.

'Je bedoelt afgezien van de mensen die je vrienden graag opeten?' zei Aphrodite.

'Stevie Rae, je kunt echt niet toestaan dat die gasten mensen opeten. Zelfs geen daklozen,' voegde ik eraan toe.

'Dat weet ik. Dat is nog een reden waarom ik naar hen terug moet.'

'Je moet een schoonmaakdienst meenemen en een goede binnenhuisarchitect,' mompelde Aphrodite. 'Ik zou je de diensten van de huishoudelijke hulp van mijn ouders kunnen aanbieden, maar ik ben bang dat je maatjes die opeten, en zoals mijn moeder zou zeggen: goede illegalen zijn echt moeilijk te vinden.'

'Ik zal niet meer toestaan dat er mensen worden opgegeten, en ik ben van plan om de tunnels te laten opknappen,' zei Stevie Rae defensief.

Ik herinnerde me maar al te goed hoe griezelig die donkere, smerige tunnels waren. 'Stevie Rae, kunnen we geen andere plek bedenken om jou en je, eh, rode halfwassen onder te brengen?'

'Nee!' zei ze snel, en toen glimlachte ze verontschuldigend naar me. 'Weet je, het is gewoon zo dat ondergronds zijn goed aanvoelt. Voor mij en ook voor hen. We moeten gewoon in de aarde zijn.' Haar blik gleed naar Aphrodite, die met opgetrokken neus en een van afschuw vertrokken gezicht naar Stevie Rae keek. 'Ja, ik weet dat het niet normaal is, maar ik zei al dat ik niet normaal ben!'

'Eh, Stevie Rae,' zei ik. 'Ik ben het helemaal met je eens over die "er is niets mis met niet normaal zijn"-kwestie. Ik bedoel, kijk naar mij.' Met een zwaai van mijn hand wees ik haar op mijn vele tatoeages, die beslist niet normaal waren. 'Ik ben de koningin van Nietnormaalland, maar misschien kun je uitleggen wat jíj met "niet normaal" bedoelt.'

'Ik ben benieuwd,' zei Aphrodite.

'Oké, nou, ik weet eigenlijk nog niet alles over mezelf. Ik ben nog maar enkele dagen on-ondood en Veranderd, maar ik heb vermogens die normale volwassen vampiers volgens mij niet hebben.'

'Zoals...' spoorde ik haar aan toen ze niet verder ging en alleen maar op haar lip zat te kauwen.

'Zoals dat "deel uitmaken van de stenen"-gedoe waardoor ik tegen de muur op kon klimmen. Maar dat kan ik misschien dankzij mijn affiniteit voor aarde.'

Ik knikte peinzend. 'Dat zou best eens kunnen. Ik heb ontdekt dat ik de elementen tot me kan roepen en dat ik min of meer kan verdwijnen door mist en wind en zo te worden.'

Stevie Rae zei opgewonden: 'O ja! Ik herinner me die keer dat je zo goed als onzichtbaar was.'

'Ja. Dus misschien is het feit dat je die gave hebt niet eens zo abnormaal. Misschien kunnen alle vampiers met affiniteit voor een element iets dergelijks.'

'Shit, dat heb ik weer! Jullie krijgen al die coole gaven en ik die strontvervelende visioenen,' zei Aphrodite.

'Dat komt misschien doordat jij strontvervelend bent,' zei Stevie Rae.

'En verder?' vroeg ik voordat ze weer aan het kibbelen sloegen.

'Ik verbrand tot as als ik me in het zonlicht waag.'

'Nog steeds? Weet je dat heel zeker?' Ik wist al dat de zon voor haar een probleem was van toen ze nog een ondode dode halfwas was.

'Dat weet ze zeker,' zei Aphrodite. 'Daarom moesten we die smerige tunnels in. De zon kwam op. We waren in de stad. Stevie Rae werd volslagen hysterisch.'

'Ik wist dat er iets vreselijks zou gebeuren als ik bovengronds bleef,' zei Stevie Rae. 'Ik raakte niet echt hysterisch; ik was gewoon erg bezorgd.'

'Ja, nou, jij en ik zullen ons gewoon moeten neerleggen bij het feit dat we je stemmingswisselingen anders interpreteren. Volgens mij werd je volslagen hysterisch toen er een straaltje zonlicht op je arm viel. Kijk maar, Z.' Aphrodite wees naar Stevie Raes rechterarm.

Stevie Rae stak onwillig haar arm uit en schoof de mouw van haar blouse omhoog. De huid op haar onderarm en elleboog was vuurrood, alsof die in de zon was verbrand.

'Dat ziet er niet al te ernstig uit. Een zonnebrandmiddel met een hoge beschermingsfactor, een donkere zonnebril en een pet, en je hoeft nergens bang voor te zijn,' zei ik.

'Nee, echt niet,' zei Aphrodite. 'Je had het moeten zien voor ze het bloed had gedronken. Haar arm zag er afschuwelijk uit en was zwaar verbrand. Het bloeddrinken veranderde de derdegraadsverbranding in een vervelende lichte zonnebrand, maar wie weet hoe goed dat zou werken als haar hele lichaam was verbrand.'

'Stevie Rae, lieve schat, heus, ik veroordeel je niet, maar je hebt toch niet een dakloze of zo opgegeten nadat je vlam had gevat?'

Stevie Rae schudde zo heftig met haar hoofd dat haar krullen als een gek heen en weer zwiepten. 'Echt niet. Onderweg naar de tunnels heb ik een piepkleine omweg genomen en een slokje bloed van de bloedbank van het Rode Kruis geleend.'

'"Lenen" betekent "teruggeven als je ermee klaar bent",' zei Aphrodite. 'En tenzij jij de eerste aan boulimie lijdende vampier wordt, geloof ik niet dat je het bloed gaat teruggeven.' Ze schonk Stevie Rae een zelfvoldane blik. 'Dus in feite heb je het gestolen. Wat ons brengt bij een andere nieuwe gave van je beste vriendin voor altijd. Een gave waarvan ik getuige ben geweest. Meermalen zelfs. En ja, het was verontrustend. Ze is griezelig goed in het manipuleren van de menselijke geest. Ik maak je erop attent dat het sleutelwoord van wat ik zojuist zei, "griezelig" is.'

'Ben je klaar?' vroeg Stevie Rae.

'Waarschijnlijk niet, maar jij mag doorgaan,' zei Aphrodite.

Stevie Rae keek haar fronsend aan en hervatte toen haar uitleg aan mij. 'Aphrodite heeft gelijk. Ik kan een mensengeest binnendringen en dingen doen.'

'Wat voor dingen?' vroeg ik.

Stevie Rae haalde haar schouders op. 'Ik kan ze bijvoorbeeld naar me toe laten komen of laten vergeten dat ze me hebben gezien. Ik weet eigenlijk niet wat nog meer. Voor mijn Verandering kon ik dat ook al min of meer, hoewel lang niet in dezelfde mate als nu, maar ik voel me er niet prettig bij. Het lijkt zo, weet ik veel, zo gemeen.'

Aphrodite snoof.

'Oké, wat nog meer? Moet je nog steeds door iemand worden uitgenodigd om een huis binnen te kunnen gaan?' En toen beantwoordde ik mijn eigen vraag. 'Wacht even, dat moet zijn veranderd, want ik heb je niet uitgenodigd om binnen te komen en je bent er. Niet dat ik je niet zou hebben gevraagd om binnen te komen, hoor. Dat zou ik echt wel hebben gedaan,' voegde ik er haastig aan toe.

'Dat weet ik eigenlijk niet. Ik ben bij de bloedbank gewoon naar binnen gelopen.'

'Je bedoelt dat je naar binnen bent gelopen nadat je de geest van die kleine laborante had gemanipuleerd en ze de deur wel voor je moest openmaken,' zei Aphrodite.

Stevie Rae kreeg een kleur. 'Ik heb haar geen pijn gedaan of zo, en ze zal zich er niets van herinneren.'

'Maar ze heeft je niet gevraagd om binnen te komen?' vroeg ik.

'Nee, maar het Rode Kruis-gebouw is voor iedereen toegankelijk en dat voelt voor mij anders aan. O, en ik geloof niet dat jij me zou hoeven vragen om binnen te komen, Z. Dit was vroeger ook mijn kamer, weet je nog?'

Ik glimlachte naar haar. 'Dat weet ik nog.'

'Als jullie sentimenteel gaan doen, elkaar bij de hand pakken en "Lean on Me" gaan zingen, dan ga ik ervandoor voor ik begin te kotsen,' zei Aphrodite.

'Kun je haar geest niet manipuleren en ervoor zorgen dat ze daar voor eens en altijd mee ophoudt?' vroeg ik.

'Nee. Dat heb ik al geprobeerd. Ik kom haar geest niet binnen.'

'Dat komt door mijn superieure intelligentie,' zei Aphrodite.

'Eerder je superieure ergerlijkheid,' zei ik. 'Ga verder, Stevie Rae.'

'Eens even zien, wat nog meer...' Ze dacht even na en zei toen: 'Ik ben veel sterker dan vroeger.'

'Gewone volwassen vampiers zijn sterk,' zei ik. Toen bedacht ik dat ze een omweg had moeten maken om aan bloed te komen. 'Je hebt dus nog steeds bloed nodig?'

'Ja, maar als ik het niet krijg, dan geloof ik niet dat ik helemaal buiten zinnen zou raken zoals toen ik nog ondood was. Ik zou het niet prettig vinden als ik het niet tot mijn beschikking had, maar ik geloof niet dat ik in een bloedzuigend monster zou veranderen.'

'Maar dat weet ze niet zeker,' zei Aphrodite.

'Ik haat het als ze gelijk heeft, maar ze heeft gelijk,' zei Stevie Rae.

'Er is zo veel wat ik niet weet over het soort vampier waarin ik ben Veranderd, dat het behoorlijk angstaanjagend is.'

'Wees maar niet bang. We hebben tijd genoeg om dit alles uit te puzzelen.'

Stevie Rae haalde glimlachend haar schouders op. 'Nou, jullie zullen het zonder mij moeten doen, want ik moet er nu echt vandoor.' Tot mijn grote verbazing liep ze naar het raam.

'Ho even. We hebben nog heel wat te bespreken. En na die algemene kennisgeving dat de vakantie ten einde is zullen er binnen de kortste keren weer overal halfwassen en vampiers rondlopen, en dan hebben we natuurlijk ook nog te maken met de Zonen van Erebus en die oorlog-tegen-mensenkwestie als ik probeer om de campus af te komen om naar jou toe te gaan, dus ik weet niet wanneer we elkaar weer zullen zien.' Ik raakte gewoon buiten adem door de lange lijst hinderpalen waarmee we rekening moesten houden.

'Maak je geen zorgen, Z. Ik heb nog steeds die telefoon die je me hebt gegeven. Je hoeft maar te bellen en dan glip ik weer naar binnen, wanneer dan ook.'

'Je bedoelt wanneer dan ook als de zon niet schijnt,' zei Aphrodite, terwijl ze me hielp het raam voor Stevie Rae open te maken.

'Ja, dat bedoel ik.' Stevie Rae keek naar Aphrodite. 'Je weet dat je met me mee kunt gaan als je niet hier wilt blijven en doen alsof.'

Ik keek verrast naar mijn beste vriendin voor altijd. Ze kon Aphrodite niet uitstaan en toch bood ze haar onderdak aan, op een vriendelijke toon, helemaal de Stevie Rae die ik kende en op wie ik dol was. Ik voelde me knap lullig omdat ik me ergens in mijn achterhoofd had verbeeld dat ze zich weer ondood en onmenselijk zou gedragen.

'Ik meen het, je kunt gerust meegaan,' zei Stevie Rae nog eens, en toen Aphrodite niets zei, voegde ze er iets aan toe wat erg vreemd op me overkwam. 'Ik weet hoe het is om te moeten doen alsof. Dat zou je in de tunnels niet hoeven doen.'

Ik verwachtte dat Aphrodite een hatelijke opmerking zou maken over de rode halfwassen en slechte hygiëne, maar wat ze zei, verraste me nog meer dan Stevie Raes aanbod.

'Ik moet hier blijven en net doen alsof ik nog steeds een halfwas ben. Zoey mag niet alleen blijven en we hoeven er niet op te rekenen dat de homoboy en de sukkeliamese tweeling opeens weer goeie maatjes met haar worden. Maar evengoed bedankt, Stevie Rae.'

Ik glimlachte naar Aphrodite. 'Zie je nou wel dat je best aardig kunt zijn als je het probeert?'

'Ik ben niet aardig. Ik ben praktisch. Een wereld vol oorlog trekt me niet aan. Je weet wel, met al dat zweterige heen en weer rennen en vechten en elkaar afmaken. Dat is gewoon de pest voor een behoorlijk kapsel en keurig verzorgde nagels.'

'Aphrodite,' zei ik vermoeid, 'aardig zijn is best oké, hoor.'

'Hoor haar: de koningin van Nietnormaalland,' zei Aphrodite hatelijk.

'Nou, dat betekent dat ze ook jouw koningin is, Visioenvrouwtje,' zei Stevie Rae. Toen omhelsde ze me vluchtig. 'Dag, Z. Tot gauw. Dat beloof ik.'

Ik beantwoordde haar omhelzing en vond het heerlijk dat ze weer als haar vroegere zelf rook en klonk. 'Oké, maar ik zou willen dat je niet weg hoefde.'

'Alles komt goed. Wacht maar af. Alles komt op zijn pootjes terecht.' Toen kroop ze het raam uit. Ik keek toe terwijl ze griezelig insectachtig langs de muur van het meisjesverblijf naar beneden klom, tot haar lichaam opeens in een soort golfbeweging zogoed als verdween. Als ik niet had geweten dat ze daar was, zou ik haar niet hebben opgemerkt.

'Ze is net zo'n hagedis die van kleur kan veranderen zodat hij in de omgeving opgaat,' zei Aphrodite.

'Kameleons,' zei ik. 'Zo heten ze.'

'Weet je dat zeker? Ik vind "gekko" veel meer Stevie Raeachtig klinken.'

Ik fronste naar haar. 'Daar heb je haar weer. Hou op met dat wijsneuzige gedoe en help me het raam dicht te doen.'

Toen het raam weer dicht was en de gordijnen gesloten waren, slaakte ik hoofdschuddend een zucht. Meer tegen mezelf dan tegen haar zei ik: 'Wat moeten we in hemelsnaam doen?'

Aphrodite rommelde in het chique kleine Coach-tasje dat ze als decoratie over haar schouder droeg. 'Ik weet niet wat jij gaat doen, maar ik ga met dit bespottelijke oogpotlood mijn merkteken weer op mijn voorhoofd tekenen. Niet te geloven dat ik bij Target deze tint heb gevonden.' Ze huiverde. 'Ik bedoel, zou er ook maar iemand zo onmodieus zijn om zoiets op te smeren? Hoe dan ook, ik teken mijn merkteken en dan ga ik naar die stomme vergadering die Neferet heeft belegd.'

'Ik bedoelde: wat moeten we doen aan het leven-en-doodgedoe dat momenteel speelt?'

'Weet ik veel! Ik wil dit niet.' Ze wees naar haar nepmerkteken. 'Ik wil helemaal niets van dit alles. Ik wil gewoon zijn wat ik was voordat jij hier je intrede deed en de hel losbrak. Ik wil populair zijn en machtig en het vriendinnetje zijn van de grootste spetter van de school. Nu ben ik geen van die dingen, maar een mens die angstaanjagende visioenen krijgt, en ik weet niet wat ik daaraan kan doen.'

Ik reageerde niet meteen en bedacht dat ze door mij haar populariteit, haar macht en haar vriendje was kwijtgeraakt. Toen ik eindelijk sprak, verraste ik mezelf door precies te zeggen wat ik dacht.

'Je moet mij wel haten.'

Ze staarde me een hele tijd aan. 'Dat deed ik,' zei ze langzaam. 'Maar nu haat ik vooral mezelf.'

'Niet doen,' zei ik.

'En waarom dan wel niet? Iedereen haat me.' Haar woorden klonken scherp en gemeen, maar ik zag tranen in haar ogen.

'Herinner je je die hatelijke opmerking die je nog niet zo lang geleden, toen je dacht dat ik perfect was, tegen me maakte?'

Een flauw lachje trok aan haar lippen. 'Je zult mijn geheugen moeten opfrissen. Ik heb een heleboel hatelijke dingen tegen je gezegd.'

'Ik bedoel die keer dat je zei dat macht mensen verandert en dat ze er dan een puinhoop van maken.'

'O ja, nu weet ik het weer. Ik zei dat macht mensen verandert, maar ik had het over de personen om je heen.'

'Nou, je had gelijk over hen en over mij, en dat begrijp ik nu. Ik begrijp ook een heleboel stomme dingen die je hebt gedaan.' Ik glimlachte en voegde eraan toe: 'Niet alle stomme dingen die je hebt gedaan, maar een heleboel. Want inmiddels heb ik ook de nodige stomme dingen gedaan en ik geloof niet dat ik geen stomme dingen meer zal doen, hoe ontmoedigend dat ook is.'

'Ontmoedigend maar waar,' zei ze. 'O, en à propos, nu we het toch hebben over het feit dat macht mensen verandert: dat mag je niet vergeten in je omgang met Stevie Rae.'

'Wat bedoel je?'

'Precies wat ik zei. Ze is veranderd.'

'Verklaar je nader,' zei ik, met een misselijk gevoel in mijn maag.

'Doe nou niet net of je niets vreemds aan haar is opgevallen,' zei Aphrodite.

'Ze heeft een heleboel doorstaan,' zei ik tot Stevie Raes verdediging.

'Precies. Ze heeft een heleboel doorstaan en daardoor is ze veranderd.'

'Jij hebt Stevie Rae nooit gemogen en ik verwacht niet dat je plotseling goed met haar kunt opschieten, maar ik weiger naar je te luisteren als je haar zwartmaakt, vooral nu ze zojuist heeft gezegd dat je met haar mee kon gaan zodat je hier niet hoefde te blijven en te doen alsof je iets bent wat je niet bent.' Ik begon echt pissig te worden en ik wist eigenlijk niet of dat was omdat wat Aphrodite zei hatelijk en verkeerd was of omdat wat ze zei een angstwekkende waarheid was die ik niet onder ogen wilde zien.

'Is het nooit in je opgekomen dat Stevie Rae misschien wilde dat ik met haar meeging omdat ze niet wil dat ik tijd met jou doorbreng?'

'Dat slaat nergens op. Waarom zou haar dat iets kunnen schelen? Ze is mijn beste vriendin, niet mijn vriendje.'

'Omdat ze weet dat ik haar komedie heb doorzien en dat ik je zal vertellen hoe het in werkelijkheid zit. Ze is namelijk niet meer wat ze vroeger was. Ik weet niet precies wat ze nu wel is en volgens mij weet ze dat zelf ook nog niet, maar ze is beslist niet meer die boerentrien van vroeger.'

'Ik weet best dat ze niet precies is wat ze vroeger was!' snauwde ik. 'Hoe zou dat kunnen? Ze is gestorven, Aphrodite! In mijn armen. Weet je nog wel? En ik ben te goed met haar bevriend om haar de rug toe te keren omdat ze door het doorstaan van iets wat je leven verandert daadwerkelijk is veranderd.'

Aphrodite stond me een hele tijd aan te staren zonder iets te zeggen, zo lang dat ik weer pijn in mijn maag kreeg. Eindelijk trok ze een schouder op. 'Best. Geloof maar wat je wilt geloven. Ik hoop dat je gelijk hebt.'

'Ik heb gelijk en ik wil het er niet meer over hebben,' zei ik, met een eigenaardig trillerig gevoel in mijn binnenste.

'Best,' zei ze nog eens. 'Ik zal het er niet meer over hebben.'

'Goed. Maak dan nu maar je merkteken af en dan gaan we naar de vergadering.'

'Samen?'

'Ja.'

'Interesseert het je niet dat iedereen dan weet dat we elkaar niet haten?' vroeg ze.

'Nou, ik bekijk het zo: iedereen, met name mijn vrienden, zal een massa niet-zo-aardige dingen denken over de mogelijkheid dat jij en ik plotseling bevriend zijn geraakt.'

Aphrodites ogen werden groot. 'Wat zal voorkomen dat hun nietige hersentjes zich bezighouden met Stevie Rae.'

'Mijn vrienden hebben geen nietige hersentjes.'

'Wat jij wilt.'

'Maar inderdaad, Damien en de tweeling zullen het druk hebben met pissige gedachten over jou en dat zal hun gedachten bezighouden voor het geval Neferet meeluistert,' zei ik.

'Dat klinkt als het prille begin van een plan,' zei ze.

'Jammer genoeg is dat tot nog toe het hele plan.'

'Nou, je bent tenminste consequent waar het gaat om geen flauw idee hebben van waar je mee bezig bent.'

'Heel aardig van je dat je de dingen van de zonnige kant bekijkt.'

'Ik doe wat ik kan om te helpen,' zei Aphrodite.

Toen ze de laatste hand aan haar nepmerkteken had gelegd, gingen we op weg naar de deur. Vlak voor ik de deur opendeed, keek ik haar zijdelings aan. 'O, en ik haat jou ook niet,' zei ik. 'Eerlijk gezegd ga ik je steeds meer waarderen.'

Aphrodite schonk me een van haar beste hoonlachjes en zei: 'Kijk, dat bedoel ik nou als ik zeg dat je consequent bent waar het gaat om geen flauw idee hebben van waar je mee bezig bent.'

Ik lachte toen ik de deur opentrok en bijna in botsing kwam met Damien, Jack en de tweeling.

7

'We willen even met je praten, Z,' zei Damien.

'En godzijdank gaat zij net weg,' zei Shaunee, met een nijdige blik op Aphrodite.

'Ja, pas maar op dat de deur op weg naar buiten niet tegen je magere achterwerk slaat,' zei Erin.

Ik zag vluchtig een gekwetste uitdrukking over Aphrodites gezicht trekken. 'Best, hoor. Ik ben al weg,' zei ze.

'Aphrodite, jij blijft hier.' Ik moest wachten tot de tweeling klaar was met ongelovige protestgeluidjes maken voor ik verder kon gaan. 'Nux' invloed is sterk aanwezig in Aphrodites leven. Vertrouwen jullie op Nux' oordeel?' vroeg ik, waarbij ik mijn vrienden om de beurt aankeek.

'Ja, natuurlijk,' zei Damien, waarbij hij namens het hele groepje sprak.

'Dan zullen jullie Aphrodite als een van ons moeten accepteren,' zei ik.

Er viel een lange stilte waarin de tweeling, Jack en Damien blikken uitwisselden tot Damien ten slotte zei: 'We kunnen niet anders dan toegeven dat Aphrodite voor Nux bijzonder is, maar eerlijk gezegd vertrouwen we haar geen van allen.'

'Ik vertrouw haar,' zei ik. Oké, misschien niet voor de volle honderd procent, maar Nux werkte via haar.

'Dat is best ironisch, aangezien ons vertrouwen in jou een behoorlijke deuk heeft opgelopen,' zei Shaunee.

'Kudde oenen, dat slaat nergens op,' zei Aphrodite. 'Het ene moment is het "Ja, hoor! Natuurlijk vertrouwen we Nux!" en het volgende moment zeggen jullie dat jullie moeite hebben om Zoey te vertrouwen. Zoey is dé halfwas. Niemand, vampier noch halfwas, is ooit zo door Nux begenadigd. Waar zit jullie verstand?' Aphrodite rolde met haar ogen.

'Daar zit wat in,' zei Damien in de geschokte stilte.

'Je meent het!' zei Aphrodite sarcastisch. 'Ik heb nog een nieuwsflits voor de kudde oenen: mijn laatste visioen ging over Zoey, die werd gedood, en dat stortte de wereld in chaos. En raad eens wie verantwoordelijk was voor de moord op jullie zogezegde vriendin?' Ze wachtte even en keek met opgetrokken wenkbrauwen naar Damien en de tweeling voor ze haar eigen vraag beantwoordde. 'Jullie. Zoey werd vermoord omdat jullie haar de rug toekeren.'

'Heeft ze een visioen gehad over jouw dood?' vroeg Damien mij. Zijn gezicht was opeens spierwit geworden.

'Ja, feitelijk twee. Maar de visioenen waren erg warrig. Ze zag alles vanuit mijn gezichtspunt, wat behoorlijk onaangenaam was. Hoe dan ook, ik moet gewoon uit de buurt van water blijven en...' Ik brak mijn zin af toen ik bijna 'en Neferet' zei. Gelukkig nam Aphrodite het van me over.

'Ze moet bij water uit de buurt blijven en ze mag niet alleen worden gelaten,' zei ze. 'Wat betekent dat jullie het moeten afzoenen. Maar wacht alsjeblieft tot ik weg ben, want ik weet zeker dat ik daar misselijk van ga worden.'

'Je had ons behoorlijk pissig gemaakt, Z,' zei Shaunee, die bijna net zo wit zag als Damien.

'Maar we willen niet dat je doodgaat,' zei Erin, die ook behoorlijk van streek was.

'Ik zou het gewoon besterven als jij doodging,' zei Jack, snotterend. Toen pakte hij Damiens hand vast.

'Nou dan zullen jullie je eroverheen moeten zetten en weer het poeslieve sukkeltroepje moeten worden,' zei Aphrodite.

'Sinds wanneer kan het jou iets schelen of Zoey leeft of doodgaat?' vroeg Damien.

'Sinds ik voor Nux werk en niet voor mezelf. Nux heeft geen maling aan Zoey, dus ik ook niet. En dat is maar goed ook. Jullie zijn zogenaamd haar beste vrienden, maar een paar geheimpjes en onbenullige misverstanden waren genoeg om haar buiten te sluiten.' Aphrodite keek mij aan en snoof. 'Jezus, Zoey, met zulke vrienden heb je geen vijanden nodig.'

Damien wendde zich hoofdschuddend van Aphrodite af en keek mij aan. Hij leek meer gekwetst dan nijdig. 'Wat ik echt niet begrijp aan dit alles is dat het heel duidelijk is dat je háár wel de dingen vertelt die je voor ons verzwijgt.'

'Kom op zeg, homoboy. Ga alsjeblieft niet zielig doen omdat ik jouw plek naast Zoey heb ingenomen. De reden dat ze mij dingen vertelt, is zo simpel als wat: vampiers kunnen mijn gedachten niet lezen.'

Damien knipperde verbaasd met zijn ogen. Toen viel het muntje en keek hij me met grote ogen aan. 'Ze kunnen jouw gedachten ook niet lezen, hè?'

'Dat klopt,' zei ik.

'O shit!' zei Shaunee. 'Bedoel je dat je denkt dat ons iets vertellen hetzelfde is als iets rondbazuinen?'

'Zo makkelijk kan het voor vampiers niet zijn om de gedachten van halfwassen te lezen, Z,' zei Erin. 'Als dat wel zo was, dan zouden er heel wat leerlingen altijd in de problemen zitten.'

'Wacht even, ze zien bepaalde dingen door de vingers, zoals halfwassen die stiekem de campus verlaten en zo,' zei Damien langzaam, alsof hij zijn conclusies trok terwijl hij sprak. 'De vampiers geven niet om wat kleine overtredingen hier en daar zolang het gaat om typische tienerstreken, en dus luisteren ze niet altijd mee, of hoe je dat mediamieke luistervink spelen ook wilt noemen.'

'Maar stel dat ze dachten dat er iets aan de hand was wat meer was dan een kleine overtreding van de regels en ze het vermoeden hadden dat een bepaald groepje halfwassen daar meer over wist,' zei ik.

'Dan zouden ze hun gedachten op dat groepje halfwassen focussen,' zei Damien. 'Je kunt ons echt niet alles vertellen!'

'Verdomme,' zei Shaunee.

'Zwaar klote,' zei Erin.

'Hèhè, ze hebben het eindelijk door,' zei Aphrodite.

Damien negeerde haar. 'Dit heeft iets met Stevie Rae te maken, hè?'

Ik knikte.

'Hé, over Stevie Rae gesproken,' zei Shaunee.

'Wat is er met haar gebeurd?' vroeg Erin.

'Niks,' zei Aphrodite. 'Ze heeft me gevonden. Ik kwam weer tot bedaren toen ik eindelijk mijn merkteken terugkreeg en toen ben ik teruggekomen naar de school.'

'En waar is zij nu?' vroeg Damien.

'Ja zeg, ben ik goddomme soms een babysitter? Hoe kan ik in godsnaam weten waar jullie boerenkinkel van een vriendinnetje naartoe is gegaan? Het enige wat ze zei was dat ze moest gaan omdat ze problemen had, en dat kwam niet bepaald als een grote schok.'

'Jij krijgt problemen met mijn vuist in je gezicht als je over Stevie Rae gaat kwaadspreken,' zei Shaunee.

'Ik hou haar wel voor je vast, tweelingzus,' zei Erin.

'Doen jullie samen met één stel hersens of zo?' vroeg Aphrodite.

'O. Mijn. God! Genoeg!' riep ik. 'De kans bestaat dat ik doodga. Twee keer. Een of ander vreemd spookachtig iets heeft me vandaag aangevallen en ik schijt bagger van angst. Ik weet goddomme niet wat er met Stevie Rae gebeurt en Neferet heeft een bestuursvergadering bijeengeroepen, waarschijnlijk om haar oorlogsplannen te bespreken, en een oorlog is echt niet de oplossing. En jullie blijven maar kibbelen! Jullie bezorgen me hoofdpijn én maken me pisnijdig.'

'Jullie kunnen maar beter naar haar luisteren. Ik heb in haar betoog twee echte krachttermen en één bijna-krachtterm geteld. Ze meent het,' zei Aphrodite.

Ik zag dat de tweeling een glimlach moest onderdrukken. Jeetje. Wat doet het er nou toch toe dat ik een hekel heb aan vloeken?

'Oké. We zullen ons best doen om normaal met elkaar om te gaan,' zei Damien.

'Voor Zoey,' zei Jack, terwijl hij lief naar me lachte.

'Voor Zoey,' zei de tweeling in koor.

Mijn hart kromp ineen toen ik naar mijn vrienden keek. Ze stonden weer achter me. Wat er ook zou gebeuren, ze zouden me bijstaan.

'Bedankt, jongens,' zei ik, mijn tranen wegpinkend.
'Groepsknuffel!' zei Jack.
'Jezus, echt niet!' zei Aphrodite.
'Dat is één ding waarin we Aphrodite gelijk kunnen geven,' zei Erin.
'Ja, het is tijd om te vertrekken,' zei Shaunee.
'Oeps. Wij moeten er ook vandoor, Damien. Je hebt Stark beloofd dat we voor de vergadering bij hem langs zouden gaan om ons ervan te vergewissen dat hij zich al een beetje op zijn gemak voelt,' zei Jack.
'Dat is waar ook,' zei Damien. 'Dag, Z. Tot straks.'
Jack en hij volgden de tweeling mijn kamer uit. Ze riepen gedag en liepen weg door de gang, druk kletsend over wat een spetter Stark wel niet was, en Aphrodite en ik bleven alleen achter.
'Mijn vrienden zijn de kwaadsten niet, hè?' zei ik.
Aphrodite keek me aan met een koele blik in haar blauwe ogen. 'Je vrienden zijn druiloren,' zei ze.
Ik grijnsde en gaf haar een stoot met mijn schouder. 'Nou, dan ben jij ook een druiloor.'
'Dat is precies waar ik bang voor ben,' zei ze. 'Over het feit dat ik in de hel ben beland gesproken: je moet even meekomen naar mijn kamer. Je moet me helpen iets uit te puzzelen voor we naar de bestuursvergadering gaan.'
Ik haalde mijn schouders op. 'Mij best.' Ik had een goed gevoel over mezelf. Mijn vrienden praatten weer tegen me en het leek erop dat er een kans was dat iedereen normaal met elkaar om kon gaan. 'Zeg,' zei ik toen we door de gang liepen op weg naar Aphrodites kamer. 'Is het je opgevallen dat de tweeling iets aardigs tegen je zei voor ze vertrokken?'
'De tweeling is symbiotisch, en ik hoop dat er snel iemand komt die ze meeneemt om wetenschappelijk onderzoek op hen los te laten.'
'Die houding is niet bepaald bevorderlijk voor een goede verstandhouding,' zei ik.
'Kunnen we ons alsjeblieft focussen op wat echt belangrijk is?'

'Zoals?'

'Mijn persoontje, natuurlijk, en hetgeen waarmee je me moet helpen.' Aphrodite opende de deur van haar kamer en we liepen wat ik als haar paleis zag binnen. Ik bedoel, jeetje, die kamer zag eruit alsof ze die naar het voorbeeld van een interieur in een *Guide to Gossip Girl Design*-tijdschrift had ingericht, als zo'n tijdschrift al bestond. Wat triest genoeg waarschijnlijk wel degelijk zo was. (Niet dat ik geen fan ben van *Gossip Girl*!)

'Aphrodite, heeft niemand ooit tegen je gezegd dat je mogelijk een persoonlijkheidsaandoening hebt?'

'Verscheidene duur betaalde psychiaters. Lekker belangrijk.' Aphrodite liep de kamer door en opende de deur van de met de hand beschilderde (ongetwijfeld antieke en peperdure) garderobekast, die voor haar met de hand met houtsnijwerk verfraaide (honderd procent zeker antieke en peperdure) hemelbed stond. Terwijl ze daarin rondzocht, zei ze: 'O, à propos, je moet het voor elkaar zien te krijgen dat de raad het goedvindt dat jij en tragisch genoeg ook ik en – hoe spijtig ik het ook vind om het te moeten zeggen – je kudde oenen, van de campus af gaan.'

'Huh?'

Aphrodite slaakte een zucht en draaide zich naar me om. 'Wil je alsjeblieft proberen me te volgen? We moeten kunnen komen en gaan om erachter te komen wat er verdomme met Stevie Rae en haar onsmakelijke vriendjes aan de hand is.'

'Ik heb je al gezegd dat ik niet zal accepteren dat je kwaadspreekt over Stevie Rae. Er is niets mis met haar.'

'Dat staat ter discussie, maar aangezien je weigert om daar op dit moment een redelijk gesprek over te voeren: ik heb het over de freaks waarmee ze omgaat. Stel dat je gelijk hebt en Neferet ze tegen mensen wil inzetten? Niet dat ik zo dol ben op mensen, maar het idee van oorlog staat me tegen. Dus ik vind dat je je daarin moet verdiepen.'

'Ik? Waarom ik? En waarom moet ik voor elkaar zien te krijgen dat we de school in en uit mogen?'

'Omdat jij de superheldhalfwas bent. Ik ben alleen maar je aantrekkelijkere handlanger. O, en de oenen zijn je sukkelige slaafjes.'

'Geweldig,' zei ik.

'Kom op, maak je niet druk. Je bedenkt wel iets. Dat doe je altijd.'

Ik knipperde verbaasd met mijn ogen. 'Je vertrouwen in mij is onthutsend.' En ik meende het serieus. Ik bedoel, ze keek me echt aan alsof ze geloofde dat ik een oplossing zou bedenken voor deze puinhoop.

'Dat zou het niet moeten zijn.' Ze ging door met zoeken in de rommelige garderobekast. 'Ik weet beter dan bijna ieder ander hoezeer je door Nux bent begenadigd. Dat je machtig bent, blabla, wat dan ook. Je komt er dus wel uit. Eindelijk! God, ik wou dat we een huishoudster mochten nemen. Ik kan nooit iets vinden als ik zelf mijn rommel moet opruimen.' Aphrodite haalde een groene kaars in een mooi groen kristallen glas en een chique aansteker tevoorschijn.

'Moet ik je helpen om iets uit te puzzelen over een kaars?'

'Nee, genie. Soms zet ik echt vraagtekens bij Nux' keuzes.' Ze gaf me de kleine gouden aansteker. 'Je moet me helpen uitzoeken of ik mijn affiniteit voor aarde kwijt ben.'

8

Ik keek van de groene kaars naar Aphrodite. Haar gezicht was lijkbleek en ze had haar lippen samengeperst tot een dunne, kleurloze lijn. 'Heb je sinds je je merkteken kwijt bent nog niet geprobeerd om aarde op te roepen?' vroeg ik voorzichtig.

Ze schudde haar hoofd en zag er nog steeds uit alsof ze pijn in haar buik had.

'Oké, goed, je hebt gelijk. Ik kan je hierbij helpen. Ik kan natuurlijk een cirkel werpen.'

'Dat had ik ook bedacht.' Aphrodite ademde een keer beverig diep in en uit. 'Laten we maar meteen door de zure appel heen bijten.' Ze liep naar de muur tegenover haar bed. Toen ze daar stond, hield ze haar kaars omhoog. 'Dit is het noorden.'

'Goed.' Ik ging voor Aphrodite staan, draaide me om naar het oosten, deed mijn ogen dicht en concentreerde me. 'Lucht vult onze longen en schenkt ons leven. Ik roep lucht naar mijn cirkel.' Zelfs zonder een gele kaars die het element vertegenwoordigde – en zonder Damien en zijn affiniteit voor lucht – voelde ik onmiddellijk de reactie van het element als een zachte bries langs mijn lichaam.

Ik opende mijn ogen en draaide me naar rechts, *deosil* – met de klok mee – naar het zuiden. 'Vuur verwarmt en beschermt ons. Ik roep vuur naar mijn cirkel.' Ik glimlachte toen de lucht rondom me door het tweede element werd verwarmd.

Ik draaide me nog eens om naar rechts tot ik met mijn gezicht naar het westen stond. 'Water reinigt ons en lest onze dorst. Ik roep water naar mijn cirkel.' Ik voelde meteen de koelte van onzichtbare golven tegen mijn benen. Glimlachend draaide ik me met mijn gezicht naar Aphrodite.

'Klaar?' vroeg ik haar.

Ze knikte, deed haar ogen dicht en hief de groene kaars die haar element vertegenwoordigde.

'Aarde draagt en voedt ons. Ik roep aarde naar mijn cirkel.' Ik knipte de aansteker aan en hield het vlammetje bij de kaars.

'Au! Shit!' riep Aphrodite. Ze liet de kaars vallen alsof die haar had gestoken. Hij kletterde bij haar voeten op de houten vloer. Toen ze haar blik afwendde van het gebroken glas en de kaarsresten, zag ik tranen in haar ogen. 'Ik ben mijn affiniteit kwijt.' Haar stem kwam nauwelijks boven een fluistering uit terwijl de tranen over haar wangen stroomden. 'Nux heeft me die afgenomen. Ik wist dat ze dat zou doen. Ik wist dat ik niet goed genoeg was om begiftigd te worden met iets zo wonderbaarlijks als het element aarde.'

'Ik geloof niet dat dat het is,' zei ik.

'Maar je hebt het zelf gezien. Ik ben niet meer aarde. Nux wil niet dat ik het element vertegenwoordig.'

'Ik bedoel niet dat je nog steeds je affiniteit voor aarde hebt. Wat ik bedoel is dat ik niet geloof dat Nux je de affiniteit heeft afgenomen omdat je die niet waard bent.'

'Maar dat ben ik niet,' stamelde Aphrodite.

'Dat geloof ik gewoon niet. Ik zal het je laten zien.'

Ik deed een stapje achteruit. Deze keer zonder Aphrodites kaars, zei ik: 'Aarde draagt en voedt ons. Ik roep aarde naar mijn cirkel.'

De geuren en geluiden van een lenteweiland omringden me onmiddellijk. Terwijl ik probeerde het feit te negeren dat Aphrodite bij wat ik deed nog harder moest huilen, liep ik naar het midden van mijn onzichtbare cirkel en riep ik de laatste van de vijf elementen op. 'Geest is wat we zijn voor we geboren worden en wat we uiteindelijk weer worden. Ik roep geest naar mijn cirkel.' Mijn ziel zong in mijn binnenste toen het laatste element me vulde.

Terwijl ik me vasthield aan de kracht die me altijd doordrong wanneer ik de elementen opriep, hief ik mijn armen boven mijn hoofd. Ik boog mijn hoofd achterover en zag niet het plafond, maar stelde me de fluwelen duisternis van de alles omsluitende avondhemel voor. En ik bad, niet op de manier van mijn moeder en haar man, de stief-loser, vol valse nederigheid en doorspekt met een massa 'amens' en wat al niet meer. Als ik bad, bleef ik mezelf. Ik praatte tegen mijn godin zoals ik tegen mijn oma of mijn beste vriendin zou praten.

Ik geloof best wel dat Nux mijn openhartigheid waardeert.

'Nux, vanaf deze plek van kracht die u mij hebt gegeven, vraag ik dat u mijn gebed aanhoort. Aphrodite is een heleboel kwijtgeraakt en ik geloof niet dat dat is omdat u niet meer om haar geeft. Volgens mij speelt er iets anders en ik zou niets liever willen dan dat u haar laat weten dat u nog steeds bij haar bent, wat er ook gebeurt.'

Er gebeurde niets. Ik ademde een keer diep in en uit en concentreerde me weer. Ik had de stem van Nux eerder gehoord. Ik bedoel, soms praatte ze gewoon tegen me. Soms kreeg ik alleen maar een gevoel over iets. *Beide mogelijkheden zijn op dit moment oké*, voegde ik onuitgesproken aan mijn gebed toe. Toen probeerde ik me nog dieper te concentreren. Ik kneep mijn ogen dicht en luisterde met ingehouden adem. Ik luisterde zo ingespannen dat ik bijna niet hoorde dat Aphrodites adem stokte van schrik.

Ik opende mijn ogen en tegelijkertijd viel mijn mond open.

In de ruimte tussen Aphrodite en mij was de flakkerende zilveren beeltenis van een mooie vrouw te zien. Later, toen Aphrodite en ik probeerden te beschrijven hoe ze eruit had gezien, konden we ons geen van beiden bijzonderheden herinneren. Het enige wat we allebei zeiden was dat ze leek op zichtbaar gemaakte geest, wat in wezen helemaal geen beschrijving was.

'Nux!' zei ik.

De godin glimlachte naar me en ik had het gevoel dat mijn hart van blijdschap mijn borst uit zou bonken. 'Gegroet, mijn u-we-tsi-a-ge-ya,' zei ze, me aansprekend met het Cherokee-woord voor 'dochter', zoals mijn oma ook dikwijls deed. 'Je hebt er goed aan gedaan om me te roepen. Je zou je natuurlijke instinct vaker moeten volgen, Zoey. Het zal je nooit misleiden.'

Toen draaide ze zich om naar Aphrodite, die zich met een snik voor de godin op haar knieën liet vallen.

'Niet huilen, mijn lieve kind.' Nux strekte haar etherische hand uit, en als een heerlijke droom die substantie kreeg streelde ze Aphrodites wang.

'Vergeef me, Nux!' riep ze uit. 'Ik heb zo veel domme dingen gedaan en zo veel fouten begaan. Ik heb overal spijt van. Dat meen ik oprecht. Ik kan het u niet kwalijk nemen dat u mijn merkteken en mijn affiniteit voor aarde hebt afgenomen. Ik weet dat ik geen van beide verdien.'

'Dochter, je begrijpt het niet. Ik heb je je merkteken niet afgenomen. De kracht van je menselijkheid heeft het weggebrand, en het was ook de kracht van je menselijkheid die Stevie Rae heeft gered. Of je er nu blij mee bent of niet, je verheven menselijkheid zal altijd sterker zijn dan wat dan ook, en dat is een van de redenen dat je me zo dierbaar bent. Maar je moet niet denken dat je sléchts een mens bent, lieve kind. Je bent heel wat meer, maar wat dat precies betekent, moet je zelf ontdekken en je moet er zelf voor kiezen.' De godin pakte Aphrodite bij de hand en trok haar overeind. 'Ik wil dat je begrijpt dat de affiniteit voor aarde nooit de jouwe was, dochter. Je hebt die voor Stevie Rae in veilige bewaring gehouden. De aarde kon namelijk niet waarlijk in haar tot leven komen tot haar menselijkheid was hersteld. Jij was degene van wie ik wist dat je die kostbare gave veilig zou bewaren, en ook het instrument via welk Stevie Rae haar menselijkheid terugkreeg.'

'Het is dus niet zo dat u me straft?' zei Aphrodite.

'Nee, dochter. Je straft jezelf al genoeg zonder dat ik daaraan bijdraag,' zei Nux zacht.

'En u haat me niet?' fluisterde Aphrodite.

Nux' glimlach was stralend en triest. 'Zoals ik al zei, ik hou van je, Aphrodite. Dat zal ik altijd blijven doen.'

Ik wist dat de tranen die nu over Aphrodites gezicht stroomden, tranen van vreugde waren.

'Jullie hebben allebei een lange weg voor je. Een groot deel daarvan zullen jullie samen afleggen. Vertrouw op elkaar. Luister naar jullie instinct. Vertrouw jullie zachte innerlijke stem.'

De godin richtte zich tot mij. 'U-we-tsi-a-ge-ya, er is groot gevaar op komst.'

'Dat weet ik. U kunt deze oorlog niet willen.'

'Nee, dochter. Al is dat niet het gevaar waarop ik doel.'

'Maar als u de oorlog niet wilt, waarom houdt u die dan niet tegen? Neferet moet wel naar u luisteren! Ze moet u gehoorzamen!' zei ik. Ik begreep niet waarom ik me plotseling zo vertwijfeld voelde, vooral omdat de godin me zo sereen aankeek.

In plaats van te antwoorden, stelde Nux zelf een vraag. 'Weet jij wat de grootste gave is die ik mijn kinderen ooit heb gegeven?'

Ik dacht diep na, maar mijn geest leek een warboel van kruiswoordpuzzelgedachten en fragmenten van de waarheid.

Aphrodites stem klonk krachtig en helder toen ze zei: 'Vrije wil.'

Nux glimlachte. 'Precies, dochter. En een eenmaal geschonken gave neem ik nooit meer terug. De gave wordt de persoon, en als ik me erin zou mengen en gehoorzaamheid zou afdwingen, vooral in de vorm van affiniteiten afpakken, dan zou ik de persoon vernietigen.'

'Maar misschien zou Neferet naar u luisteren als u met haar zou praten zoals u nu met ons praat. Ze is uw hogepriesteres,' zei ik. 'Ze hoort naar u te luisteren.'

'Tot mijn verdriet heeft Neferet ervoor gekozen om niet langer naar me te luisteren. Dit is het gevaar waarvoor ik jullie wil waarschuwen. Neferets geest is afgestemd op een andere stem, een stem die al heel lang tegen haar fluistert. Ik hoopte dat haar liefde voor mij de ander zou overstemmen, maar dat is helaas niet gebeurd. Zoey, Aphrodite is in veel opzichten buitengewoon scherpzinnig. Toen ze zei dat macht verandert, had ze gelijk. Macht verandert altijd de drager en degenen in haar onmiddellijke omgeving, maar mensen die geloven dat macht altijd corrumpeert, denken te simplistisch.'

Terwijl ze sprak, viel me op dat er golven van licht door Nux' lichaam trokken, als door de maan beschenen mistflarden die opstegen van een veld, en dat haar beeld langzaam vervaagde.

'Wacht! Ga nog niet weg,' riep ik. 'Ik heb nog zo veel vragen.'

'Het leven zal je de keuzes onthullen die je moet maken om je vragen te beantwoorden,' zei ze.

'Maar u zegt dat Neferet naar de stem van een ander luistert. Betekent dat dat ze niet meer uw hogepriesteres is?'

'Neferet heeft mijn pad verlaten en in plaats daarvan chaos gekozen.' Het beeld van de godin flakkerde. 'Maar vergeet niet dat ik wat ik heb geschonken nooit terugneem. Onderschat dus Neferets macht niet. De haat die ze probeert op te wekken is een gevaarlijke kracht.'

'Dit maakt me bang, Nux. Ik maak overal een puinhoop van,' stamelde ik. 'Vooral de laatste tijd.'

De godin glimlachte weer. 'Je onvolmaaktheid maakt deel uit van je vermogens. Put kracht uit de aarde en haal antwoorden uit de verhalen van het volk van je grootmoeder.'

'Het zou een stuk veiliger zijn als u me gewoon zou vertellen wat ik moet weten en wat ik moet doen,' zei ik.

'Net als al mijn kinderen moet ook jij je eigen weg vinden, en tijdens die ontdekkingstocht zul je beslissen wat ieder kind van de aarde uiteindelijk moet beslissen: of ze chaos of liefde kiest.'

'Soms lijken chaos en liefde een en hetzelfde,' zei Aphrodite. Ik kon zien dat ze haar best deed om eerbiedig te zijn, maar in haar stem klonk duidelijk wrevel door.

Nux leek zich niet aan Aphrodites opmerking te storen. De godin knikte slechts en zei: 'Inderdaad, maar als je verder kijkt, zul je zien dat hoewel chaos en liefde beide krachtig en verleidelijk zijn, ze evenveel van elkaar verschillen als maan- en zonlicht. Vergeet niet dat ik nooit ver van jullie hart ben, mijn dierbare dochters...'

Met een laatste flits flakkerend zilveren licht verdween de godin.

9

'Nou, lekker dan. Chaos en liefde zijn hetzelfde, maar toch ook weer niet. Neferet heeft nog steeds haar krachten, maar ze luistert niet meer naar Nux. O ja, en ze probeert iets gevaarlijks op te wekken. Wat betekent dat nu weer? Gaat het om een abstract opwekken, zoals gevaar "opwekken" in de vorm van een oorlog met mensen, of probeert ze letterlijk een gruwelijk angstaanjagend iets op te wekken dat ons allemaal zal verslinden? Zoals dat griezelige ding eerder vanavond? Ik heb niet eens de kans gehad om haar daar iets over te vragen. Alweer: lekker dan!' ratelde ik, toen Aphrodite en ik ons het meisjesverblijf uit haastten. Ongelukkig genoeg zouden we waarschijnlijk te laat op de bestuursvergadering aankomen.

'Aan mij heb je niets. Ik heb zelf genoeg raadsels om op te lossen. Ik ben een mens, maar toch ook weer niet? Wat betekent dat? En hoe kan mijn menselijkheid zo krachtig zijn terwijl ik het helemaal niet op mensen heb?' Aphrodite slaakte een zucht en haalde haar vingers door haar haar. 'Shit, mijn haar zit voor geen meter.' Ze draaide haar gezicht naar me toe. 'Kun je zien dat ik heb gehuild?'

'Voor de duizendste keer: nee. Je ziet er prima uit.'

'Shit. Ik wist het. Ik zie er niet uit.'

'Aphrodite! Ik zei net dat je er prima uitziet.'

'Ja, nou, "prima" is prima voor de meeste mensen. Voor mij is het afschuwelijk.'

'Oké, onze godin, de onsterfelijke Nux, is zojuist aan ons verschenen en heeft met ons gepraat, en het enige waaraan jij denkt is hoe je eruitziet?' Ik schudde mijn hoofd. Dat was onvoorstelbaar oppervlakkig, zelfs voor Aphrodite.

'Ja, dat was te gek! Nux is te gek! Ik heb nooit gezegd van niet. Dus wat wil je nou eigenlijk zeggen?'

'Wat ik eigenlijk wil zeggen is dat je, weet ik veel, na zo'n ervaring als een bezoek van de godin misschien aan belangrijkere dingen zou kunnen denken dan je toch al perfecte haar,' zei ik, geërgerd. En samen met háár moest ik de strijd aangaan met een wereldschokkend gevaarlijk kwaad? Godallemachtig, Nux' wegen waren absoluut volslagen ondoorgrondelijk. En dat is nog zwak uitgedrukt.

'Nux weet precies hoe en wat ik ben en ze houdt evengoed van me. Dít is wie ik ben.' Ze wapperde voor haar lichaam op en neer met haar hand. 'Vind je echt dat ik perfect haar heb?'

'Net zo perfect als je oppervlakkige, ergerlijke houding,' zei ik.

'O, goed. Oké. Ik voel me al een stuk beter.'

Ik fronste naar haar, maar zei niets meer terwijl we de trap naar de bestuurskamer tegenover de bibliotheek op renden. Ik was er nog nooit binnen geweest, maar ik had vaak genoeg naar binnen gekeken. Als de kamer leeg was, stond de deur meestal open, en elke keer dat ik de bibliotheek in of uit ga valt mijn blik onwillekeurig op de prachtige ronde tafel die het overheersende element in de kamer vormt. Zonder gekheid, ik had zelfs aan Damien gevraagd of die ronde tafel dé Ronde Tafel uit de tijd van koning Arthur en Camelot kon zijn. Hij zei dat hij dacht van niet, maar dat hij daar niet zeker van was.

Vandaag was de bestuurskamer geen lege bezienswaardigheid. De ruimte was gevuld met vampiers en Zonen van Erebus en natuurlijk de halfwassen die in de prefectenraad zaten. We konden gelukkig nog net naar binnen glippen voordat Darius de deur dichtdeed en met zijn lange gespierde lichaam ernaast postvatte. Aphrodite schonk hem een brede, flirterige glimlach en ik onderdrukte een zucht toen hij daarop reageerde met een schittering in zijn ogen. Ze probeerde achter te blijven om met hem te praten, maar ik pakte haar bij de arm en trok haar mee naar de twee lege stoelen naast Damien.

'Bedankt dat je een stoel voor ons hebt vrijgehouden,' fluisterde ik tegen hem.

‘Graag gedaan,’ fluisterde hij met zijn vertrouwde glimlach terug. Het verwarmde me vanbinnen en maakte me iets minder gespannen.

Ik keek de tafel rond. Aphrodite en ik zaten rechts van Damien. Naast Aphrodite zat Lenobia, onze docente paardrijkunst. Ze zat te praten met Draak en Anastasia Lankford, die naast haar zaten. Links van Damien zat de tweeling. Ze knikten naar me en probeerden nonchalant te doen, maar ik kon zien dat ze zich net zo gespannen en misplaatst voelden als ik. Ik wist dat het bestuur bestond uit de krachtigste leden van het docentenkorps, maar behalve de docenten, van wie ik er verscheidene van gezicht kende maar geen flauw idee had wie het waren, aangezien ik nog nooit les van hen had gehad, was er een enorm machtsvertoon in de vorm van de Zonen van Erebus, onder wie een reus van een vent die op een stoel vlak bij de deur zat. Hij was de grootste persoon, mens of vampier, die ik ooit had gezien. Ik deed mijn best om niet naar hem te staren en overwoog om Damien, Mr. Koning-van-de-regels, te vragen of de krijgers eigenlijk wel een bestuursvergadering mochten bijwonen, toen Aphrodite zich naar me toe boog en fluisterde: ‘Dat is Ate, de leider van de Zonen van Erebus. Darius vertelde me dat hij vandaag zou komen. Wat je noemt een stuk van een vent, vind je niet?’

Voor ik kon zeggen dat hij meer weg had van verscheidene stukken van een heleboel forse kerels, ging de achterdeur open en kwam Neferet binnen.

Nog voor ik de vrouw zag die achter haar liep, wist ik al dat er iets mis was. In het openbaar straalde Neferet doorgaans onbewogen perfectie uit, de belichaming van rust en beheersing. Maar deze Neferet was volledig van de kook. Haar mooie gelaatstrekken waren gespannen, alsof ze moeite moest doen om zich te beheersen en de inspanning bijna te veel voor haar was. Ze deed een paar stappen de kamer in en ging toen opzij zodat we de vampier konden zien die achter haar liep.

De schrik die door de vampiers heen golfde toen ze haar zagen, was onmiskenbaar. De Zonen van Erebus sprongen als eersten overeind, maar het bestuur volgde onmiddellijk. Damien, de tweeling, Aphrodite en ik kwamen ook overeind en volgden werktuiglijk het voorbeeld van de vampiers, die hun gesloten vuist eerbiedig op hun hart legden en het hoofd bogen.

Oké, ik moet bekennen dat ik mijn gebogen hoofd vluchtig hief om de nieuwe vampier te bekijken. Ze was lang en mager. Haar huid had de kleur van glanzend donker mahoniehout, en was even glad en gaaf, slechts ontsierd door de complexe tatoeage van haar saffierblauwe merkteken. Dat had, hoe onvoorstelbaar ook, de vorm van de gedaante van de godin die bij alle vampierdocenten op hun borstzakje geborduurd was, en dat tweemaal. De vrouwengestalten waren elkaars spiegelbeeld; de lichamen strekten zich vanaf haar hoge jukbeenderen en langs de zijkant van haar gezicht uit. De armen waren met de binnenkant naar boven gedraaid, de handen geheven als om de maansikkel midden op haar voorhoofd vast te houden. Haar haar was onvoorstelbaar lang. Het viel tot ruim over haar middel als een zware lap glanzende, zwarte zijde. Ze had grote, donkere amandelvormige ogen, een lange, rechte neus en volle lippen. Ze had de houding van een koningin toen ze met geheven kin haar vaste blik over de aanwezigen liet gaan. Pas toen die blik heel even op mij bleef rusten en ik de kracht daarin ervoer, besefte ik dat ze iets was wat ik nooit eerder bij een vampier had gezien: ze was oud. Niet dat ze rimpelig was, zoals een oud mens zou zijn. Deze vampier leek ergens in de veertig, wat voor een vampier neerkwam op stokoud. Maar het waren niet rimpels en een slappe huid die haar oud deden lijken. Het was een zweem van ouderdom en waardigheid die ze droeg als een kostbaar sieraad.

'Wees welkom.' Ze sprak met een accent dat ik niet kon plaatsen. Het klonk Midden-Oosters, maar toch weer niet. Brits, maar toch weer niet. Haar stem werd daardoor net zo vol als haar huidskleur warm was. Hij vulde de kamer.

Iedereen antwoordde werktuiglijk. 'Wees welkom.'

Toen glimlachte ze, en door de plotse gelijkenis tussen haar en Nux, die kort daarvoor naar me had geglimlacht, leken mijn knieën in pudding te veranderen, en ik was opgelucht toen ze gebaarde dat we weer mochten gaan zitten.

'Ze doet me aan Nux denken,' fluisterde Aphrodite.

Ik knikte, opgelucht dat ik het me niet had verbeeld. Er was geen tijd om nog iets te zeggen, aangezien Neferet zichzelf weer voldoende in de hand had om te spreken.

'Ik was, net als ieder van jullie, zoals goed te zien is, verrast en vereerd door Shekinahs ongebruikelijke en onaangekondigde bezoek aan ons Huis van de Nacht.'

Ik hoorde Damien zijn adem inhouden en keek hem vragend aan. Zoals gewoonlijk had Mr. Studiehoofd papier en een scherpgepunt potlood bij de hand zodat hij aantekeningen kon maken. Hij schreef snel enkele woorden op en hield het velletje papier onopvallend schuin zodat ik kon lezen wat er stond: SHEKINAH = HOGEPRIESTERES VAN ALLE VAMPIERS.

O-mijn-god. Geen wonder dat Neferet van de kook was.

Met een serene glimlach gebaarde Shekinah dat Neferet moest gaan zitten. Neferet boog haar hoofd. Het gebaar had ze vast en zeker eerbiedig bedoeld, maar in mijn ogen was de beweging houterig, de eerbiedigheid geforceerd. Ze ging stijfjes zitten. Shekinah bleef staan en begon te spreken.

'Als dit een normaal bezoek was geweest zou ik mijn komst natuurlijk hebben aangekondigd om jullie de kans te geven je daarop voor te bereiden. Dit is een verre van normaal bezoek, wat niet meer dan gepast is aangezien dit een verre van normale bestuursvergadering is. Het is al heel ongebruikelijk om de Zonen van Erebus toe te laten, maar ik begrijp dat hun aanwezigheid hier nodig is in zo'n tijd van beroering en gevaar. Maar wat nog veel ongebruikelijker is, is de aanwezigheid van halfwassen.'

'Die zijn hier omdat...'

Shekinah hief haar hand en onderbrak Neferets uitleg.

Ik wist eigenlijk niet wat me het meest verontrustte: Shekinahs machtige, godinachtige aanwezigheid of het feit dat ze Neferet zo makkelijk de mond had gesnoerd.

Shekinahs donkere ogen gingen van de tweeling naar Damien naar Aphrodite en bleven ten slotte op mij rusten. 'Jij bent Zoey Redbird,' zei ze.

Ik schraapte mijn keel en deed mijn best om niet zenuwachtig te gaan zitten draaien onder haar directe blik. 'Ja, mevrouw.'

'Dan zijn de vier anderen waarschijnlijk de halfwassen die zijn begunstigd met affiniteiten voor lucht, vuur, water en aarde.'

'Ja, mevrouw, dat klopt,' zei ik.

Ze knikte. 'Ik begrijp nu waarom jullie aan de vergadering deelnemen.' Shekinah hield haar hoofd schuin en keek Neferet doordringend aan. 'Je wilt hun kracht gebruiken.'

Ik verstijfde op hetzelfde moment als Neferet, zij het om een totaal andere reden. Wist Shekinah wat ik nog maar pas was gaan vermoeden: dat Neferet haar kracht misbruikte en een oorlog tussen mensen en vampiers uitlokte?

Neferet sprak scherp en liet elke schijn van vriendelijkheid varen. 'Ik wil elk voordeel dat de godin ons heeft gegeven aanwenden om de onzen te beschermen.' De andere vampiers gingen ongemakkelijk verzitten bij het horen van haar duidelijke gebrek aan respect.

'Ah, en dit is precies waarom ik hier ben.' Onverstoord door Neferets toon liet Shekinah haar blik over de leden van het bestuur gaan. 'Het was een gelukkig toeval dat ik een onaangekondigd privébezoek aan het Huis van de Nacht in Chicago bracht, waar het nieuws van de tragische gebeurtenissen hier me bereikte. Als ik thuis in Venetië was geweest, zou het nieuws me te laat hebben bereikt om in te kunnen grijpen en dan zouden de sterfgevallen niet te voorkomen zijn geweest.'

'"Voorkomen", priesteres?' zei Lenobia. Ik keek naar haar en zag dat de rijinstructrice minder gespannen leek dan Neferet. Haar toon was warm, maar onmiskenbaar eerbiedig.

'Lieve Lenobia, het is heerlijk om je weer te zien,' zei Shekinah hartelijk.

'Het is altijd een genoegen om je te begroeten, priesteres.' Lenobia boog haar hoofd, waardoor haar opmerkelijk zilverblonde haar als een tere sluier om haar hoofd viel. 'Maar ik denk dat ik namens het hele bestuur spreek als ik zeg dat we in verwarring zijn. Patricia Nolan en Loren Blake zijn dood. Als je de bedoeling had om hun dood te voorkomen, dan ben je te laat.'

'Dat ben ik inderdaad,' zei Shekinah. 'En hun dood weegt zwaar op mijn hart, maar ik ben niet te laat om nog meer sterfgevallen te voorkomen.' Ze wachtte even en zei toen langzaam en beslist: 'Er zal geen oorlog plaatsvinden tussen mensen en vampiers.'

Neferet vloog overeind, waarbij ze bijna haar stoel omgooide. 'Geen oorlog? Moeten we dan moordenaars ongestraft laten wegkomen met hun gruwelijke misdaden tegen ons?'

Ik voelde meer dan dat ik zag hoe spanning door de Zonen van Erebus golfde als een weerspiegeling van Neferets schrik.

'Heb je de politie erbij gehaald, Neferet?' Shekinah stelde de vraag op een zachte, gemoedelijke toon, maar ik voelde de kracht erin langs mijn huid strijken en iets in mijn binnenste in beroering brengen.

'Of ik de ménsenpolitie erbij heb gehaald om ze te vragen de ménselijke moordenaars op te pakken om ze voor een ménsenrechter te brengen? Nee, dat heb ik niet gedaan.'

'En je weet zo zeker dat je bij deze mensen geen gerechtigheid zult vinden dat je bereid bent een oorlog te beginnen.'

Neferet kneep haar ogen tot spleetjes en keek Shekinah woedend aan, maar ze zei niets. In de akelige stilte dacht ik aan rechercheur Marx, de politieman die me had geholpen toen Heath door die griezels van een ondode dode halfwassen was ontvoerd. Hij was geweldig geweest. Hij had geweten dat ik het verhaal dat een dakloze Heath had ontvoerd en de beide andere mensenjongens had gedood uit mijn duim had gezogen, maar hij had voldoende vertrouwen in me gehad om me te geloven toen ik zei dat het gevaar geweken was, en hij had me tijdens het hele gedoe de hand boven het hoofd gehouden. Rechercheur Marx had me verteld dat zijn tweelingzus was Veranderd en dat hij zich niet van haar had afgekeerd, en dat hij dus absoluut geen hekel aan vampiers had. Hij was een al wat oudere rechercheur Moordzaken en ik wist dat hij zou doen wat hij kon om erachter te komen wie vampiers vermoordde. En hij kon niet de enige politieman in Tulsa zijn die oprecht en eerlijk was.

'Zoey Redbird, wat vind jij hiervan?'

Shekinahs vraag kwam als een schok. Alsof ze aan een touwtje in mijn binnenste had getrokken waarmee mijn spraak werd ingeschakeld, flapte ik eruit: 'Ik ken een eerlijke menselijke politieman.'

Shekinah lachte weer haar Nux-lachje en mijn zenuwachtigheid bedaarde een beetje. 'Dat geldt denk ik voor ieder van ons, dat dacht ik tenminste tot mij deze oorlogsverklaring ter ore kwam, zonder zelfs maar de mensenpolitie de kans te geven om hun eigen soort aan te pakken.'

'Zie je dan niet hoe onmogelijk dat zelfs maar klinkt?' Neferets mosgroene ogen fonkelden. '"Mensenpolitie hun eigen soort laten aanpakken", alsof ze dat ooit zouden doen!'

'Dat hebben ze gedaan, talloze keren in de loop der decennia. Dat weet je best, Neferet.' Shekinahs rustige woorden stonden in dramatisch contrast met Neferets heftigheid en woede.

'Ze hebben haar vermoord en toen hebben ze Loren vermoord,' zei Neferet sissend.

Shekinah legde haar hand op Neferets arm. 'Je staat er te dichtbij. Je kunt niet rationeel denken.'

Neferet rukte haar arm weg. 'Ik ben de enige van ons die rationeel denkt!' snauwde ze. 'Mensen zijn al veel te lang ongestraft weggekomen met hun verachtelijke daden.'

'Neferet, er is nog maar weinig tijd verstreken sinds deze moorden en je hebt de mensen niet eens de kans gegeven om te proberen hun eigen soort te straffen. In plaats daarvan sta je gelijk met je oordeel klaar. Niet alle mensen zijn onoprecht, al fluistert je persoonlijke geschiedenis je iets anders in.'

Terwijl Shekinah sprak, bedacht ik dat Neferet me had verteld dat haar merkteken haar redding was geweest omdat haar vader haar jarenlang had misbruikt. Ze was bijna honderd jaar geleden gemerkt. Loren was twee dagen geleden vermoord. Professor Nolan een dag eerder. Het was voor mij zonneklaar dat die moorden niet de enige 'verachtelijke daden' waren waarop Neferet doelde. Shekinah leek dezelfde gevolgtrekking te hebben gemaakt.

'Hogepriesteres Neferet, ik ben tot de conclusie gekomen dat je oordeelsvermogen ten aanzien van deze sterfgevallen verwrongen is. Je liefde voor onze omgekomen zuster en broeder en je verlangen naar vergelding hebben je gezond verstand vertroebeld. Je oorlogsverklaring tegen mensen is door Nux' Raad verworpen.'

'Zomaar!' Neferets woede was van heftig overgegaan in staalhard. Ik was megablij dat Shekinah het brandpunt van die woede was, want een woedende Neferet was gewoon te angstwekkend voor woorden.

'Als je helder kon denken, zou je beseffen dat Nux' Raad nooit ondoordachte beslissingen neemt. Ze hebben de situatie zorgvuldig overwogen, ondanks het feit dat jij ons niet persoonlijk op de hoogte hebt gesteld van je oorlogsverklaring, zoals je had behoren te doen,' zei ze scherp. 'Je weet heel goed, mijn zuster, dat iets van dergelijke omvang ter overweging aan Nux' Raad voorgelegd had moeten worden.'

'Daarvoor was geen tijd,' snauwde Neferet.

'Er is altijd tijd voor gezond verstand!' Shekinahs ogen fonkelden en ik moest de neiging onderdrukken om op mijn stoel ineen te krimpen. Ik had Neferet al angstwekkend gevonden, maar vergeleken met Shekinah leek zij meer op een krengerig klein kind. Shekinah deed even haar ogen dicht en ademde een keer diep in en uit voor ze op kalmerende, begrijpende toon verder sprak. 'Nux' Raad noch ik betwist het feit dat de moord op twee van onze soort laakbaar is, maar oorlog is ondenkbaar. We hebben ruim twee eeuwen lang met mensen in vrede geleefd. We gaan die vrede niet verstoren ten gevolge van de obscene daden van een paar godsdienstige zeloten.'

'Als we negeren wat hier in Tulsa gebeurt, kunnen we rekenen op een herhaling van de tijd van Verbrandingen. Vergeet niet dat de gruweldaden in Salem ook zijn begonnen door wat je een paar godsdienstige zeloten zou kunnen noemen.'

'Dat weet ik heel goed. Ik ben een kleine eeuw na die duistere tijden geboren. We zijn nu krachtiger dan in de zeventiende eeuw. En de wereld is veranderd, Neferet. Bijgeloof is vervangen door wetenschap. Mensen zijn nu verstandiger.'

'Wat is ervoor nodig om jou en de almachtige Raad van Nux ervan te overtuigen dat we niet anders kunnen dan terugvechten?'

'Een verandering in het denken van de wereld, en ik bid tot Nux dat dat nooit gebeurt,' zei Shekinah ernstig.

Neferets blik vloog door de kamer om op de leider van de Zonen van Erebus te blijven rusten. 'Gaan jij en de Zonen gewoon lijdzaam toekijken terwijl de mensen ons een voor een ombrengen?' Haar stem was een ijzige uitdaging.

'Ik leef om te beschermen en geen enkele Zoon van Erebus zou toestaan dat iemand voor wie hij verantwoordelijk is iets overkomt. We zullen u en deze school beschermen. Maar, Neferet, we zullen niet in verzet komen tegen het oordeel van de Raad,' zei Ate ernstig met zijn diepe, krachtige stem.

'Priesteres, wat jij suggereert – dat Ate zich naar jouw wensen moet schikken in plaats van de wensen van de Raad – is onredelijk.' Shekinahs toon was niet langer begrijpend. Ze keek Neferet met tot spleetjes geknepen ogen doordringend aan.

Neferet zei geruime tijd niets en toen trok een huivering door haar lichaam. Haar schouders zakten in en ze leek voor mijn ogen te verouderen.

'Vergeef me,' zei ze zacht. 'Shekinah, je hebt gelijk. Ik sta er te dichtbij. Patricia en Loren waren me dierbaar. Ik kan niet helder denken. Ik moet... Ik moet... excuseer me, alsjeblieft,' wist ze eindelijk uit te brengen. En toen haastte ze zich volslagen van streek de bestuurskamer uit.

10

Het leek heel lang stil te blijven, maar de stilte duurde waarschijnlijk niet langer dan enkele gespannen seconden. Het was bizar om te zien hoe Neferet instortte, en hoewel ik wist dat ze Nux de rug had toegekeerd en dat ze zich met gruwelijke zaken bezighield, schokte het me om iemand die zo machtig was zo volledig te zien verschrompelen.

Was ze gek? Was dat het? Kon de 'duisternis' waarvoor Nux me had gewaarschuwd de duisternis in Neferets krankzinnige geest zijn?

'Jullie hogepriesteres heeft de afgelopen dagen een afschuwelijke beproeving doorstaan,' zei Shekinah. 'Daarmee praat ik haar gebrek aan inzicht niet goed, maar ik begrijp het wel. De tijd en het optreden van de plaatselijke politie zullen haar wonden helen.' Haar blik ging naar de reus van een krijger. 'Ate, ik wil jou vragen de rechercheurs bij het onderzoek te helpen. Ik begrijp dat veel bewijsmateriaal is vernietigd, maar wellicht kan de moderne wetenschap toch nog iets achterhalen.'

Ate knikte ernstig.

Toen richtte Shekinah haar donkere ogen op mij. 'Zoey, wat is de naam van die eerlijke menselijke rechercheur die jij kent?'

'Kevin Marx,' zei ik.

'We zullen contact met hem opnemen,' zei Ate.

Shekinah glimlachte goedkeurend. Toen zei ze: 'Wat de rest van ons betreft...' Ze wachtte even en haar goddelijke glimlach verbreedde zich. 'Ja, ik zeg "ons" omdat ik heb besloten om hier te blijven, op zijn minst tot jullie Neferet weer zichzelf is.'

Ik keek vluchtig de tafel rond in een poging de reactie van de docenten op Shekinahs onverwachte aankondiging te peilen. Ik zag gezichtsuitdrukkingen die varieerden van schrik tot lichte verbazing tot onverholen vreugde. Ik geloof echt dat mijn gezicht oprechte vreugde uitstraalde. Ik bedoel, hoe krankzinnig kon Neferet zich gedragen met de leider van alle vampierpriesteressen in de buurt?

'Ik vind het belangrijk – en Nux' Raad is het met me eens – dat we proberen om op de school zo normaal mogelijk door te gaan. Dat betekent dat de lessen morgen zullen worden hervat.'

Verscheidene docenten zagen eruit alsof ze zich niet gemakkelijk voelden, maar Lenobia was degene die hun gevoelens uitte.

'Priesteres, we willen allemaal graag dat de lessen worden hervat, maar we missen twee belangrijke docenten.'

'Inderdaad, en dat is ook een van de redenen waarom ik van plan ben om hier te blijven, voor een poosje althans. Ik zal Loren Blakes poëzieklas overnemen.'

Ik hoefde niet naar de poëziehatende tweeling te kijken om te weten dat ze een frons onderdrukten. Ik zat zelfs mijn best te doen om niet te glimlachen toen Shekinahs volgende woorden me door mijn ziel sneden.

'En ik had het geluk om Erik Night op het vliegveld te pakken te krijgen. Ik weet dat het ongebruikelijk is om een nog maar pas Veranderde vampier zo snel als docent aan te stellen, maar het is maar tijdelijk, en er is echt sprake van verzachtende omstandigheden. Bovendien kennen de halfwassen Erik. Hij zal een prima overgang zijn na hun geliefde professor Nolan.'

O-mijn-god, Erik is terug en ik zit in een klas waaraan hij gaat lesgeven. Ik wist niet of ik wilde juichen of kotsen, maar ik koos voor stilte en kramp in mijn maag.

'Wat de barricadebezwering betreft die Neferet rondom de school heeft opgetrokken: die zal niet in stand worden gehouden. Hoewel ik kan instemmen met haar handelwijze om die onmiddellijk te verwezenlijken – per slot van rekening waren er nog maar weinig Zonen van Erebus aanwezig en was er zojuist een moord gepleegd – zijn die noodmaatregelen niet langer gepast. De school afgrendelen zou overeenkomen met de afkondiging van een staat van beleg en dat is iets wat we beslist willen vermijden. En we worden natuurlijk beschermd door de Zonen van Erebus.' Ze knikte naar Ate, die het gebaar beantwoordde met een bevestigende buiging van zijn hoofd. 'Al met al wil ik niets liever dan dat jullie leven zo normaal mogelijk doorgaat. Voor degenen van jullie die banden hebben met de mensengemeenschap: onderhoud die relaties. Denk aan de les waarvoor onze voorouders met hun kostbare bloed hebben betaald: angst en onverdraagzaamheid worden verwekt door afzondering en onwetendheid.'

Oké, ik weet niet wat me in hemelsnaam overkwam, maar opeens drong het tot me door dat ik een idee had, en als uit eigen beweging ging mijn hand omhoog alsof die dacht dat we midden in een les zaten en we (mijn hand en mijn mond minus mijn hersenen) zojuist een briljant antwoord op een vraag hadden ontdekt.

'Zoey, heb jij hier iets aan toe te voegen?' vroeg Shekinah.

Nee, echt niet, helemaal niets! had ik natuurlijk moeten zeggen. In plaats daarvan flapte mijn mond eruit: 'Priesteres, ik vroeg me af of dit misschien een goed tijdstip is om een idee in praktijk te brengen, namelijk om de Duistere Dochters zich te laten inzetten voor een plaatselijke liefdadigheidsinstelling in de mensengemeenschap.'

'Vertel verder. Je hebt me nieuwsgierig gemaakt, jongedame.'

Ik slikte krampachtig. 'Nou, ik had bedacht dat de Duistere Dochters contact zouden kunnen opnemen met de mensen die Street Cats runnen. Dat is een liefdadigheidsinstelling die zwerfkatten opvangt en een thuis voor de dieren zoekt. Ik, nou ja, ik dacht dat het misschien een goede manier was om ons onder de mensen te mengen,' besloot ik schaapachtig.

Shekinahs glimlach straalde. 'Een kattenliefdadigheidsinstelling, perfect! Ja, Zoey, dat is een uitmuntend idee. Morgen ben je vrijgesteld van je vroege lesuren zodat je een begin kunt maken met de uitvoering van je idee en de mensen van Street Cats kunt benaderen.'

'Priesteres, ik dring erop aan dat de halfwas zich niet zonder begeleiding in de gemeenschap begeeft,' zei Ate vlug. 'Niet tot we weten wie verantwoordelijk is voor de misdaden tegen onze soort.'

'Maar de mensen zullen niet weten dat we halfwassen zijn,' zei Aphrodite.

Iedereen keek haar aan en ik zag dat ze haar rug rechtte en haar kin vooruitstak.

'En jij bent?' vroeg Shekinah.

'Mijn naam is Aphrodite, priesteres,' zei ze.

Ik keek nauwlettend naar Shekinahs gezicht, speurend naar een teken dat me vertelde dat ze de geruchten had gehoord die Neferet over Aphrodite had verspreid: dat Nux Aphrodite de rug had toegekeerd en haar haar krachten had afgenomen enzovoort enzovoort, maar Shekinahs gezichtsuitdrukking veranderde niet. Ze zei alleen maar: 'Wat is je affiniteit, Aphrodite?'

Ik verstarde. Shit! Ze had geen affiniteit meer!

'Aarde is het element dat Nux me heeft gegeven,' zei Aphrodite. 'Maar de grootste mij door de godin geschonken gave is mijn vermogen om visioenen te zien van toekomstig gevaar.'

Shekinah knikte. 'Dat klopt. Ik heb over je visioenen gehoord, Aphrodite. Ga verder. Wat wilde je zeggen?'

Een reusachtige golf van opluchting overspoelde me. Aphrodite had de affiniteitkwestie gepareerd, en dankzij haar gebruik van tijdsvorm had ze in wezen niet gelogen.

'Ik bedacht dat mensen hoe dan ook niet weten wat we zijn wanneer we de school verlaten omdat we ons merkteken camoufleren. De enige mensen die zouden weten dat halfwassen zich als vrijwilliger aanbieden om Street Cats te helpen, zouden de mensen van Street Cats zijn, en hoe groot is de kans dat die iets met de moorden te maken hebben?' Ze zweeg even en haalde haar schouders op. 'We zouden weinig tot geen gevaar lopen.'

'Daar zit wat in, Ate,' zei Shekinah.

'Ik vind nog steeds dat de halfwassen door een krijger begeleid zouden moeten worden,' zei Ate koppig.

'Dat zou de aandacht trekken,' zei Aphrodite.

'Niet als de krijger ook zijn merkteken camoufleert,' zei Darius.

Nu keek iedereen naar Darius, die nog steeds als een gespierde, aantrekkelijke berg bij de deur stond.

'En wat is jouw naam, krijger?'

'Darius, priesteres.' Hij legde zijn vuist op zijn hart en boog voor haar.

'Darius, je zegt dus dat je bereid bent je merkteken te camoufleren?' zei Shekinah. Ik was net zo verrast als zij klonk. Halfwassen moesten hun merkteken camoufleren als ze zich buiten de school begaven. Dat was een regel van het Huis van de Nacht. Een heel verstandige regel. Tieners kunnen zich nu eenmaal soms erg dom gedragen (vooral jongens) en het zou beslist geen goede zaak zijn als een stelletje lanterfantende halfwassen (voornamelijk jongens) het mikpunt van mensentieners werden (of erger nog, van de politie of overbezorgde ouders). Maar zodra een halfwas de Verandering heeft ondergaan en haar merkteken is ingevuld en uitgebreid, zal ze er niet over piekeren om dat ooit te camoufleren. Het was een kwestie van trots en solidariteit en je volwassen opstellen. Maar Darius, duidelijk een jonge vampier en nog niet zo lang geleden Veranderd, bood spontaan aan om iets te doen wat de meeste vampiers, vooral de meeste mannelijke vampiers, normaal gesproken pertinent zouden weigeren.

Darius bracht weer snel zijn vuist naar zijn hart in een saluut aan Shekinah. 'Priesteres, ik zou mijn merkteken camoufleren opdat ik de halfwassen kan vergezellen en beschermen. Ik ben een Zoon van Erebus en het beschermen van mijn soort is voor mij belangrijker dan misplaatste trots.'

Shekinahs lippen trokken op in een flauwe glimlach terwijl ze zich tot Ate wendde. 'Wat zeg jij van het verzoek van je krijger?'

De vampier antwoordde zonder aarzeling: 'Ik zeg dat we soms veel van de jongeren kunnen leren.'

'Dat is dan geregeld. Zoey, jij gaat je morgen aan de mensen van Street Cats voorstellen, maar ik wil dat je een halfwas aanwijst om met je mee te gaan. In paren werken lijkt me momenteel een goed idee. Darius, jij vergezelt ze met je merkteken gecamoufleerd.'

We maakten allemaal een kleine buiging voor haar.

'En nu, als er geen vragen meer zijn...' – ze wachtte even en haar blik ging van Lenobia naar Aphrodite en Darius en ten slotte naar mij – '... of opmerkingen, wil ik deze bestuursvergadering afsluiten. Ik zal een dezer dagen een ritueel houden om de school te zuiveren. Toen ik vanavond de school betrad, bespeurde ik verdriet en angst, en alleen Nux' zegen kan zo'n sombere sfeer verlichten.' Verscheidene bestuursleden knikten instemmend. 'Zoey, voor je morgen vertrekt, wil ik dat je naar me toe komt om me te vertellen wie je meeneemt.'

'Dat zal ik doen,' zei ik.

'Wees gezegend,' zei ze formeel.

'Wees gezegend,' antwoordden wij.

Shekinah glimlachte weer. Ze gebaarde met haar hand dat Lenobia en Ate haar moesten volgen, en met z'n drieën liepen ze de kamer uit.

'Wauw,' zei Damien, duizelend van ontzag. 'Shekinah! Dat was totaal onverwacht, en ze was nog luisterrijker dan ik me had voorgesteld. Ik bedoel, ik wilde iets zeggen, maar ik was volslagen flabbergasted.'

We stonden in de gang terwijl de bestuursleden en de krijgers de kamer uit stroomden, dus Damien sprak nauwelijks luider dan op een opgewonden fluistertoon.

'Damien, bij wijze van uitzondering zullen we geen kritiek leveren op je irritante vocabulaireobsessie,' zei Shaunee.

'Ja, want er zijn behoorlijk grote woorden nodig om Shekinah te beschrijven,' zei Erin.

'Tot straks,' zei Aphrodite tegen mij nadat ze met haar ogen naar de tweeling had gerold. 'Ik ga even kijken of ik een potje kan flabbergasten met Darius.'

'Huh?'

'Dat is niet het correcte gebruik van het woord,' zei Damien.

'Ja, je bedoelt iets heel anders,' zei Erin.

'Maar dat begint ook met een f, dus daardoor zul je ze wel door elkaar hebben gehaald,' zei Shaunee.

'Hersendelers en wandelend woordenboek, ik heb jullie maar één ding te zeggen: klets maar een eind weg.' Ze draaide zich om om achter Darius aan te gaan. 'O ja, nog even dit: word nou niet meteen jaloers en pissig als Zoey tegen jullie zegt dat ze mij morgen meeneemt,' zei Aphrodite, waarbij ze mij aankeek met een blik die duidelijk zei dat er een reden was dat zij mee moest gaan. En met een zwiep van haar haar liep ze heupwiegend weg.

'Ik haat haar,' zei Erin.

'Dito, tweelingzus,' zei Shaunee.

Ik slaakte een zucht. Mijn oma zou zeggen dat ik één stap vooruit en twee stappen achteruit deed in de zorgen-dat-mijn-vrienden-Aphrodite-aardig-gaan-vindenkwestie. Ik zou gewoon zeggen dat ze me allemaal hoofdpijn bezorgden.

'Ze is echt gestoord, maar ik vermoed dat je haar morgen inderdaad meeneemt als je naar Street Cats gaat,' zei Damien.

'Ja, je vermoeden klopt,' zei ik met tegenzin. Ik wilde echt niet mijn vrienden weer tegen me in het harnas jagen, maar zelfs zonder te weten waarom Aphrodite precies mee wilde gaan, kwam het me logisch voor. Misschien had ze een plan om Darius van ons af te schudden en Stevie Rae op te zoeken.

'Je had ons best eerder kunnen vertellen over dat gedachtelezen,' zei Damien, toen we het hoofdgebouw uit liepen en op weg gingen naar onze respectieve kamers.

'Ja, je zult wel gelijk hebben, maar ik ging ervan uit dat hoe minder ik erover zei, hoe minder jullie daaraan en aan de redenen dat ik jullie niet meer vertelde, zouden denken,' zei ik.

'Dat begrijp ik nu,' zei Shaunee.

'Ja, ik ook,' zei Erin.

'Ik ben blij dat je niet zómaar dingen voor ons verzweeg,' zei Jack.

'Maar toch had je ons dat gedoe met Loren moeten vertellen,' zei Erin.

'Zodra je over je verdriet heen bent en zo, zouden we nog steeds graag de details over de Loren-kwestie horen,' zei Shaunee.

Ik trok mijn wenkbrauwen op toen ze me allebei nieuwsgierig aankeken. 'Daar hoeven jullie echt niet op te rekenen,' zei ik.

Ze fronsten hun voorhoofd.

'Gun die meid wat privacy,' zei Damien. 'Dat Loren-gedoe en alles wat daarbij kwam kijken was bijzonder traumatisch voor haar – de stempelafdruk en het verlies van haar maagdelijkheid en *Erik*!'

Het 'Erik'-deel van Damiens minipreek kwam eruit als een vreemd schril uitroepje. Ik opende mijn mond om te vragen wat hem mankeerde toen ik zag dat zijn ogen zo groot als schoteltjes waren geworden. Over mijn linkerschouder keek hij naar iets achter me, waar ik het geluid hoorde van een dichtgaande zijdeur van het hoofdgebouw. Met een akelig wee gevoel in mijn maag draaide ik me tegelijk met de tweeling en Jack om, en ik zag Erik naar buiten komen uit de vleugel van de school waar we net langs gelopen waren en waarin zich, natuurlijk, het dramalokaal bevond.

'Hallo, Damien, Jack.' Hij schonk Jack, zijn ex-kamergenoot, een warme glimlach, en ik zag dat de jongen bijna kronkelde van plezier toen hij de groet dweperig beantwoordde.

Mijn maag probeerde zich natuurlijk binnenstebuiten te draaien toen ik werd geconfronteerd met een van de vele redenen waarom ik Erik zo graag had gemogen. Hij was populair en om-je-vingers-bij-af-te-likken knap, maar hij was ook nog eens een oprecht aardige jongen.

'Shaunee, Erin,' vervolgde Erik, met een knikje naar hen. De tweeling glimlachte, knipperde met hun ogen en zei in koor: 'Hoi.' Als laatste keek hij mij aan. 'Dag, Zoey.' Zijn stem was veranderd en niet meer zo nonchalant en vriendelijk als toen hij de anderen had gegroet. Hij klonk niet haatdragend, maar koel en beleefd. Ik dacht even dat dit misschien een verbetering was, maar toen herinnerde ik me dat hij een enorm goede acteur was.

'Hallo.' Meer kon ik niet uitbrengen. Ik ben namelijk géén goede acteur en ik was bang dat mijn stem net zo trillerig zou klinken als mijn hart aanvoelde.

'We hebben net gehoord dat jij de dramaklas overneemt,' zei Damien.

'Ja, ik voel me er niet echt gemakkelijk bij, maar Shekinah vroeg het en haar kun je onmogelijk iets weigeren,' zei hij.

'Volgens mij zou professor Nolan blij zijn dat jij dat gaat doen,' flapte ik eruit voor ik mijn mond kon dwingen om dicht te blijven.

Erik keek me aan. Zijn blauwe ogen waren volslagen uitdrukkingsloos, wat echt verkeerd aanvoelde. Diezelfde ogen hadden me geluk laten zien, hartstocht, warmte, en zelfs het prille begin van liefde. Toen pijn en woede. En nu helemaal niets? Hoe was dat mogelijk?

'Heb je een nieuwe affiniteit verworven?' Zijn toon was niet direct hatelijk, maar zijn woorden waren beslist afgemeten en ijzig. 'Kun je nu met de doden praten?'

Ik voelde mijn gezicht warm worden. 'N-nee,' stamelde ik. 'Ik bedoelde alleen... nou ja, ik dacht gewoon dat professor Nolan het fijn zou vinden dat jij er voor haar leerlingen bent.'

Hij deed zijn mond open en ik zag iets gemeens in zijn ogen opflitsen, maar in plaats van iets te zeggen, wendde hij zijn blik af en keek hij de duisternis in. Zijn kaak spande zich en hij streek met zijn hand door zijn dikke, donkere haar, een gebaar dat ik herkende als iets wat hij altijd werktuiglijk deed wanneer hij in verwarring was gebracht.

'Ik hoop maar dat ze het fijn vindt. Ze was altijd mijn favoriete docent,' zei hij ten slotte, zonder me aan te kijken.

'Erik, worden we weer kamergenoten?' vroeg Jack aarzelend in de stilte, die steeds ongemakkelijker werd.

Erik blies een lange ademteug uit en schonk Jack toen een ontspannen glimlach. 'Nee, sorry. Ze hebben me in het docentenverblijf ondergebracht.'

'Ach ja, dat is waar ook. Ik vergeet steeds dat je de Verandering hebt voltooid,' zei Jack met een zenuwachtig giechellachje.

'Ja, soms vergeet ik dat zelf bijna,' zei Erik. 'Eerlijk gezegd moet ik nu echt naar mijn nieuwe kamer. Ik moet dozen uitpakken en lessen voorbereiden. Tot kijk.' Hij wachtte even en toen keek hij mij vluchtig aan. 'Dag, Zoey.'

Dag. Mijn lippen bewogen, maar er kwam geen geluid uit.

'Dag, Erik!' riepen de anderen toen hij zich omdraaide en snel wegliep in de richting van het deel van de school waar de docenten waren gehuisvest.

11

Toen we verder liepen naar onze respectieve kamers kletsten mijn vrienden over koetjes en kalfjes. Iedereen negeerde angstvallig het feit dat we zojuist mijn heel-erg-ex-vriendje tegen het lijf waren gelopen en dat het een erg pijnlijke, erg afschuwelijke ontmoeting was geweest. Voor mij was het tenminste pijnlijk en afschuwelijk geweest.

Ik haatte het gevoel dat ik had. Het was mijn eigen schuld dat Erik het had uitgemaakt, maar ik miste hem. Heel erg. En ik vond hem nog steeds leuk. Erg leuk. Tuurlijk, hij deed op het moment behoorlijk kloterig tegen me, maar hij had me betrapt terwijl ik seks had met een andere man, nou ja, een andere vampier eigenlijk. Alsof dat er iets toe deed. Hoe dan ook, het kwam erop neer dat ik verantwoordelijk was voor deze puinhoop, en het was onvoorstelbaar frustrerend dat ik het niet kon fiksen, want ik gaf nog steeds om Erik.

'Wat vind jij van hem, Z?'

'Van hem?' Erik? Jeetje, ik vond hem geweldig en frustrerend en... en het drong tot me door dat Damien niet Erik had bedoeld toen hij fronste en me aankeek met een blik van 'waar zit je in godsnaam met je gedachten?' 'Huh?' zei ik briljant.

Damien slaakte een zucht. 'Die nieuwe jongen. Stark. Wat vind je van hem?'

Ik haalde mijn schouders op. 'Hij leek me wel aardig.'

'Aardig en spetterig,' zei Shaunee.

'Precies zoals we ze graag hebben,' besloot Erin.

'Jij hebt meer tijd met hem doorgebracht dan wij. Wat vind jij van hem?' vroeg ik Damien, terwijl ik de tweeling negeerde.

'Hij is oké. Maar hij lijkt terughoudend. Het helpt natuurlijk niet dat hij vanwege Duchess geen kamergenoot kan hebben. Weet je, die hond is écht groot,' zei Damien.

'Hij is nieuw, jongens, en we weten allemaal hoe dat voelt. Misschien is terughoudendheid zijn manier om daarmee om te gaan,' zei ik.

'Het is wel vreemd dat een jongen zo'n geweldig talent niet wil benutten,' zei Damien.

'Daar zit misschien meer achter dan wij weten,' zei ik, toen ik eraan dacht hoe cool en zelfverzekerd Stark zich had gedragen toen hij zijn hond tegenover de vampiers had verdedigd, en hoe zijn houding was veranderd toen Neferet hem het idee gaf dat ze wilde dat hij zijn talent aanwendde in de boogschutterscompetitie. Toen was hij vreemd gaan doen, bijna alsof hij bang was. 'Soms kan het hebben van uitzonderlijke krachten angstaanjagend zijn.' Ik sprak meer tegen mezelf dan tegen Damien, maar hij lachte naar me en stootte met zijn schouder tegen de mijne.

'Daar weet jij natuurlijk alles van,' zei hij.

'Dat kun je wel zeggen.' Ik glimlachte terug in een poging het klotegevoel kwijt te raken dat ik door de ontmoeting met Erik had gekregen.

Shaunees mobieltje maakte het piepgeluidje dat aangaf dat ze een sms-bericht kreeg en ze haalde haar iPhone tevoorschijn.

'Ooo, tweelingzus! Het is Mr. Gewéldige Cole Clifton. Hij en T.J. willen weten of we zin hebben in een *Bourne*-filmmarathon in het jongensverblijf,' zei Shaunee.

'Tweelingzus, ik ben altijd in voor een *Bourne*-marathon,' zei Erin. Toen voerden ze giechelend een wulps dansje uit dat bestond uit bekkenstoten en heupgedraai dat de rest van ons met de ogen deed rollen.

'O ja, en jullie zijn ook uitgenodigd,' zei Shaunee tegen Damien, Jack en mij.

'Te gek,' zei Jack. 'Ik heb de laatste niet gezien. Wat was de titel ook alweer?'

'*The Bourne Ultimatum*,' zei Damien.

'Inderdaad.' Jack pakte Damiens hand. 'Je bent gewoon een wandelende filmencyclopedie! Je kent ze allemaal.'

Damien kreeg een kleur. 'Nou, niet allemaal. Ik hou vooral van de oude klassiekers. Vroeger speelden er echte sterren in films, zoals Gary Cooper, Jimmy Stewart en James Dean. Tegenwoordig zijn veel te veel sterren...' Toen zweeg hij abrupt.

'Wat is er?' vroeg Jack.

'James Stark,' zei hij.

'Wat is er met hem?' vroeg ik.

'James Stark is de naam van het personage dat James Dean speelt in die oude film *Rebel Without a Cause*. Ik wist dat ik zijn naam kende, maar ik dacht dat dat kwam omdat hij zo beroemd is.'

'Heb jij die film ooit gezien, tweelingzus?' vroeg Erin aan Shaunee.

'Nee, tweelingzus. Volgens mij niet.'

'Huh,' zei ik. Ik had de film wel gezien – met Damien, natuurlijk – en ik vroeg me af of hij ook al zo had geheten voor hij werd gemerkt. Of had hij, zoals veel jongens en meisjes, een nieuwe naam aangenomen toen zijn nieuwe leven als halfwas begon? Zo ja, dan zei dat iets zeer interessants over zijn karakter.

'Ga je mee of niet, Z?' Damiens stem drong mijn innerlijk gewauwel binnen.

Ik keek op en zag vier paar ogen me vragend aankijken. 'Wat bedoel je?'

'Jezus! Aarde aan Zoey! Of je meegaat naar het jongensverblijf om naar de *Bourne*-films te kijken,' zei Erin.

Ik antwoordde werktuiglijk. 'O, dat. Nee.' Ik was blij dat mijn vrienden niet meer kwaad op me waren, maar mijn hoofd stond echt niet naar gezelschap. Eerlijk gezegd voelde ik me vanbinnen gekneusd en niet mezelf. Binnen een paar dagen had ik een stempelband gekregen met en mijn maagdelijkheid verloren aan een man/vampier die niet van me had gehouden, en toen was hij op een gruwelijke manier vermoord. Ik had het hart van allebei mijn vriendjes gebroken. Een oorlog was bijna begonnen en toen tegengehouden. Zo ongeveer. Mijn beste vriendin was niet meer ondood, maar ze was ook geen 'normale' halfwas of vampier, net zomin als de jongens en meisjes met wie ze samenwoonde. Maar ik kon de meeste van mijn vrienden, eigenlijk iedereen behalve Aphrodite, niets vertellen over de bizarre rode halfwassen, omdat het beter was dat Neferet niet wist wat wij wisten. En nu zou Erik, een van mijn twee ex-vriendjes wier hart ik had gebroken, mijn dramadocent worden – alsof het feit dat hij terug was in het Huis van de Nacht niet dramatisch genoeg was. 'Nee,' zei ik nog eens beslist. 'Ik denk dat ik maar even bij Persephone ga kijken.' Ja, ik weet het, ik was nog maar pas bij haar geweest, maar ik had dringend behoefte aan nog een dosis van haar rustige, warme aanwezigheid.

'Zeker weten?' vroeg Damien. 'We zouden het echt fijn vinden als je meeging.'

De rest van mijn vrienden knikte en glimlachte, waardoor het laatste restje van de angst die als een bevroren blok in mijn maag had gezeten sinds ze kwaad op me waren geworden, ontdooide.

'Bedankt, jongens. Maar ik kan het echt niet opbrengen,' zei ik.

'Oki,' zei Erin.

'Doki,' zei Shaunee.

'Tot kijk,' zei Jack.

Ik verwachtte dat Damien me zou omhelzen, zoals hij altijd ten afscheid deed, maar in plaats daarvan zei hij tegen Jack: 'Gaan jullie maar vast; ik kom zo. Ik loop even met Z mee naar de stallen.'

'Goed idee,' zei Jack. 'Ik ga vast popcorn voor je maken.'

Damien glimlachte. 'Hou je ook een stoel voor me vrij?'

Jack grijnsde terug en gaf hem een vluchtige, lieve zoen. 'Altijd.'

Toen vertrokken de tweeling en Jack in de richting van het jongensverblijf en Damien en ik in de tegenovergestelde richting. Hopelijk was dat geen voorteken van welke kant onze levens op gingen.

'Het is echt niet nodig dat je met me meeloopt naar de stallen,' zei ik. 'Zo ver is het niet.'

'Zei je niet dat iets je had aangevallen en je hand had verwond toen je van de stallen naar de kantine liep?'

Ik keek hem met opgetrokken wenkbrauwen aan. 'Ik dacht dat je dat niet geloofde.'

'Nou, laten we maar zeggen dat Aphrodites visioenen me hebben overtuigd. Dus als je klaar bent met je één voelen met je paard, kun je me bellen op mijn mobiel. Jack en ik zullen net doen alsof we veel stoerder zijn dan we zijn en naar je toe komen om je terug te escorteren.'

'Doe niet zo mal. Jullie zijn echt niet wat ik verwijfd of slap zou noemen.'

'Nou, ik misschien niet, maar Jack wel.'

We lachten. Ik overwoog juist om dat gedoe van Zoey-heeft-een-escorte-nodig aan te vechten toen de kraai begon te krassen. Eigenlijk leek het gekras nu ik klaarwakker was en goed luisterde meer op vreemd gekwaak, maar dat maakte het niet minder ergerlijk.

Nee, misschien was 'ergerlijk' niet de juiste beschrijving. Huiveringwekkend. 'Huiveringwekkend' was precies het juiste woord voor het geluid.

'Jij hoort dat toch ook?' zei ik.

'Die raaf? Ja.'

'Raaf? Ik dacht dat het een kraai was.'

'Nee, volgens mij niet. Als ik me niet vergis krast een kraai, maar klinkt de roep van een raaf meer als het kwaken van een pad.' Damien zweeg even, en de vogel liet nog een paar keer zijn kwakende gekras horen. Het klonk dichterbij en het akelige geluid bezorgde me kippenvel. 'Ja, dat is beslist een raaf.'

'Ik krijg er de koude griebels van. En waarom is dat beest zo luidruchtig? Het is winter, het kan geen paartijd zijn, toch? Bovendien is het nacht. Hij zou toch eigenlijk moeten slapen?' Ik tuurde de duisternis in maar zag nergens zo'n stomme luidruchtige vogel, wat niet zo vreemd was. Ik bedoel, ze zijn zwart en het is donker. Maar die ene raaf leek de lucht rondom me te vullen, en iets aan die scherpe roep maakte me bang.

'Ik weet echt niet veel over hun gewoonten,' zei Damien, en toen keek hij me aandachtig aan. 'Waarom maak je je er zo druk om?'

'Ik hoorde vleugels fladderen voor wat het ook was dat me aanviel zich op me stortte. En het geeft me gewoon de griebels. Heb jij dat niet?'

'Nee.'

Ik slaakte een zucht en verwachtte dat hij zou zeggen dat ik greep moest zien te krijgen op mijn stress en mijn wat al te levendige fantasie, maar hij verraste me door te zeggen: 'Maar jij bent intuïtiever dan ik. Dus als jij zegt dat de vogel je een akelig gevoel bezorgt, dan geloof ik je.'

'Echt waar?' We hadden de ingang van de stallen bereikt. Ik bleef staan en draaide me naar hem om.

Zijn glimlach was vol vertrouwde warmte. 'Natuurlijk. Ik geloof in jou, Zoey.'

'Nog steeds?'

'Nog steeds,' zei hij resoluut. 'En ik sta achter je.'

Op dat moment staakte de raaf zijn kwakende gekras en leek de angst die me had vervuld, te vervliegen.

Ik moest mijn keel schrapen en heftig met mijn ogen knipperen voor ik in staat was om te zeggen: 'Bedankt, Damien.'

Toen mi-uf-auwde Nala's knorrige oudevrouwtjes-kattenstemmetje tegen me en trippelde mijn dikke, kleine, oranje kat uit de duisternis tevoorschijn om zich kronkelend tegen Damiens benen te drukken.

'Hallo daar, meissie,' zei hij, terwijl hij haar onder haar kinnetje krabbelde. 'Volgens mij is ze hier om de wacht over Zoey over te nemen.'

'Ja, je aflossing is er,' zei ik.

'Als je me nodig hebt wanneer je hier weg wilt, dan hoef je me maar te bellen. Dat vind ik echt niet vervelend,' zei hij, terwijl hij me stevig omhelsde.

'Bedankt,' zei ik nog eens.

'Geen dank, Z.' Hij glimlachte nog eens naar me en toen liep hij, 'Seasons of Love' uit *Rent* neuriënd, terug over het voetpad in de richting van het jongensverblijf.

Ik glimlachte nog steeds toen ik de zijdeur openmaakte die toegang gaf tot de gang tussen het veldhuis en de stallen. Door de combinatie van de zoete hooi- en paardengeur die vanuit de stallen rechts van mij mijn neus binnendreef en de opluchting door het besef dat mijn vrienden echt niet meer kwaad op me waren, voelde ik me nu al minder gespannen. Stress – jeetje! Ik moest echt nodig bijvoorbeeld aan yoga gaan doen of zo (waarschijnlijk meer 'of zo' dan yoga). Als ik zo gespannen bleef, zou ik hoogstwaarschijnlijk een maagzweer krijgen. Of erger nog: rimpels.

Ik had me juist naar rechts gedraaid en mijn hand op de staldeur gelegd toen ik een eigenaardige *ping!* hoorde, gevolgd door een gedempte *plof*. De geluiden kwamen van links van de gang. Ik keek die kant op en zag dat de deur van het veldhuis openstond. Een volgende *ping! plof* prikkelde mijn nieuwsgierigheid, en natuurlijk weer typisch iets voor mij: ik liep het veldhuis binnen in plaats van mijn gezonde verstand te gebruiken en de stallen in te gaan zoals ik van plan was geweest.

Oké, het veldhuis is in feite een overdekt footballveld dat eigenlijk geen 'football'-veld is, maar alleen het veld-deel met een atletiekbaan eromheen. In het veldhuis wordt door de jongens gevoetbald en aan atletiek gedaan. (Ik doe aan geen van beide, maar in theorie weet ik wat daar gebeurt.) Het is overdekt zodat halfwassen geen last hebben van de zon, en aan de muren hangen gaslantaarns, die onze ogen niet hinderen. Vanavond waren de meeste lantaarns niet aangestoken, dus het was het volgende *ping!*-geluid en niet mijn gezichtsvermogen dat mijn aandacht naar de overkant van het veld trok.

Daar stond Stark met zijn rug naar me toe, een boog in zijn hand, tegenover zo'n rond doelwit met verschillende kleuren voor verschillende vlakken van het doel. Uit het rode middenvlak van dit specifieke doel stak een eigenaardig dikke pijl. Ik kneep mijn ogen tot spleetjes en tuurde, maar in het schemerige licht kon ik het niet goed zien. Het doel bevond zich een heel eind bij Stark vandaan, dus nog veel verder bij mij vandaan.

Nala gromde zachtjes en toen zag ik wat de lichte berg naast Stark was: Duchess lag languit naast Stark, zo te zien diep in slaap.

'Een waakhond is ze dus niet,' fluisterde ik tegen Nala.

Stark streek met de bovenkant van zijn hand over zijn voorhoofd alsof hij zweet afveegde en rolde met zijn schouders om ze los te maken. Zelfs vanaf een afstand zag hij er zelfverzekerd en sterk uit. Hij leek veel intenser dan de andere jongens in het Huis van de Nacht. Jeetje, hij was intenser dan mensentieners in het algemeen, en dat intrigeerde me. Ik stond daar en probeerde te bedenken waar ik hem zou indelen op de schaal van spetters toen hij een nieuwe pijl pakte uit de koker bij zijn voeten, zich een kwartslag omdraaide, de boog omhoogbracht en in één wazig snelle beweging *ping!* de pijl afschoot, die als een kogel recht op de roos van het verre doel afging. *Plof!*

Mijn adem stokte van verbazing toen ik besefte waarom de pijl in de roos van het doel zo eigenaardig dik leek. Het was niet één pijl. Het waren een heleboel pijlen die allemaal op hetzelfde punt in de roos waren geschoten. Elke pijl die hij had afgeschoten, was midden in de roos terechtgekomen. Met stomheid geslagen keek ik weer naar Stark, die nog steeds in schiethouding stond. En toen wist ik op welke spetterschaal hij thuishoorde: de linkespetterschaal.

O jee! Hoe kwam ik erbij om een linke jongen intrigerend te vinden? Ik leek wel gek dat ik welke jongen dan ook intrigerend vond. Ik had jongens afgezworen. Volledig. Ik wilde me net omdraaien om stilletjes te verdwijnen toen zijn stem me tegenhield.

'Ik weet dat je er bent,' zei Stark, zonder naar me te kijken.

Alsof dat haar wachtwoord was kwam Duchess overeind, geeuwde en kwam vrolijk kwispelstaartend op me toe rennen met een hondse 'hallo'-woef. Nala zette een hoge rug op, maar begon niet te blazen en ze liet zich zelfs door de labrador besnuffelen, en toen nieste ze recht in het gezicht van de hond.

'Hallo,' zei ik tegen de jongen en de hond, terwijl ik Duchess' oren streelde.

Stark draaide zich met zijn gezicht naar me toe. Hij droeg zijn brutale bijna-glimlach. Het begon me te dagen dat die gezichtsuitdrukking voor hem waarschijnlijk standaard was. Het viel me wel op dat hij nu bleker zag dan tijdens het eten. De nieuweling zijn was moeilijk, dat gaat je niet in de koude kleren zitten, zelfs niet als je een linke spetter bent.

'Ik was op weg naar de stallen toen ik iets hoorde. Het was echt niet mijn bedoeling om je te storen.'

Hij haalde zijn schouders op en begon iets te zeggen, maar moest eerst zijn keel schrapen, alsof hij al heel lang niet had gepraat. Na een hees kuchje zei hij: 'Geen probleem. Eerlijk gezegd ben ik blij dat je er bent. Dat bespaart mij de moeite om naar je op zoek te gaan.'

'O, heb je iets nodig voor Duchess?'

'Nee, ze heeft alles wat ze nodig heeft. Ik heb een heleboel spullen voor haar meegebracht. Eerlijk gezegd wilde ik met je praten.'

Nee. Ik was absoluut niet razend nieuwsgierig of gevleid toen hij zei dat hij met me wilde praten. Heel rustig en volslagen onverschillig zei ik: 'Wat is er dan?'

In plaats van te antwoorden, stelde hij me een vraag. 'Betekenen je bijzondere merktekens echt dat je een affiniteit voor alle vijf de elementen hebt?'

'Ja,' zei ik, en het kostte me moeite om niet te gaan tandenknarsen. Ik haat het gewoon als nieuwelingen me naar mijn gaven vragen. Ze zijn geneigd om me óf als een heldin te vereren óf me te behandelen alsof ik een bom ben die ieder moment uiteen kan spatten. In beide gevallen voel ik me hoogst ongemakkelijk en allesbehalve gevleid of geïntrigeerd.

'Er was een priesteres in het Huis van de Nacht in Chicago met een affiniteit voor vuur. Ze kon daadwerkelijk dingen doen ontbranden. Kun jij de vijf elementen ook op die manier gebruiken?'

'Ik kan geen water laten branden of zoiets bizars.' Ik ontweek de vraag.

Hij fronste, schudde zijn hoofd en veegde nog eens met zijn hand over zijn voorhoofd. Ik probeerde niet te zien dat hij nogal sexy zweette. 'Ik vraag je niet of je de elementen kunt verwringen. Ik moet alleen weten of je krachtig genoeg bent om ze naar je hand te zetten.'

Dat rukte mijn aandacht los van zijn spetterigheid. 'Oké, hoor eens. Ik weet dat je hier nieuw bent, maar dat gaat je echt niet aan.'

'Dat betekent dat je behoorlijk krachtig moet zijn.'

Ik keek hem met tot spleetjes geknepen ogen aan. 'Nogmaals: dat gaat jou niets aan. Als je me nodig hebt voor iets wat je wel aangaat, zoals hondenbenodigdheden, dan kun je naar me toe komen. Wat andere dingen betreft krijg je van mij nul op het rekest.'

'Wacht even.' Hij deed een stap dichter naar me toe. 'Het klinkt misschien brutaal, maar ik heb een goede reden voor mijn vragen.'

Zijn sarcastische halflachje was verdwenen en de manier waarop hij me aankeek was niet met een obsessieve laten-we-eens-kijken-hoe-bijzonder-Zoey-eigenlijk-wel-isuitdrukking op zijn gezicht. Hij leek gewoon een leuke, bleke, nieuwe jongen die echt iets moest weten.

'Oké dan. Ja. Ik ben behoorlijk krachtig.'

'En je kunt dus echt de elementen beïnvloeden? Als er bijvoorbeeld iets ergs gebeurt, kun je ze dan aanroepen om jou of de mensen om wie je geeft te beschermen?'

'Oké, zo is het wel genoeg,' zei ik. 'Is dat een dreigement aan het adres van mij en mijn vrienden?'

'Jezus, nee, echt niet!' zei hij vlug, terwijl hij een van zijn handen opstak met de handpalm naar voren, alsof hij zich overgaf. Het was natuurlijk moeilijk om niet te zien dat hij in zijn andere hand nog steeds de boog vasthield waarmee hij pijlen zonder mankeren pal in de roos had geschoten. Hij zag dat ik naar de boog keek en zakte langzaam door zijn knieën om het wapen op de grond te leggen. 'Ik bedreig niemand. Ik ben alleen slecht in iets uitleggen. Het gaat om het volgende: ik wil je vertellen over mijn "gave".'

Het woord 'gave' kwam er zo ongemakkelijk uit dat ik mijn wenkbrauwen optrok en zei: 'Je gave?'

'Zo wordt het genoemd, door anderen tenminste. Het is de reden dat ik daarmee zo goed ben.' Hij gebaarde met een rukje van zijn kin naar de boog die aan zijn voeten lag.

Ik zei niets, maar keek hem met opgetrokken wenkbrauwen aan, terwijl ik (ongeduldig) wachtte tot hij verder ging.

'Mijn gave is dat ik niet kan missen,' zei hij uiteindelijk.

'Je kunt niet missen. Nou en? Wat heeft dat te maken met mij of mijn affiniteit voor de elementen?'

Hij schudde weer zijn hoofd. 'Je begrijpt het niet. Ik raak altijd mijn doel, maar dat wil niet zeggen dat mijn doel altijd datgene is waarop ik richt.'

'Daar kan ik geen touw aan vastknopen, Stark.'

'Dat verbaast me niks. Ik zei toch al dat ik hier slecht in ben.' Hij haalde zijn hand van achteren naar voren door zijn haar, waardoor het in zijn nek als een eendenstaart omhoog bleef staan. 'Het lijkt me maar het beste om je een voorbeeld te geven. Heb je ooit gehoord van de vampier William Chidsey?'

Ik schudde mijn hoofd. 'Nee, maar dat is niet zo vreemd. Ik ben nog maar enkele maanden geleden gemerkt. Ik ben nog een leek op het gebied van vampierpolitiek.'

'Will was geen politicus. Hij was een boogschutter. Bijna tweehonderd jaar lang was hij de onbetwiste kampioen boogschieten van alle vampiers.'

'Wat betekent "van de hele wereld", aangezien vampiers de beste boogschutters ter wereld zijn,' zei ik.

'Ja.' Hij knikte. 'Hoe dan ook, Will maakte bijna twee eeuwen lang iedereen in. Dat wil zeggen, tot zes maanden geleden.'

Ik dacht even na. 'Zes maanden geleden was het zomer. Dan wordt de vampierversie van de Olympische Spelen gehouden, toch?'

'Ja. Dat noemen ze de Zomerspelen.'

'Oké, dus deze Will is erg goed met een boog. Dat ben jij ook. Ken je hem goed?'

'Kende. Hij is dood. Maar: ja. Ik kende hem behoorlijk goed.' Stark zweeg even en voegde er toen aan toe: 'Hij was mijn mentor en mijn beste vriend.'

'O, wat vreselijk voor je,' zei ik verlegen.

'Dat kun je wel zeggen. Ik ben namelijk degene die hem heeft gedood.'

12

'Zei je zojuist dat jij hem hebt gedood?' Ik dacht echt dat ik hem verkeerd had verstaan.

'Ja, dat zei ik. Dat kwam door mijn gave.' Starks stem klonk luchtig, alsof wat hij zei niets bijzonders was, maar zijn ogen zeiden iets anders. Daarin lag zo veel pijn dat ik mijn blik moest afwenden. Alsof die pijn voor Duchess net zo duidelijk was, liep de labrador van mij naar haar baasje. Ze ging naast hem zitten, leunde tegen hem aan en keek liefdevol naar hem op, terwijl ze zachtjes jammerde. Stark streelde werktuiglijk haar zachte kop terwijl hij sprak. 'Het gebeurde tijdens de Zomerspelen. Vlak voor de finale. Will en ik gingen ver aan kop, dus het stond vast dat goud en zilver voor ons waren.' Hij keek me niet aan terwijl hij sprak, maar staarde strak naar zijn boog en streelde Duchess' kop. Vreemd genoeg sloop Nala stilletjes naar hem toe en streek langs zijn been (niet het been waar Duchess tegenaan leunde) terwijl ze snorde als een grasmaaier. Stark vertelde gewoon verder. 'We deden een warming-up op het oefenterrein. Dat waren lange, smalle banen gescheiden door witte linnen schermen. Will stond rechts van mij. Ik weet nog dat ik mijn boog spande en me sterker concentreerde dan ooit tevoren. Ik was er echt op gebrand om te winnen.' Zijn mond vertrok in zelfspot. 'Dat was het enige wat ertoe deed. De gouden medaille. Dus spande ik de boog en dacht: ik wil hoe dan ook in de roos schieten en Will verslaan. Ik schoot de pijl af, zag met mijn ogen de roos, maar stelde me voor dat ik Will versloeg.' Stark liet zijn hoofd hangen en slaakte een diepe zucht. 'De pijl vloog recht op het doel in mijn hoofd af. Hij trof Will in zijn hart; hij was op slag dood.'

Ik voelde mijn hoofd heen en weer schudden. 'Maar hoe is dat mogelijk? Stond hij voor het doel?'

'Hij was er niet eens in de buurt. Hij stond niet meer dan tien passen rechts van me. We waren alleen maar gescheiden door het witte linnen scherm. Ik stond met mijn gezicht naar het doel toen ik richtte en schoot, maar dat maakte niets uit. De pijl doorboorde zijn borst.' Zijn gezicht vertrok van de pijn die de herinnering nog steeds bij hem opwekte. 'Het gebeurde als in een waas, zo snel. Toen zag ik zijn bloed het witte linnen bespatten en was hij dood.'

'Maar, Stark, misschien kwam het niet door jou. Misschien was er sprake van een bizar magisch toeval.'

'Dat dacht ik in het begin ook, dat hoopte ik tenminste. Dus heb ik mijn "gave" getest.'

Mijn maag verkrampte. 'Heb je nog iemand gedood?'

'Nee! Ik heb alleen maar dingen die niet leefden als doel gekozen. Er was bijvoorbeeld een goederentrein die elke dag op dezelfde tijd langs de school kwam. Je weet wel, zo'n ouderwets geval met een grote zwarte locomotief en een rode achterste wagon. Ze komen nog steeds vaak door Chicago. Ik pinde een foto van die rode wagon op een doel op het schoolterrein. Ik dacht aan de wagon raken en schoot mijn pijl af.'

'En?' moedigde ik hem aan toen hij niets meer zei.

'De pijl verdween. Tijdelijk. Ik vond hem de volgende dag toen ik bij het spoor stond te wachten. Hij stak uit de zijkant van de echte wagon.'

'Godallemachtig!' zei ik.

'Begrijp je het nu?' Hij kwam naar me toe en bleef vlak voor me staan. Zijn ogen hielden de mijne vast met die unieke intensiteit van hem. 'Daarom moest ik je over mij vertellen en daarom moest ik weten of je krachtig genoeg bent om de mensen om wie je geeft te beschermen.'

Mijn toch al verkrampte maag maakte een salto. 'Wat ga je doen?'

'Niets!' schreeuwde hij. Duchess begon weer te jammeren en Nala onderbrak haar gespin om naar hem op te kijken. Hij schraapte zijn keel en het was duidelijk te zien dat hij moeite deed om zich te beheersen. 'Het is niet mijn bedoeling om iets te doen. Maar het was ook niet mijn bedoeling om Will te doden en toch heb ik dat gedaan.'

'Maar toen wist je nog niet dat je die krachten had, en nu wel.'

'Ik had een vermoeden,' zei hij zacht.

'O,' was het enige wat ik kon bedenken om te zeggen.

'Ja,' zei hij, en hij perste zijn lippen op elkaar voor hij vervolgde: 'Ja, ik wist dat er iets vreemds was aan mijn gave. Ik had naar mijn gevoel moeten luisteren. Ik had voorzichtiger moeten zijn. Maar ik deed geen van beide, en Will is dood. Ik wil dus dat je precies weet hoe het met me zit voor het geval ik er weer een puinhoop van maak.'

'Ho even! Als ik het goed begrijp ben jij de enige die kan weten waarop je in werkelijkheid richt, omdat dat in je hoofd gebeurt.'

Hij snoof sarcastisch. 'Dat zou je wel denken, hè? Maar zo werkt het niet. Op een keer dacht ik dat het alleszins veilig was om een beetje te oefenen. Ik ging naar het park naast ons Huis van de Nacht. Er was niemand in de buurt die me kon afleiden; daar heb ik me van vergewist. Ik vond een grote oude eik en zette een doel neer vóór wat volgens mij het midden van de boom was.'

Hij keek me aan alsof hij een reactie verwachtte, dus knikte ik. 'Bedoel je het midden van de stam?'

'Precies! Ik dacht dat ik daarop richtte: een plek midden in de boom. Maar weet je hoe het midden van een boom soms wordt genoemd?'

'Nee, ik weet niet echt veel over bomen,' zei ik.

'Ik toen ook niet. Ik heb het naderhand opgezocht. De vampiers in het verre verleden, degenen met affiniteit voor aarde, noemden het midden van de boom zijn "hart". Ze geloofden dat dieren en zelfs mensen soms het hart van een specifieke boom vertegenwoordigden. Dus ik schoot mijn pijl af en dacht aan het midden of het hart van de boom.' Hij zei niets meer en keek alleen maar neer op zijn boog.

'Wie of wat heb je gedood?' vroeg ik zacht. Zonder er echt bij na te denken legde ik mijn hand op zijn schouder. Ik weet eigenlijk niet waarom. Misschien omdat hij eruitzag alsof hij behoefte had aan de aanraking van een ander. En misschien was het omdat ik me ondanks zijn bekentenis en het gevaar dat hij vertegenwoordigde nog steeds tot hem aangetrokken voelde.

Hij legde zijn hand op de mijne en liet zijn schouders hangen. 'Een uil,' zei hij hakkelend. 'De pijl ging dwars door zijn borst. Hij zat op een van de bovenste takken van de eik. Hij krijste het hele eind tot op de grond.'

'De uil was het hart van de boom,' fluisterde ik, en ik moest de krankzinnige drang onderdrukken om hem in mijn armen te nemen en hem te troosten.

'Ja, en ik heb hem gedood.' Toen keek hij op en ontmoette mijn blik. Ik dacht niet dat ik ooit zo'n gekwelde blik had gezien. Terwijl de twee dieren aan zijn voeten hem troostten en, zeker wat Nala aanging, zich intuïtiever dan gewoonlijk gedroegen, kwam de gedachte bij me op dat het heel goed mogelijk was dat Stark meer gaven had dan alleen maar raken waarop hij richtte, maar ik gebruikte mijn gezonde verstand en zei niets. Het laatste wat hij nodig had was meer 'gaven' om zich zorgen over te maken. 'Snap je? Ik ben gevaarlijk, zelfs als dat niet mijn bedoeling is.'

'Ik geloof dat ik het inderdaad snap,' zei ik voorzichtig, terwijl ik hem nog steeds met mijn aanraking probeerde te kalmeren. 'Misschien kun je je boog en pijlen beter opbergen tot je echt greep hebt op je gave.'

'Dat zou ik moeten doen. Dat weet ik. Maar als ik niet oefen, als ik schieten uit de weg ga en probeer om er niet aan te denken, dan is het net of een deel van me wordt weggescheurd. Dan voel ik in mijn binnenste iets doodgaan.' Hij haalde zijn hand van de mijne en deed een stap achteruit, zodat we elkaar niet meer aanraakten. 'Dat gevoel moet jij ook kennen. Ik ben eigenlijk een grote lafaard omdat ik die pijn niet kan verdragen.'

'Pijn willen vermijden maakt iemand niet tot een lafaard,' zei ik snel, waarbij ik het stemmetje dat in mijn hoofd fluisterde napraatte. 'Dat maakt je menselijk.'

'Halfwassen zijn niet menselijk,' zei hij.

'Eerlijk gezegd ben ik daar niet zo zeker van. Volgens mij is het beste deel van iedereen menselijk, zowel bij halfwassen als bij vampiers.'

'Ben jij altijd zo optimistisch?'

Ik lachte. 'Grote goedheid, echt niet!'

Zijn glimlach was nu minder sarcastisch en oprechter. 'Je lijkt me niet echt een zwartkijker, maar zo lang ken ik je nog niet.'

Ik grijnsde naar hem terug. 'Zó pessimistisch ben ik nou ook weer niet, dat wil zeggen vroeger niet.' Mijn glimlach verflauwde. 'Je zou kunnen zeggen dat ik de laatste tijd minder vrolijk ben dan gewoonlijk.'

'Wat is er dan de laatste tijd gebeurd?'

Ik schudde mijn hoofd. 'Meer dingen dan ik je nu kan vertellen.'

Hij keek me aan en ik werd verrast door het begrip in zijn blik. Toen verraste hij me nog meer door weer een stap dichter naar me toe te komen en een lok haar uit mijn gezicht te strijken. 'Ik kan goed luisteren als je behoefte hebt om te praten. Soms kan de mening van een buitenstaander heel waardevol zijn.'

'Zou je niet liever geen buitenstaander zijn?' vroeg ik, terwijl ik mijn best deed om niet van de kaart te raken door de nabijheid van zijn lichaam en het feit dat het zo makkelijk voor hem leek om dicht bij me te komen en mijn innerlijk te beroeren.

Hij haalde zijn schouders op en zijn glimlach werd weer sarcastisch. 'Zo is het makkelijker. Dat is een van de redenen dat ik het niet erg vond om overgeplaatst te worden uit het Huis van de Nacht in Chicago.'

'Daar wilde ik je nog naar vragen.' Ik wachtte even. Onder het mom van op en neer te moeten lopen om te kunnen nadenken, liep ik een stukje bij hem vandaan, terwijl mijn geest heen en weer sprong tussen hoezeer ik me tot hem aangetrokken voelde en proberen een manier te bedenken om mijn vragen vorm te geven zodat hij geen dingen zou denken die hij niet mocht denken, vooral in de buurt van Neferet. 'Vind je het vervelend als ik je iets vraag over je overplaatsing naar Tulsa?'

'Je mag me alles vragen wat je wilt, Zoey.'

Ik keek op en ontmoette zijn bruine ogen, en zag daarin meer dan die simpele woorden. 'Oké. Hebben ze je overgeplaatst vanwege wat er met Will is gebeurd?'

'Dat denk ik wel. Al weet ik het niet zeker. Alle vampiers in mijn vroegere school zeiden dat de hogepriesteres hier om mijn overplaatsing naar haar Huis van de Nacht heeft gevraagd. Dat komt soms voor als halfwassen bijzondere gaven hebben die andere scholen nodig hebben of gewoon willen.' Hij lachte zonder vreugde. 'Ik weet bijvoorbeeld dat ons Huis van de Nacht heeft geprobeerd om die topacteur van jullie te stelen. Hoe heet die ook alweer? Erik Night?'

'Ja. Erik Night. Hij is geen halfwas meer. Hij heeft de Verandering volbracht.' Ik wilde echt niet aan Erik denken terwijl ik me zo sterk tot Stark aangetrokken voelde.

'O, huh. Hoe dan ook, jullie Huis wilde hem niet laten gaan en hij wilde hier niet weg. Mijn Huis heeft geen moeite gedaan om mij te houden. En ik had geen enkele reden om te blijven. Dus toen ik erachter kwam dat Tulsa me wilde hebben, heb ik hun gezegd dat ik niet meer aan wedstrijden zou deelnemen, onder geen enkel beding. Dat leek niets uit te maken, want ze wilden me nog steeds, en hier ben ik dan.' Het sarcasme in zijn gezichtsuitdrukking trok weg en heel even zag hij er alleen maar lief en nogal onzeker van zichzelf uit. 'Ik ga het steeds leuker vinden dat Tulsa me zo graag wilde hebben.'

'Ja.' Ik glimlachte, volledig uit mijn evenwicht gebracht door het gevoel van verbondenheid met hem. 'Dat geldt ook voor mij.' Toen had mijn geest alles verwerkt wat hij had gezegd, en een akelig voorgevoel overspoelde me. Ik moest mijn keel schrapen voor ik de volgende vraag stelde. 'Weten alle vampiers hoe Will is omgekomen?'

Ik zag weer pijn in zijn ogen opflitsen en ik vond het naar dat ik het had moeten vragen. 'Vast wel. Alle vampiers in mijn oude school wisten het, en je weet hoe ze zijn: het is moeilijk om iets voor hen verborgen te houden.'

'Ja, ik weet hoe ze zijn,' zei ik zacht.

'Zeg, bespeurde ik iets vreemds in de lucht tussen jou en Neferet?'

Ik knipperde verbaasd met mijn ogen. 'Eh... wat bedoel je?'

'Ik meende iets van spanning te voelen. Is er iets wat ik over haar zou moeten weten?'

'Ze is krachtig,' zei ik voorzichtig.

'Ja, dat begrijp ik. Alle hogepriesteressen zijn krachtig.'

Na een korte aarzeling zei ik: 'Ik kan je zeggen dat ze niet precies is wat ze lijkt en dat je voor haar moet oppassen, maar daar wil ik het voor nu bij laten. O, en ze is onvoorstelbaar intuïtief, bijna bovennatuurlijk.'

'Dat is goed om te weten. Ik zal op mijn tellen passen.'

Ik besloot om maar zo snel mogelijk weg te gaan bij de nieuwe jongen, die enerzijds intens en zelfverzekerd leek en anderzijds duidelijk kwetsbaar was, me mateloos fascineerde en me bijna deed vergeten dat ik seks had afgezworen. Seks?! Ik bedoelde jongens. Ik had jongens afgezworen. En seks. Met jongens. Jeetje! 'Ik moet er nu echt vandoor. Er staat een paard te wachten om geroskamd te worden,' gooide ik eruit.

'Je kunt dieren beter niet laten wachten. Ze kunnen behoorlijk veeleisend zijn.' Hij keek glimlachend op Duchess neer en streelde haar oren. Toen ik me wilde omdraaien om te vertrekken, pakte hij me bij mijn pols, liet zijn hand naar beneden glijden en verstrengelde zijn vingers met de mijne. 'Zeg,' zei hij zacht. 'Bedankt dat je niet hysterisch bent geworden over wat ik je zojuist heb verteld.'

Ik keek glimlachend naar hem op. 'Triest genoeg lijkt jouw vreemde gave na de week die ik juist achter de rug heb bijna normaal.'

'Triest genoeg ben ik blij dat te horen.' En toen bracht hij mijn hand naar zijn mond en drukte er een kus op. Zomaar. Alsof hij elke dag meisjes de hand kuste. Ik wist niet wat ik moest zeggen. Wat is het protocol als een jongen je hand kust? Moest je hem dan bedanken? Ik wilde hem eigenlijk terugkussen en ik dacht eraan dat ik dat niet zou moeten denken en staarde in zijn bruine ogen toen hij zei: 'Ga je iedereen over mij vertellen?'

'Wil je dat?'

'Nee, tenzij je niet anders kunt.'

'Dan zal ik niets zeggen tenzij ik niet anders kan,' zei ik.

'Bedankt, Zoey,' zei hij. Hij gaf een kneepje in mijn hand, glimlachte en liet mijn hand los.

Ik bleef naar hem kijken toen hij zijn boog oppakte en naar de plek terugliep waar de leren pijlkoker lag. Zonder nog eens naar me te kijken haalde hij een pijl uit de koker, richtte en schoot hem midden in de roos. Zonder gekheid, hij was volslagen mysterieus en sexy, en ik was helemaal de kluts kwijt. Ik draaide me om en hield mezelf voor dat ik echt greep moest zien te krijgen op mijn hormonen, en ik was bijna bij de deur toen ik hem hoorde hoesten. Ik verstarde en hoopte dat als ik even bleef staan hij zijn keel zou schrapen en dat het volgende geluid dat ik hoorde de volgende pijl zou zijn die de roos trof.

Stark hoestte weer. Deze keer hoorde ik het afschuwelijke vochtige gereutel achter in zijn keel. En toen dreef de geur mijn neus binnen, de heerlijke, afschuwelijke geur van vers bloed. Ik knarsetandde tegen mijn weerzinwekkende hunkering.

Ik wilde me niet omdraaien. Ik wilde het gebouw uit rennen, iemand halen die hem kon helpen en nooit meer terugkomen. Ik wilde niet getuige zijn van wat ik wist dat nu zou volgen.

'Zoey!' Mijn naam was vol vocht en angst toen die uit zijn mond kwam.

Ik dwong mezelf om me om te draaien.

Stark was al op zijn knieën gevallen. Hij zat voorovergebogen en ik zag dat hij vers bloed uitbraakte op het gladde, gouden zand van de veldhuisvloer. Duchess zat hartverscheurend te jammeren, en hoewel hij bijna stikte in zijn bloed, stak Stark zijn hand uit om de grote hond te aaien. Ik hoorde hem tussen hoestaanvallen door tegen haar fluisteren dat het wel goed zou komen.

Ik rende naar hem toe.

Hij viel toen ik hem bereikte en ik kon hem nog net opvangen en op mijn schoot trekken. Ik scheurde zijn sweatshirt dwars doormidden en trok het onder hem vandaan, zodat hij daar lag in zijn

T-shirt en spijkerbroek. Met het sweatshirt veegde ik het bloed weg dat uit zijn ogen, neus en mond stroomde.

'Nee! Ik wil niet dat dit nu gebeurt.' Hij zweeg en hoestte toen meer bloed op, dat ik weer wegveegde. 'Ik heb je nog maar net gevonden; ik wil je niet zo gauw al verlaten.'

'Ik ben bij je. Je bent niet alleen.' Ik probeerde rustig te klinken en hem te sussen, maar vanbinnen was ik panisch. *Laat hem alstublieft niet doodgaan! Red hem alstublieft!* schreeuwde mijn geest.

'Goed,' zei hij, met stokkende adem. Toen kreeg hij weer een hoestaanval en stroomde vers bloed uit zijn neus en mond. 'Ik ben blij dat jij er bent. Als het toch moet gebeuren, dan ben ik blij dat jij bij me bent.'

'Stil maar,' zei ik. 'Ik ga om hulp roepen.' Ik deed mijn ogen dicht en deed het eerste wat bij me opkwam. Ik riep Damien. Ik concentreerde me op lucht en wind en zoete, heerlijke zomerbriesjes, en bijna onmiddellijk voelde ik een warme, vragende wind in mijn gezicht. *Haal Damien en laat hem hulp meebrengen!* beval ik de wind, en die wervelde eenmaal als een tornado om mijn lichaam en verdween.

'Zoey!' Stark riep mijn naam en begon weer te hoesten.

'Niet praten. Spaar je krachten,' zei ik, terwijl ik hem met mijn ene arm stevig vasthield en met mijn vrije hand het natte haar zachtjes uit zijn klamme gezicht streek.

'Je huilt,' zei hij. 'Je moet niet huilen.'

'Ik... Ik kan er niets aan doen,' zei ik.

'Ik had meer dan je hand moeten kussen... ik dacht dat ik meer tijd zou hebben,' fluisterde hij tussen vochtige, hijgende ademteugen door. '... te laat nu.'

Ik keek in zijn ogen en vergat de rest van de wereld. Het enige wat ik op dat moment wist, was dat ik Stark in mijn armen hield en dat ik hem heel snel zou verliezen.

'Het is niet te laat,' zei ik. Ik boog me voorover en drukte mijn lippen op de zijne. Stark sloeg zijn armen om me heen; hij had nog genoeg kracht om me stevig vast te houden. Mijn tranen vermengden zich met zijn bloed, en de kus was absoluut heerlijk en afschuwelijk en veel te snel voorbij.

Hij maakte zijn lippen los van de mijne, draaide zijn hoofd om en hoestte zijn levensbloed op de grond.

'Stil maar,' suste ik terwijl de tranen over mijn wangen stroomden. Ik drukte hem tegen me aan en prevelde: 'Ik ben bij je. Ik laat je niet los.'

Duchess jankte meelijwekkend, kroop dicht tegen haar baasje aan en keek angstig op in zijn bloedende gezicht. 'Zoey, luister, voor ik dood ben.'

'Oké, oké. Rustig maar. Ik luister.'

'Je moet me twee dingen beloven,' zei hij zwak. Hij hoestte en moest zich weer van me af buigen. Ik ondersteunde zijn schouders, en toen hij zich weer in mijn armen achterover liet zakken, beefde hij en zag hij zo wit dat hij bijna transparant leek.

'Ja, wat dan ook,' zei ik.

Een bebloede hand kwam omhoog en raakte mijn wang aan. 'Beloof me dat je me niet zult vergeten.'

'Dat beloof ik,' zei ik, terwijl ik mijn wang in zijn hand drukte. Zijn duim probeerde trillerig mijn tranen weg te vegen, wat me nog harder aan het huilen bracht. 'Ik zou jou niet kunnen vergeten.'

'En beloof me dat je voor Duchess zult zorgen.'

'Een hond? Maar ik...'

'Beloof het!' Zijn stem klonk plotseling krachtig. 'Zorg dat ze haar niet naar vreemden sturen. Ze kent jou en weet dat ik om je geef.'

'Oké! Ja, dat beloof ik. Maak je maar niet ongerust,' zei ik.

Na die belofte leek Stark te verschrompelen. 'Bedankt. Hadden we maar meer...' Zijn stem stierf weg en zijn ogen vielen dicht. Hij draaide zijn hoofd in mijn schoot en sloeg zijn arm om mijn middel. Rode tranen stroomden over zijn gezicht en hij bleef doodstil liggen. Het enige aan hem wat bewoog, was zijn trillende borst terwijl hij probeerde te ademen rond het bloed dat zijn longen vulde.

Toen bedacht ik iets en voelde ik in mijn binnenste hoop oplaaien. Zelfs als ik het mis had, Stark moest het weten.

'Stark, luister naar me.' Hij gaf geen teken dat hij me hoorde en ik schudde aan zijn schouders. 'Stark!'

Zijn ogen gingen half open.

'Hoor je me?'

Starks knikje was nauwelijks waarneembaar. Zijn bebloede lippen krulden op in een zweem van zijn sarcastische, brutale lachje. 'Kus me nog eens, Zoey,' fluisterde hij.

'Je moet naar me luisteren.' Ik boog mijn hoofd tot vlak bij zijn oor. 'Dit is mogelijk niet het einde voor jou. In dit Huis van de Nacht gaan halfwassen dood om vervolgens herboren te worden en een ander soort Verandering te ondergaan.'

Zijn ogen gingen verder open. 'Ga... Ga ik misschien niet dood?'

'Niet voorgoed. Er zijn halfwassen teruggekomen. Mijn beste vriendin was een van hen.'

'Zorg goed voor Duchess. Als het mogelijk is, kom ik haar halen, en jou...' Zijn woorden gingen over in een rode rivier van bloed die uit zijn mond, neus, ogen en oren stroomde.

Hij kon niet meer praten en het enige wat ik kon doen was hem in mijn armen houden terwijl zijn leven uit hem wegvloeide. Op het moment dat hij zijn laatste adem uitblies, kwamen Damien, Draak Lankford, Aphrodite en de tweeling het veldhuis binnenstormen.

13

Aphrodite bereikte me als eerste. Ze hielp me overeind, en Starks dode lichaam gleed van mijn schoot. 'Er zit bloed op je mond,' fluisterde ze, terwijl ze me een tissue gaf die ze uit haar tas pakte.

Ik veegde mijn lippen af en toen mijn ogen, vlak voordat Damien me had bereikt.

'Je gaat met ons mee. We brengen je naar het meisjesverblijf zodat je je kunt verkleden,' zei Damien. Hij ging naast me staan en pakte me stevig bij mijn elleboog. Aphrodite deed hetzelfde aan de andere kant. De tweeling stond met een arm om elkaars middel en probeerde om niet te huilen.

Enkele Zonen van Erebus waren inmiddels ook aangekomen met een donkere brancard en een deken. Aphrodite en Damien probeerden me mee te trekken het gebouw uit, maar ik verzette me. In plaats daarvan keek ik stilletjes huilend toe terwijl de krijgers Starks met bloed doorweekte lichaam voorzichtig oppakten en op de brancard legden. Toen bedekten ze hem met de deken en trokken die over zijn gezicht.

Op dat moment hief Duchess haar snuit naar de hemel en begon ze te huilen.

Het was een naargeestig geluid. Duchess vulde de met bloed doorweekte nacht met verdriet, eenzaamheid en verlies. De tweeling barstte onmiddellijk in tranen uit. Ik hoorde Aphrodite zeggen: 'O godin, wat verschrikkelijk.' Damien fluisterde: 'Arm beest...' en toen begon ook hij zachtjes te huilen. Nala was dicht tegen de diepbedroefde hond aan gekropen en keek met grote, trieste ogen naar haar op alsof ze niet wist wat ze moest doen.

Ik wist ook niet wat ik moest doen. Ik voelde me vreemd verdoofd. Ik kon niet ophouden met huilen, maar ik maakte me klaar om me te bevrijden uit de greep van mijn vrienden om naar Duchess te gaan en te proberen het onmogelijke op te lossen toen Jack het veldhuis binnenstormde. Hij kwam slippend tot stilstand. Zijn mond viel open van schrik. Zijn ene hand ging naar zijn keel en de andere sloeg tegen zijn mond en probeerde vergeefs zijn kreet van ontsteltenis binnen te houden. Zijn blik ging van het bedekte lichaam op de brancard naar het bloedige zand naar de treurende hond. Snotterend gaf Damien me een kneepje in mijn arm en liet me toen los om naar zijn vriendje te gaan, maar Jack negeerde alles en iedereen, rende naar Duchess en liet zich voor haar op zijn knieën vallen.

'Ach, lieve schat! Wat vind ik dit erg voor je!' zei hij tegen de hond.

Duchess liet haar snuit zakken en keek lang en met vaste blik naar Jack. Ik wist niet dat honden konden huilen, maar ik zweer dat Duchess huilde. Tranen trokken donkere, natte sporen vanuit haar ooghoeken langs haar snoet.

Jack huilde ook, maar zijn stem klonk lief en vast toen hij tegen Duchess zei: 'Als je met me meegaat, dan zorg ik dat je niet alleen bent.'

De grote, blonde labrador liep langzaam naar voren, alsof ze in de afgelopen minuten tien jaar ouder was geworden, en drukte haar kop tegen Jacks schouder.

Door mijn tranen heen zag ik dat Draak Lankford zachtjes Jacks rug aanraakte. 'Neem haar mee naar je kamer. Ik bel de dierenarts en vraag om iets wat haar zal helpen slapen. Blijf bij haar. Ze treurt net als een kat die haar vampier verliest. Ze is een trouw dier,' zei Draak droevig. 'Hem verliezen zal moeilijk voor haar zijn.'

'Ik blijf bij haar,' zei Jack. Met zijn ene hand veegde hij zijn tranen weg en met de andere streelde hij Duchess. Toen sloeg Jack zijn armen om de hals van de grote hond, terwijl de krijgers het lichaam van Stark het veldhuis uit droegen.

Pas toen ze naar buiten liepen, verscheen Neferet. Ze maakte een opgewonden, ademloze indruk. 'O nee! Wie is het?'

'De nieuwe halfwas, James Stark,' zei Draak.

Neferet liep naar de brancard en sloeg de deken terug. Iedereen keek naar Stark, maar ik kon niet naar zijn dode gezicht kijken en hield mijn blik strak op Neferet gericht. Ik was de enige die de flits van triomf en zuivere, onverhulde vreugde zag die over haar gezicht trok. Toen ademde ze een keer diep in en uit en veranderde ze weer in een betrokken hogepriesteres, bedroefd over het verlies van een halfwas.

Ik kon wel kotsen.

'Breng hem naar het lijkenhuis. Ik zal erop toezien dat hij naar behoren wordt afgelegd,' zei Neferet. Zonder me aan te kijken zei ze bits: 'Zoey, zie erop toe dat voor de hond van de jongen wordt gezorgd.' Toen gebaarde ze dat de krijgers moesten doorlopen en volgde ze hen het veldhuis uit.

Ik kon even geen woord uitbrengen. Haar harteloosheid in combinatie met Starks dood had me diep gegriefd. Ik vermoed dat een klein deel van me, vooral op een moment als dit, waarop er zojuist iets onvoorstelbaar afschuwelijks was gebeurd, nog altijd wenste dat ze de vrouw was die ik in haar had gezien toen ik haar leerde kennen: de moeder die van me zou houden om wie ik ben.

Ik keek hen na toen ze Starks lichaam wegdroegen en veegde met mijn hand over mijn ogen. Er waren mensen die me nodig hadden. Mensen aan wie ik beloften had gedaan. Het was tijd om het feit onder ogen te zien dat Neferet niet meer deugde. Ik moest me verdomme vermannen.

Ik wendde me tot Damien. 'Blijf vannacht bij Jack. Hij heeft je harder nodig dan ik.'

'Red jij het wel?' vroeg Damien.

'Ik houd wel een oogje op haar,' zei Aphrodite.

'Wij ook,' zei de tweeling in koor.

Damien knikte, omhelsde me stevig en liep toen naar Jack. Hij ging naast zijn vriendje en de hond op zijn hurken zitten en begon Duchess te aaien, eerst aarzelend en toen onbevangener en met meer warmte.

'Je zit onder het bloed, besef je dat wel?' zei Aphrodite, waarmee ze mijn aandacht losrukte van het hartverscheurende tafereel van Damien en Jack die Starks hond probeerden te troosten.

Ik keek op mezelf neer. Ik had het bloed niet meer geroken nadat ik Stark had gekust. Ik had het uit mijn hoofd gezet om te voorkomen dat de heerlijke geur me van mijn verstand zou beroven, en ik was verbaasd toen ik zag dat mijn kleren donker en plakkerig waren van zijn levensbloed.

'Ik moet uit deze kleren,' zei ik, en ik klonk veel zwakker dan ik had willen klinken. 'Ik moet douchen.'

'Kom mee. We gaan een bezoek brengen aan een luxe badinrichting,' zei Aphrodite.

'Een luxe badinrichting?' vroeg ik stompzinnig. Ik had geen flauw idee wat ze bedoelde. Stark was zojuist in mijn armen gestorven en zij wilde me meenemen naar een luxe badinrichting?

'Wist je niet dat ik de douche in mijn badkamer heb opgeknapt?'

'Misschien wil Z liever in haar eigen kamer douchen,' zei Shaunee.

'Ja, misschien voelt ze zich prettiger tussen haar eigen spullen,' zei Erin.

'Ja, nou, misschien wil ze er niet aan herinnerd worden dat de laatste keer dat ze bloed van zich af spoelde, alleen, in haar eigen kamer, was toen even daarvoor haar beste vriendin in haar armen was gestorven,' zei Aphrodite. Toen voegde ze er zelfvoldaan aan toe: 'Bovendien weet ik voor honderd procent zeker dat zij geen marmeren Vichy-inloopdouche in haar kamer heeft, want die van mij is de enige op de campus.'

'Een Vichy-douche?' zei ik, met het gevoel alsof ik me in een akelige droom bevond.

Shaunee slaakte een zucht. 'Die zijn echt hemels.'

Erin keek Aphrodite vragend aan. 'Heb jij er een in je badkamer?'

'Een van de voordelen van stinkend rijk en door en door verwend zijn,' zei Aphrodite.

'Eh, Z,' zei Erin langzaam, terwijl haar blik van Aphrodite naar mij ging. 'Die luxe badinrichting van haar is misschien een goed idee. Een Vichy-douche is geweldig om stress te verlichten.'

Shaunee veegde over haar ogen en pinkte haar laatste tranen weg.

'En we weten allemaal dat je vannacht heel wat stress op je bordje hebt gekregen.'

'Oké, goed, ik ga wel naar Aphrodites kamer om me op te knappen.' Met Aphrodite en de tweeling liep ik houterig de deur uit.

De hele weg terug naar het meisjesverblijf, terwijl het surreële, kwakende gekras van raven de nacht vulde, voelde ik Starks kus op mijn lippen.

Een Vichy-douche bleek te bestaan uit vier grote douchekoppen (twee aan het plafond en twee aan de wanden van Aphrodites marmeren douchecel) die alle vier tegelijk liters zacht, warm water over mijn lichaam uitstortten. Ik liet het langs mijn lichaam stromen en Starks bloed wegspoelen. Ik zag het water van rood tot roze tot helder kleuren, en iets aan het verdwijnen van zijn bloed bracht me weer aan het huilen.

Het leek bespottelijk omdat ik hem nog maar pas kende, maar ik ervoer Starks afwezigheid als een gat in mijn hart. Hoe was dat mogelijk? Hoe kon ik hem zo vreselijk missen terwijl ik hem eigenlijk niet eens echt had gekend? Maar misschien had ik hem wel gekend, misschien is er iets wat gebeurt tussen sommige mensen op een niveau dat tijdmeting en wat de maatschappij als gepast beschouwt te boven gaat. Wat er tussen Stark en mij in die paar minuten in het veldhuis was gebeurd, was misschien genoeg geweest om onze zielen de kans te geven elkaar te herkennen.

Zielsverwanten? Was dat überhaupt mogelijk?

Toen mijn hoofd pijn deed van het huilen en mijn tranen eindelijk op raakten, kwam ik lusteloos de douche uit. Aphrodite had een grote witte badjas aan de badkamerdeur hangen, die ik aantrok voor ik haar weelderige kamer binnenging. Het verbaasde me niet dat de tweeling weg was.

'Hier, drink dit op.' Aphrodite gaf me een glas rode wijn.

Ik schudde mijn hoofd. 'Bedankt, maar ik vind alcohol helemaal niet lekker.'

'Drink het nou maar op. Het is meer dan alleen maar wijn.'

'O...' Ik pakte het glas aan en nam voorzichtig een klein slokje, alsof ik dacht dat het zou kunnen ontploffen. En dat deed het ook, door mijn hele lichaam. 'Er zit bloed in.' Ik klonk niet beschuldigend. Ze wist dat ik had begrepen wat de 'meer dan alleen maar wijn'-opmerking betekende.

'Het zal helpen om je je wat beter te laten voelen,' zei Aphrodite. 'Net als dit.' Ze wees naar een bakje van piepschuim van Goldie's op het tafeltje naast de chaise longue. Het deksel stond open en ik zag een grote vette cheeseburger en een grote portie patat, en daarnaast stond een flesje bruine frisdrank – mét cafeïne en suiker.

Ik sloeg de met bloed vermengde wijn achterover, besefte plotseling dat ik uitgehongerd was en zette mijn tanden gretig in de cheeseburger. 'Hoe wist je dat ik zo dol ben op Goldie's?'

'Iedereen is dol op Goldie's cheeseburgers. Ze zijn hartstikke slecht voor je, dus bedacht ik dat je er eentje nodig had.'

'Bedankt,' zei ik met volle mond.

Aphrodite trok een gezicht naar me, pakte een frietje uit het bakje en ging op haar bed zitten. Ze liet me een poosje rustig eten en vroeg toen, met een voor haar allesbehalve kenmerkende aarzeling: 'Je hebt hem dus gezoend voor hij doodging?'

Ik kon haar niet aankijken, en de cheeseburger smaakte opeens naar karton. 'Ja, ik heb hem gezoend.'

'Gaat het wel goed met je?'

'Nee,' zei ik zacht. 'Er is tussen ons iets gebeurd en...' Mijn stem stierf weg toen ik de woorden die ik zocht niet kon vinden.

'Wat ga je wat hem betreft doen?'

Toen keek ik haar aan. 'Hij is dood. Er is niets...' Ik zweeg. Hoe kon ik dat vergeten? Dat Stark dood was, hoefde niet per se het eind van alles te zijn, niet in dit Huis van de Nacht, de laatste tijd in elk geval niet. En toen herinnerde ik me de rest. 'Ik heb het hem verteld,' zei ik.

'Wat heb je hem verteld?'

'Dat het voor hem niet het einde hoefde te betekenen. Voor hij weggleed, heb ik hem verteld dat hier de laatste tijd halfwassen doodgaan en terugkomen uit de dood om een ander soort van Verandering door te maken.'

'Wat betekent dat als hij inderdaad terugkomt, jij het eerste zal zijn waaraan hij denkt, jij en het feit dat je hem hebt verteld dat de dood voor hem mogelijk niet het einde zal betekenen. Laten we maar hopen dat Neferet niet in de buurt is en ze dat te weten komt.'

Mijn maag verkrampte, deels van hoop en deels van angst. 'Nou, wat zou jij hebben gedaan? Zou je hem gewoon in je armen hebben laten doodgaan zonder iets te zeggen?'

Ze slaakte een zucht. 'Dat weet ik niet. Waarschijnlijk niet. Je geeft om hem, hè?'

'Ja. Ik weet eigenlijk niet waarom. Ik bedoel, hij is beslist, eh, ik bedoel wás beslist een spetter. Maar hij heeft me voor hij stierf dingen verteld en we hadden gewoon een klik.' Ik probeerde me precies te herinneren wat Stark me allemaal had verteld, maar mijn gedachten waren verward en ik moest steeds denken aan het feit dat ik hem had gezoend en had moeten toekijken terwijl hij in mijn armen doodbloedde. Ik huiverde en nam een grote slok bruine frisdrank.

'Dus nogmaals: wat ga je wat hem betreft doen?'

'Aphrodite, dat weet ik niet! Moet ik naar het lijkenhuis gaan en de Zonen van Erebus vragen om me binnen te laten zodat ik bij Stark kan gaan zitten tot hij misschien weer tot leven komt?' Terwijl ik het zei, besefte ik dat dat precies was wat ik zou willen doen.

'Dat is vast geen goed idee,' zei ze.

'We weten niet wat er gebeurt, hoe snel, en of het überhaupt zal gebeuren.' Ik zweeg even en dacht na. 'Wacht eens, zei je niet dat je Stark hebt gezien in een van je visioenen waarin ik doodging?'

'Ja.'

'Wat had hij op zijn gezicht? Een blauwe maansikkel, een rode maansikkel of een volledig ingekleurde, rode tatoeage?'

Ze aarzelde even. 'Dat weet ik niet.'

'Hoe kun je dat niet weten? Je zei dat je hem herkende uit je visioen.'

'Dat klopt. Ik herinnerde me zijn ogen en die ontstellend opwindende mond.'

'Praat niet zo over hem,' zei ik bits.

Ze keek me zowaar schuldbewust aan. 'Sorry, ik bedoelde er echt niets mee. Hij heeft je echt geraakt, hè?'

'Ja. Dus probeer je te herinneren hoe hij er in je visioen uitzag.'

Ze kauwde op haar lip. 'Ik herinner me bijna niets. Ik heb hem maar heel vluchtig gezien.'

Mijn hart bonsde en mijn hoofd duizelde van de golf hoop die me plotseling overspoelde. 'Maar dat betekent dat hij niet echt dood is. Of tenminste niet helemaal dood. Je hebt hem gezien in een visioen over de toekomst, dus moet hij in de toekomst nog ergens rondlopen. Hij komt terug!'

'Dat hoeft niet per se,' zei ze zacht. 'Zoey, de toekomst is instabiel en verandert de hele tijd. Ik bedoel, ik heb jou twee keer zien sterven. Eén keer helemaal alleen omdat je geïsoleerd was van je vrienden. Nou, die zijn weer je debielige drie musketiers.' Ze wachtte even en voegde er toen aan toe: 'Sorry. Ik weet dat je een kloteavond achter de rug hebt en het was niet zo hatelijk bedoeld als het klonk. Maar waar het om gaat is het volgende: aangezien de oenen... ik bedoel aangezien je niet meer geïsoleerd bent, is het visioen waarin de in de steek gelaten Zoey werd gedood waarschijnlijk van nul en generlei waarde. Doordat de toekomst is veranderd. Toen ik dat visioen kreeg waarin Stark voorkwam, was het op dat moment misschien zo dat hij nog in leven was of terug zou komen. Dat kan inmiddels veranderd zijn.'

'Maar dat hoeft niet per se.'

'Nee,' zei ze onwillig. 'Maar koester niet te veel hoop. Ik ben alleen maar Visioenvrouwtje en geen deskundige op het gebied van dingen als halfwassen die weer tot leven komen.'

'Wat we dus nodig hebben, is een deskundige op het gebied van dit dood/ondood-gedoe.' Ik probeerde om niet al te hoopvol te klinken, maar ik zag aan de treurige uitdrukking op Aphrodites gezicht dat ik daar niet echt in slaagde.

'Ja, nou, het spijt me te moeten zeggen dat je gelijk hebt. Je moet met Stevie Rae praten.'

'Ik ga terug naar mijn kamer, bel haar en vraag haar om ons morgen bij Street Cats te treffen. Denk je dat jij Darius kunt bezighouden terwijl ik met haar praat?'

'Ja, wat dacht je dan? Ik zal meer doen dan hem bezighouden. Ik zal zijn aandacht volledig in beslag nemen.' Ze spon als een kat.

'Bah. Je doet maar. Als ik het maar niet hoef te horen of te zien.' Gedragen door een golf van optimisme pakte ik mijn bruine frisdrank.

'Geen enkel probleem. Ik heb bij dergelijke gelegenheden graag een beetje privacy.'

'Nogmaals: bah.' Ik liep naar de deur. 'Zeg, hoe heb je de tweeling afgeschud? Moet ik morgen weer een poging doen om de schade te beperken?'

'Simpel. Ik heb ze verteld dat als ze bleven, we elkaars voeten gingen verzorgen, en dat ik als eerste aan de beurt was.'

'Ja, ik begrijp waarom ze ervandoor zijn gegaan.'

Aphrodite werd opeens ernstig. 'Zoey, ik meen het. Koester wat Stark aangaat niet te veel hoop. Als hij terugkomt, is hij misschien niet meer dezelfde. Dat weet je. Volgens Stevie Rae zijn de rode halfwassen niet meer zo erg en dat is ook zo, maar ze zijn niet normaal en zij net zomin.'

'Dat weet ik, Aphrodite, maar ik blijf zeggen dat Stevie Rae oké is.'

'En ik blijf zeggen dat we ons erbij neer moeten leggen dat we daarover van mening verschillen. Ik wil gewoon dat je oppast. Stark is niet...'

'Stop!' Ik stak mijn hand op om haar het zwijgen op te leggen. 'Gun me dat beetje hoop. Ik wil geloven dat hij een kans heeft.'

Aphrodite knikte langzaam. 'Dat weet ik en dat is precies wat me zorgen baart.'

'Ik ben te moe om er nog verder over te praten,' zei ik.

'Oké, dat begrijp ik. Maar denk na over wat ik heb gezegd.' Toen ik mijn hand uitstak naar de deur voegde ze eraan toe: 'Wil je vannacht liever hier blijven? Dan ben je niet alleen.'

'Welnee, maar evengoed bedankt. En ik ben niet echt alleen in een huis vol halfwassen.' Met mijn hand op de deurknop keek ik over mijn schouder naar Aphrodite. 'Bedankt voor je goede zorgen. Ik voel me beter. Een stuk beter.'

Ze wuifde mijn bedankje weg en leek er verlegen mee te zijn. Toen zei ze, weer helemaal zichzelf: 'Dat zit wel goed. Het komt erop neer dat je als je eenmaal koningin bent, bij me in het krijt staat.'

Stevie Rae nam haar telefoon niet op. Ik werd direct doorverbonden met haar opgewekte, boerse voicemail. Ik liet geen boodschap achter. Wat moest ik zeggen? 'Hoi, Stevie Rae. Met Zoey. Zeg, een halfwas is vannacht in mijn armen doodgebloed en ik wil graag weten wat er nu gaat gebeuren. Komt hij terug als een ondood dood bloedzuigend monster of gewoon een beetje vreemd zoals jouw halfwassen volgens jou zijn, of zal hij dood blijven? Dat wil ik graag weten omdat ik echt om hem geef, al heb ik hem nog maar net ontmoet. Oké, bel me dus alsjeblieft terug!' Nee. Dat zou niet werken.

Ik liet me zwaar op mijn bed vallen en wenste juist dat Nala zou komen toen het kattenluikje openging en mijn knorrige poezenvriendinnetje *mi-uf-auw*end de kamer binnenkwam, op mijn bed sprong, zich op mijn borst opkrulde en spinnend als een gek haar koppetje tegen mijn hals drukte.

'Ik ben echt verschrikkelijk blij je te zien.' Ik aaide over haar oren en kuste het witte vlekje boven haar neus. 'Hoe gaat het met Duchess?' Ze knipperde met haar ogen naar me, nieste, drukte haar koppetje weer tegen me aan en ging weer door met spinnen. Dat interpreteerde ik als: voor de hond wordt goed gezorgd door Jack en Damien.

Ik voelde me beter nu Nala haar spinmagie op me losliet en probeerde me te verdiepen in het boek dat ik aan het lezen was: *Ink Exchange* van mijn huidige favoriete vampierauteur, Melissa Marr, maar zelfs haar opwindende sprookjes konden niet voorkomen dat mijn aandacht afdwaalde.

Waaraan ik dacht? Aan Stark, natuurlijk. Ik raakte mijn lippen aan, voelde nog steeds zijn kus. Wat mankeerde me? Waarom liet ik me zo door Stark beïnvloeden? Oké. Hij was in mijn armen gestorven en dat was afschuwelijk geweest, echt afschuwelijk. Maar er was meer tussen ons, dat dácht ik tenminste. Ik deed met een zucht mijn ogen dicht. Het laatste wat ik nodig had, was om een andere jongen geven. Ik was nog niet eens over Erik of Heath heen.

Oké, eerlijk gezegd was ik nog niet over Loren heen.

Nee, ik was niet meer verliefd op Loren. Ik was nog niet over het hartzeer heen dat hij me had bezorgd. Mijn hart deed nog steeds pijn en het was nog niet klaar om een ander binnen te laten.

Ik dacht aan het moment dat Stark zijn vingers met de mijne had verstrengeld en aan het gevoel van zijn lippen op mijn huid.

'Verdomme. Ik vermoed dat niemand mijn hart heeft verteld dat het nog niet klaar was voor een nieuw vriendje,' fluisterde ik.

Stel dat Stark terugkwam?

Erger nog: stel dat hij níét terugkwam?

Ik was het spuugzat om mensen kwijt te raken. Een traan gleed onder mijn gesloten ooglid vandaan en ik veegde hem weg. Ik draaide me op mijn zij en drukte mijn gezicht tegen Nala's zachte lijfje. Ik was gewoon moe. Het was een afschuwelijke dag geweest. Morgen zou alles minder erg lijken. Morgen zou ik met Stevie Rae praten, en zij zou me helpen bedenken wat ik met Stark aan moest.

Maar ik kon niet slapen. Mijn geest draaide op volle toeren en focuste op de fouten die ik had begaan en de mensen die ik had gekwetst. Was Stark gestorven als straf voor het feit dat ik Erik en Heath zo diep had gekwetst?

Nee! zei mijn rationele verstand. *Dat is bespottelijk! Zo gaat Nux niet te werk.* Maar mijn schuldgevoel fluisterde somberder dingen. *Je kunt mensen niet ongestraft zo diep kwetsen als jij Erik en Heath hebt gekwetst.*

Hou op! zei ik tegen mezelf. *Erik leek er vandaag helemaal niet zo kapot van te zijn. Hij gedroeg zich eerder als een zak dan als iemand wiens hart was gebroken.*

Nee, dat was niet eerlijk. Erik en ik waren verliefd op elkaar aan het worden toen ik met Loren ging rotzooien. Wat had ik dan verwacht? Dat Erik huilend zou rondlopen en me zou smeken om bij hem terug te komen? Echt niet. Ik had hem pijn gedaan en hij gedroeg zich niet als een zak; hij probeerde zijn hart tegen mij te beschermen.

Ik hoefde Heath niet te zien om te weten dat ik ook zijn hart had gebroken. Ik kende hem goed genoeg om precies te weten hoe diep ik hem had gekwetst. Hij had vanaf de basisschool, waar we voor het eerst verliefd op elkaar waren geworden, deel uitgemaakt van mijn leven. Hij was er altijd geweest, van de kalverliefdefase tot de vriendje/vriendinnetje-brugklasfase tot de 'uitgaans'-fase op de middelbare school en uiteindelijk en meer recentelijk de ik-heb-mijn-stempel-op-hem-gedrukt-en-wil-zijn-bloed-opzuigen-en-wat-al-nietfase. Dat 'wat al niet' is een nette manier om te zeggen dat een stempelband en het drinken van menselijk bloed seksreceptoren in de hersenen van de halfwas en de mens activeren, dus ik had meer met Heath willen doen dan alleen zijn bloed opzuigen. Ja, ik weet dat dat sletterig klinkt, maar ik ben tenminste eerlijk tegen mezelf.

Heath en ik hadden dus een stempelband, maar toen had ik met Loren seks gehad en tijdens De Daad (ik vind het nog steeds een raar idee dat ik geen maagd meer ben – met 'raar' bedoel ik verwarrend en nogal angstaanjagend), kreeg ik een stempelband met Loren en werd mijn stempelband met Heath verbroken. Pijnlijk en afschuwelijk, als wat Loren me vertelde waar was. En sindsdien heb ik Heath niet meer gesproken.

En Stark beschouwde zichzelf als een lafaard omdat hij pijn wilde vermijden? Met mij vergeleken kan ik beslist zeggen: echt niet! Ik vroeg me af of de band die Stark en ik hadden gevoeld stand zou hebben gehouden als hij alles over mijn verleden had gehoord. Ik bedoel, hij had mij alles over zichzelf verteld, maar ik hem niets over mij.

En er was heel wat rottigheid te vertellen. En dan heb ik het nog niet eens over al die losse eindjes die ik niet had afgewerkt.

Ik had Heath gemeden omdat ik wist dat ik hem pijn had gedaan. En aangezien ik toch eerlijk tegen mezelf was, moest ik bekennen dat een andere reden dat ik Heath had gemeden was omdat ik bang was voor zijn reactie op mij.

Heath was de betrouwbaarheid zelf. Ik kon zeker zijn van het feit dat hij stapelgek op me was. Ik kon zeker zijn van het feit dat hij al vanaf groep vijf van de basisschool mijn vriendje was geweest (soms of ik het leuk vond of niet). Ik kon zeker zijn van het feit dat hij er altijd voor mij was geweest.

Opeens besefte ik dat ik Heath nodig had. Ik voelde me vannacht gekneusd, gehavend en verward en ik moest gewoon weten dat ik ze niet allemaal kwijt was... dat een van hen echt van me hield, ook al verdiende ik dat niet.

Mijn mobieltje lag op mijn nachtkastje op te laden. Ik klapte het open en stuurde hem snel een sms'je voor ik de moed verloor.

Hoe gaat 't?

Ik zou simpel beginnen, alleen een kort berichtje. Afhankelijk van zijn antwoord, áls hij al antwoordde, zou ik wel verder zien.

Ik nestelde me weer tegen Nala aan en probeerde te slapen.

Na wat een eeuwigheid leek, keek ik op de klok. Het was bijna half negen 's ochtends. Oké, Heath lag natuurlijk nog te slapen. Hij had nog vakantie, en als hij niet vroeg op hoefde om naar school te gaan, bleef hij meestal tot twaalf uur in bed. *Hij slaapt nog*, zei ik keer op keer tegen mezelf.

Dat zou vroeger niets hebben uitgemaakt, fluisterde mijn geest me in. *Vroeger zou hij me een seconde later al terug hebben ge-sms't en me hebben gesmeekt om hem ergens te ontmoeten. Heath zou nooit door een sms'je van mij heen zijn geslapen.*

Misschien moest ik hem bellen.

En hem horen zeggen dat hij me nooit meer wil zien? Ik kauwde op mijn lip en voelde me ellendig. Nee. Nee, dat kon ik niet. Niet na wat er vannacht was gebeurd. Ik zou het niet kunnen verdragen om hem gemene dingen tegen me te horen zeggen. Het zou al erg genoeg zijn om ze te lezen.

Als hij zou reageren.

Ik kroop dicht tegen Nala aan en probeerde me te focussen op haar spinmotortje om het de zwijgzaamheid van mijn mobieltje te laten overstemmen.

Morgen, zei ik tegen mezelf toen ik me voelde wegglijden in een onrustige slaap. *Als ik morgen niets van Heath hoor, dan bel ik hem.*

Ik zweer dat ik vlak voor ik echt in slaap viel net buiten mijn raam het huiveringwekkende geluid van een raaf hoorde.

14

Ik had mijn wekker niet hoeven instellen om die middag om vijf uur (wat voor mij eigenlijk ochtend is – zoals je weet zijn voor een halfwas dag en nacht omgedraaid, wat betekent dat onze school om acht uur 's avonds begint en om drie uur 's nachts eindigt) af te gaan. Ik had klaarwakker Nala liggen aaien en geprobeerd om niet aan Stark, Heath of Erik te denken toen mijn wekker naar me piepte.

Ik strompelde versuft door mijn kamer en trok een spijkerbroek en een zwarte trui aan. Ik staarde naar mezelf in de spiegel. Oké, in één woord: jegh. Ik moest de komende nacht echt wat slaap zien te krijgen; de wallen onder mijn ogen hadden wallen.

Nala had zojuist een hoge rug opgezet en naar de deur geblazen toen iemand erop bonsde.

'Zoey! Wil je verdomme een beetje opschieten?'

Ik deed de deur open en zag een misnoegde Aphrodite in de gang staan. Ze was gekleed in een ultrakort (en erg leuk) zwart wollen rokje, een donkerpaarse trui en te gekke zwarte laarzen. Ze tikte geïrriteerd met een van die laarzen op de vloer.

'Wat is er?' vroeg ik.

'Ik weet dat ik het al eerder heb gezegd, maar je bent zo traag als een dikzak op krukken,' zei ze.

'Aphrodite, je bent gemeen. En ík weet dat ik je dát al eerder heb gezegd,' zei ik, terwijl ik probeerde de versuftheid uit mijn ogen te knipperen en op de een of andere manier uit mijn hoofd weg te denken. 'En ik ben niet traag; ik ben klaar,' besloot ik.

'Nee, dat ben je niet. Je merkteken is niet eens gecamoufleerd.'

'Jeetje. Ik was helemaal vergeten dat...' Mijn blik ging werktuiglijk naar haar voorhoofd, waar geen spoor van een halfwasmerkteken te zien was.

'Ja, een van de weinige voordelen van doen alsof ik een halfwas ben, is dat ik er niet aan hoef te denken om mijn merkteken te camoufleren als ik van de campus af ga.' Aphrodites toon was luchtig, maar ik zag de pijn in haar ogen.

'Vergeet niet wat Nux zei. Je bent voor haar nog steeds bijzonder.'

Aphrodite rolde met haar ogen. 'Ja, "bijzonder". Wil je nou alsjeblieft opschieten? Darius staat te wachten, en je moet nog tegen Shekinah zeggen dat ik met je meega.'

'En ik moet een kom ontbijtgranen naar binnen werken,' zei ik, terwijl ik camouflagecrème op de ingewikkelde tatoeages van mijn merkteken smeerde.

'Daar is geen tijd voor,' zei Aphrodite, toen we de trap af renden. 'We moeten ervoor zorgen dat we bij Street Cats aankomen voordat die stomme mensen de tent sluiten en wegvluchten naar hun bespottelijk kleinburgerlijke huizen.'

'Jíj bent zo'n stom mens,' fluisterde ik.

'Ik ben een bijzonder mens,' verbeterde ze me fluisterend, en toen voegde ze eraan toe. 'Hoe laat heb je met Stevie Rae afgesproken? Ze zal het toch hopelijk niet vervelend vinden als we een beetje laat zijn?'

'Ah, shit!' fluisterde ik. 'Ik heb haar vannacht niet meer te pakken gekregen.'

'Dat verbaast me niets. Het bereik in die tunnel is zwaar klote. Ik zal Darius wel iets op de mouw spelden als verklaring voor het feit dat je te laat bent. Bel haar nog eens. Hopelijk krijg je haar nu wel te pakken.'

'Ja,' zei ik.

'Hé, Z!' riep Shaunee toen Aphrodite en ik langs de keuken kwamen.

'Hoe voel je je vanochtend? Beter?' vroeg Erin.

'Ja, bedankt, jongens,' zei ik met een glimlach. De tweeling was veerkrachtig. Er was meer voor nodig dan een zoveelste confrontatie met de dood om die meiden erg lang van hun stuk te brengen.

'Goed zo. Je pak Count Chocula staat hier,' zei Erin.

'Zeg, sukkeliamese tweeling, voelen jullie er misschien komende nacht iets voor om elkaars voeten te doen? Dan kunnen we aan de emotionele band van de kudde oenen werken terwijl we de akelige eeltknobbel aan mijn rechtervoet onder handen nemen.' Aphrodite tilde haar rechterlaars met naaldhak op en deed alsof ze de ritssluiting open wilde trekken.

'We hebben jouw ontbijt ook klaargezet, Aphrodite,' zei Erin.

'Ja, een lekkere kom Count Sloerie,' zei Shaunee.

'Jullie zijn echt niet grappig. Zoey, ik zoek Darius op en dan zien we elkaar op het parkeerterrein. En schiet een beetje op.' Ze zwiepte haar haar naar achteren en liep heupwiegend weg.

'We haten haar,' zeiden Erin en Shaunee in koor.

'Dat weet ik,' zei ik met een zucht. 'Maar vannacht was ze echt aardig voor me.'

'Waarschijnlijk omdat ze aan een ernstige persoonlijkheidsstoornis lijdt,' zei Erin.

'Ja, volgens mij is ze zo iemand met een gespleten persoonlijkheid,' zei Shaunee. 'Hé, misschien wordt ze binnenkort wel in een inrichting opgenomen!'

'Uitstekend denkwerk, tweelingzus. Dat vind ik nou zo leuk aan jou: je bekijkt alles altijd van de zonnige kant,' zei Erin.

'Hier, Z. Neem een kom Count Chocula,' zei Shaunee.

Ik keek zuchtend naar het verleidelijke pak van mijn lievelingsontbijt. 'Ik heb geen tijd om te eten. Ik moet naar Street Cats om over ons liefdadigheidswerk te praten.'

'Je moet ze proberen over te halen om een coole rommelmarktverkoop te houden,' zei Erin.

'Ja. We moeten nodig onze kasten opruimen om plaats te maken voor onze garderobe voor het komende seizoen, en we kunnen de oude spullen net zo goed verkopen,' zei Shaunee.

'Dat is helemaal niet zo'n gek idee. Bovendien kan Street Cats de verkoop binnen houden zodat we geen last hebben van de zon,' zei ik.

'Tweelingzus, laten we beginnen met onze schoenen uit te zoeken,' zei Shaunee.

'Goed idee, tweelingzus,' zei Erin. 'Ik heb gehoord dat metallic het komende voorjaar dé trend is.'

Ik verliet het meisjesverblijf op een golf van het gebabbel van de tweeling over de aankoop van nieuwe schoenen.

De Zoon van Erebus-krijger die voor de deur op wacht stond was niet Darius, maar hij was net zo groot en indrukwekkend. Hij groette me eerbiedig en ik beantwoordde zijn groet en haastte me toen over het voetpad in de richting van het hoofdgebouw, knikkend naar de komende en gaande halfwassen. Ik klapte mijn mobieltje open en toetste het nummer in van de wegwerptelefoon die ik enkele dagen daarvoor aan Stevie Rae had gegeven. Gelukkig nam ze nu na één keer overgaan op.

'Hallo, Zoey!'

'O, godzijdank.' Ik noemde haar naam niet, maar sprak toch zacht. 'Ik heb je vannacht ook geprobeerd te bellen, maar ik kreeg je niet te pakken.'

'Sorry, Z. Ontvangst in de tunnels is waardeloos.'

Ik slaakte een zucht. Daar zouden we iets op moeten verzinnen, maar ik had nu geen tijd om daarover na te denken. 'Nou, ik heb je nu tenminste aan de lijn. Kun je me straks bij Street Cats ontmoeten? Het is belangrijk.'

'Street Cats? Waar is dat?'

'Op de hoek van Sixtieth en Sheridan in dat leuke kleine gebouw van baksteen. Achter Charlie's Chicken. Kom je?'

'Ja, dat zal wel lukken. Ik zal de bus moeten nemen, dus duurt het misschien even voor ik er ben. Wacht eens, kun je me niet ophalen?'

Ik deed mijn mond open om uit te leggen waarom ik haar geen lift kon geven en waarom het zo belangrijk was dat ik haar vandaag zou spreken, toen het achtergrondgeluid van een gil gevolgd door echt griezelig klinkend gelach door haar telefoon kwam.

'Eh, Zoey. Ik moet ophangen,' zei Stevie Rae.

'Stevie Rae, wat gebeurt daar?'

'Niks,' zei ze te vlug.

'Stevie Rae...' begon ik, maar ze onderbrak me.

'Ze zijn niet iemand aan het opeten. Echt waar niet. Maar ik moet ervoor zorgen dat de pizzabezorger zich niets van deze bezorging herinnert. Ik zie je bij Street Cats... dag!'

En toen was ze weg. Ik klapte mijn mobieltje dicht (en wenste dat ik mijn ogen dicht kon doen, me in een foetushouding kon opkrullen en verder kon slapen). In plaats daarvan liep ik door de grote houten kasteelachtige deuren van het hoofdgebouw van het Huis van de Nacht. We hebben niet wat je een 'directeurskamer' zou noemen, maar wel een ruimte die wordt bemand door een aantrekkelijke jonge vampier die juffrouw Taylor heet. Ze is geen secretaresse, maar een acoliet van Nux. Damien had me uitgelegd dat dienstverlening in een Huis van de Nacht een onderdeel was van haar priesteresopleiding. Vandaar dat ze altijd druk in de weer was met de telefoon beantwoorden, fotokopieën maken en boodschappen doen voor de docenten, als ze niet bezig was met het klaarmaken van de kapel voor rituelen en zo.

'Hallo, Zoey,' zei ze met een lieve glimlach.

'Hallo, juffrouw Taylor. Ik moet Shekinah laten weten wie er met me meegaat naar Street Cats, maar ik weet niet waar ze is.'

'Ze heeft de bestuurskamer tot haar kantoor gemaakt voor wanneer ze niet voor de klas staat. En aangezien de eerste les nog niet is begonnen, zal ze daar nu ook wel zijn.'

'Bedankt,' riep ik terwijl ik linksaf de gang in rende en vervolgens de wenteltrap op die naar de bibliotheek en de tegenoverliggende bestuurskamer leidde. Ik wist eigenlijk niet of ik gewoon naar binnen kon lopen of niet en wilde juist aankloppen toen Shekinahs heldere stem riep: 'Kom maar binnen, Zoey.'

Jeetje, wat zijn vampiers toch griezelig met dat gedoe van we-weten-wie-er-gaat-bellen-nog-voor-ze-gaan-bellen. Ik rechtte mijn schouders en ging naar binnen.

Shekinah droeg een zwarte jurk die zo te zien van fluweel was, met het in zilverdraad geborduurde insigne van Nux op haar borst: een vrouwensilhouet met geheven armen en een maansikkel in haar tot een kom gevormde handen. Ze glimlachte naar me en ik werd weer getroffen door haar exotische schoonheid en het air van ouderdom en wijsheid dat ze uitstraalde.

'Wees welkom, Zoey,' zei ze.

Ik beantwoordde werktuiglijk haar groet.

'Hoe gaat het vandaag met je? Ik heb gehoord dat een van onze jonge halfwassen vannacht is overleden en dat jij getuige was van zijn heengaan.'

Ik slikte. 'Ja, ik was bij Stark toen hij stierf. En het gaat zo goed met me als vandaag mogelijk is.'

'Voel je je er wel tegen opgewassen om naar Street Cats te gaan? Zo'n eerste gesprek kan natuurlijk best moeilijk zijn.'

'Dat weet ik, maar ik wil toch gaan. Het helpt als ik bezig blijf.'

'Goed dan. Jij kent jezelf het beste.'

'Ik wil graag Aphrodite meenemen, als u dat goedvindt.'

'Zij is toch de halfwas met de affiniteit voor aarde?'

Met een snel, zenuwachtig knikje zei ik: 'Aarde is de affiniteit die Nux haar heeft gegeven.' Oké, nou, theoretisch gezien was het geen leugen.

'Aarde is een kalmerende invloed. Doorgaans zijn degenen met een affiniteit voor aarde betrouwbaar en staan ze met beide benen op de grond. Het was een voortreffelijke keuze om haar te kiezen om je te begeleiden, jonge priesteres.'

Ik probeerde om er niet schuldbewust uit te zien. Aphrodite zou betrouwbaar zijn en met beide benen op de grond staan? Zoals de tweeling zou zeggen: ja hoor, kom op zeg. 'Nou, zij en Darius staan op me te wachten, dus dan ga ik maar.'

'Een ogenblikje nog.' Shekinah keek naar een vel papier dat ze in haar hand had en gaf het toen aan mij. 'Dit is je nieuwe rooster. Neferet heeft je met mijn goedkeuring voor vampiersociologie overgeplaatst van de beginnersklas naar het niveau van de zesdeklassers.' Ze keek naar mijn gecamoufleerde merkteken, dat helemaal ingekleurd is hoewel ik beslist nog een halfwas ben. En natuurlijk heeft geen enkele vampier of halfwas ooit de uitgebreide tatoeages gehad die bij mij langs mijn hals, schouders, rug en rondom mijn middel lopen. Die kon Shekinah niet zien, maar haar blik zei dat ze wist dat ze er waren. 'Je bent te bijzonder ontwikkeld om sociologie op zo'n simplistisch niveau te doen. Ik heb het gevoel, en je hogepriesteres is het met me eens, dat je details over het vampierleven zult moeten weten die een normale derdeklasser niet nodig heeft.'

'Ja, mevrouw,' was het enige wat ik kon bedenken om te zeggen.

'Door je overplaatsing naar de klas voor gevorderden is je rooster wel iets veranderd. Ik heb ervoor gezorgd dat je vandaag tot na de lunch geëxcuseerd bent. Zorg dat je op tijd terug bent en dat je de juiste lessen bijwoont.'

'Goed, dat zal ik doen. O, en wilt u er ook voor zorgen dat Aphrodite geëxcuseerd is?'

'Dat heb ik al gedaan,' zei ze.

Ik slikte krampachtig. 'Nou, bedankt. Ik bedoel, dank u.' Zoals gewoonlijk werd ik uitermate zenuwachtig van de alwetendheid van de vampiers. 'Ik wil de mensen van Street Cats voorstellen dat de Duistere Dochters een rommelmarktverkoop sponsoren en dat de opbrengst dan voor Street Cats is. Lijkt u dat een goed idee?'

'Dat lijkt me een geweldig idee. De Duistere Dochters en Zonen zullen vast heel wat interessante spullen hebben om te verkopen.'

Ik dacht aan de massa designerschoenen van de tweeling, Eriks verzameling *Star Wars*-poppetjes (wie weet, misschien was hij die ontgroeid nu hij een 'volwassen' vampier is) en Damiens bezetenheid voor chokers van gevlochten hennep, en moest haar gelijk geven. 'Ja, "interessant" is een uitstekende manier om die spullen te beschrijven.'

'Ik geef jou de vrijheid om te beslissen hoe je je liefdadigheidswerk wilt aanpakken. Ik ben het met je eens dat meer interactie met de plaatselijke bevolking een goed idee is. Segregatie kweekt onwetendheid en onwetendheid kweekt angst. Ik heb al contact gehad met de politie over de moorden en ik ben het met hen eens dat die het werk lijken te zijn van een klein, uitermate gestoord groepje mensen. Ik heb er nog wel mijn twijfels over of het verstandig is om je op dit moment een samenwerking met mensen te laten aangaan, maar ik geloof dat de voordelen van je idee zwaarder wegen dan de risico's.'

'Dat geloof ik ook.'

'En je zult goed beschermd zijn in het gezelschap van Darius.'

'Ja, hij doet me aan een berg denken,' zei ik zonder nadenken, en ik kreeg een kleur toen het tot me doordrong hoe debielig die beschrijving was.

Maar Shekinah lachte. 'Hij doet inderdaad aan een berg denken.'

'Goed, nou, ik laat u wel weten hoe het gesprek met Street Cats verloopt.'

'Kom alsjeblieft morgen verslag uitbrengen. Over morgen gesproken: ik heb besloten tot een bijzonder nieuwjaarsritueel waarin we ons erop zullen richten om de school te zuiveren van negatieve energie. Na de dood van de twee docenten en nu deze arme halfwas, is het terrein dringend toe aan een krachtige, grondige zuivering. Ik heb gehoord dat jij vertrouwd bent met zuiveringsrituelen, aangezien je je door je opvoeding goed bewust bent van je indiaanse erfgoed.'

'Ja!' Mijn verbazing was duidelijk in mijn stem te horen. 'Mijn oma leeft nog steeds volgens de Cherokee-gebruiken.'

'Goed. Dan reken ik op jou en je groepje bijzonder begiftigde medehalfwassen om het zuiveringsritueel uit te voeren. Het is morgen oudejaarsavond, dus zullen we het ritueel om middernacht laten beginnen. We zullen het nieuwe jaar inhalen met een zuiveringsritueel van het schoolterrein bij de oostmuur.'

'De oostmuur? Maar daar...' Mijn stem stierf weg en ik had het gevoel dat ik moest overgeven.

'Ja, dat is waar het lichaam van professor Nolan werd achtergelaten. Het is tevens een plek van immense kracht en daardoor de beste plek als brandpunt van de zuivering.'

'Is dat niet wat Neferet deed toen ze haar ritueel daar uitvoerde?' Neferet had een soort begrafenisdienst voor professor Nolan gehouden op de plek waar haar lichaam was gevonden. Toen had ze ook een krachtige bezwering uitgesproken waarmee ze een beschermend gordijn rondom de school had opgetrokken opdat ze zou weten wanneer er iemand het terrein van het Huis van de Nacht betrad of verliet.

'Zuivering en bescherming zijn twee totaal verschillende dingen, Zoey. Neferet concentreerde zich toen op bescherming, wat een voortreffelijke reactie was op een dergelijke tragedie. Inmiddels is er genoeg tijd verstreken om weer helder te kunnen denken en het is tijd om naar de toekomst te kijken. Daarvoor moeten we het verleden zuiveren. Begrijp je dat?'

'Ik geloof van wel,' zei ik.

'Ik verheug me op je cirkel,' zei ze.

'Ik ook,' loog ik.

'Wees vandaag waakzaam en wijs, Zoey.'

'Ik zal mijn best doen,' zei ik. Ik groette haar eerbiedig, maakte een kleine buiging voor haar en vertrok.

Ik moest dus morgen een zuiveringsritueel houden voor de hele school, zonder mijn aarde-element, terwijl iedereen in de veronderstelling verkeerde dat Aphrodite nog steeds haar affiniteit voor aarde had. Nou, iedereen geloofde ook dat Aphrodite nog steeds een halfwas was. Jeetje. Ik zat zwaar in de problemen. Alweer.

15

In een poging het paniekgevoel te onderdrukken dat me overviel als ik aan het zuiveringsritueel dacht, bekeek ik mijn nieuwe rooster terwijl ik me naar het parkeerterrein haastte. Nou, Shekinah had gelijk gehad: de overplaatsing naar een hoger niveau van vampiersociologie had mijn hele rooster flink in de war geschopt. De eerste vier lesuren waren verwisseld, en drama was van het tweede naar het vijfde lesuur verhuisd, vlak voor de enige les die hetzelfde was gebleven: inleiding tot de rijkunst.

'Geweldig,' mompelde ik binnensmonds. 'Dus behalve een ritueel waar ik echt niet blij mee ben, heb ik ook nog een lesuur met Erik als docent om naar uit te zien.' Ik probeerde te voorkomen dat mijn lege maag zich binnenstebuiten zou keren toen ik Aphrodite en Darius naast een coole, zwarte Lexus zag staan. Oké, in feite zag ik Darius en zijn reusachtige gespierde zelf. Aphrodite stond in zijn schaduw en keek met verliefde ogen naar hem op.

'Sorry dat ik jullie zo lang heb laten wachten,' zei ik, terwijl ik achter in de auto ging zitten. Aphrodite, die elegant voorin op de passagiersplaats plaatsnam, zei: 'Geeft niets, hoor. Geen enkel probleem.'

Ik rolde met mijn ogen. Nu was het opeens oké om de boel op te houden? Allemachtig, wat was die meid toch doorzichtig.

'Zeg, Aphrodite,' zei ik poeslief, terwijl Darius soepel het schoolterrein af reed, 'voor ik het vergeet: je moet een aantekening in je agenda zetten voor morgen om middernacht.'

'Wat nu weer?' Ze wierp me een blik toe over haar schouder die duidelijk zei dat ze wenste dat ik in de leren bekleding zou verdwijnen, zodat ze met Darius alleen zou zijn.

'Morgen – middernacht – jij – ik – Damien – de tweeling – grote cirkelwerping en zuiveringsritueel in het bijzijn van de hele school.'

Haar blauwe ogen werden groot en keken me geschrokken aan. 'Dat wordt...' begon ze. Ze klonk ademloos en half hysterisch.

'Leuk!' vulde ik aan voor ze iets kon zeggen als 'een complete ramp'.

'Ik verheug me erop,' zei Darius, met een warme glimlach naar Aphrodite. 'De kracht van jullie cirkel is uniek.'

Ik zag dat Aphrodite zich vermande, zodat toen ze Darius' glimlach beantwoordde, ze als haar normale flirterige (en ietwat krengerige) zelf klonk toen ze zei: 'Nou, "uniek" is absoluut een goede beschrijving.'

'Ik heb nog nooit zo veel met zulke krachtige gaven begunstigde halfwassen gekend,' zei Darius.

'Lieve schat, je hebt geen idee hoe "begaafd" ik ben,' zei ze hees, terwijl ze zich naar hem toe boog en zacht lachte.

Ja, dacht ik. Ik zat bijna tot bloedens toe op de binnenkant van mijn wang te kauwen van de zorgen, terwijl Aphrodite schandelijk en een beetje misselijkmakend met Darius zat te flirten. *Niet alleen hij, maar niemand – op Aphrodite en Stevie Rae na – heeft ook maar een flauw benul van wat er in werkelijkheid allemaal speelt.* Niet dat *wíj* drieën precies wisten wat er aan de hand was, laat staan dat we wisten wat we moesten doen wanneer we een cirkel moesten werpen minus een van de vijf elementen. Ik dacht aan wat er was gebeurd toen Aphrodite had geprobeerd om in haar slaapkamer aarde aan te roepen, en ik wist dat het voor alle toeschouwers overduidelijk zou zijn dat ze niet langer haar affiniteit voor aarde had. En hoe moesten we dat uitleggen?

Damien en de tweeling zouden waarschijnlijk weer pissig op me worden omdat ik alweer iets voor hen verborgen had gehouden. Geweldig.

Wat ik nodig had, was iets spectaculairs tijdens het werpen van de cirkel wat de aandacht zou afleiden, zodat niemand het ontbreken van een affiniteit voor aarde zou opmerken. Oké, nee dus. Wat ik in werkelijkheid nodig had, was vakantie. Of een extra sterke pijnstiller.

Ik rommelde in mijn tas op zoek naar mijn doosje Advil en kon het niet vinden, maar halfwassen hebben weinig tot geen baat bij pijnstillers, dus het zou waarschijnlijk toch niet helpen tegen mijn hoofdpijn. Een spectaculaire afleiding zat er ook niet in, dus het enige wat me te wachten stond, was typisch iets voor mij: meer narigheid en stress en waarschijnlijk een heftige aanval van diarree.

Darius had het gebouw waarin Street Cats huisde snel gevonden. Het was een knus ogend vierkant bakstenen gebouw met grote etalageramen waarachter allerlei kattenspullen te zien waren. Ik nam me voor om voor Nala een kleinigheidje uit hun cadeauwinkel mee te nemen. Mijn kat was al zo'n mopperpot zonder dat ze dacht dat ik haar ontrouw was geweest (lees: dat ik zou ruiken naar een massa andere katten) en ik niet eens iets voor haar had meegebracht.

Darius hield de deur open voor Aphrodite en mij en we liepen het helder verlichte winkeldeel van het gebouw binnen. Ja, we droegen alle drie een zonnebril, maar het licht hinderde nog steeds onze ogen. Ik wierp een vluchtige blik op de onlangs weer menselijk geworden Aphrodite. Ik bedoel dus dat het licht twee van ons hinderde.

'Welkom bij Street Cats. Is dit jullie eerste bezoek?'

Ik keek van Aphrodite naar de...

Non?!

Ik knipperde verbaasd en voelde de neiging opkomen om in mijn ogen te wrijven. De non keek glimlachend naar me op vanaf haar zitplaats achter de toonbank. Ze had levendige, schitterende, donkerbruine ogen in een bleek gezicht dat duidelijk oud, maar verbazingwekkend glad was en dat werd omlijst door een zwart nonnenhoedgeval met een witte rand.

'Jongedame?' moedigde ze me aan, zonder dat haar glimlach verflauwde.

'O, eh, ja. Ik bedoel: ja, mevrouw. Dit is mijn eerste bezoek aan Street Cats,' zei ik, een beetje dommig. Er vloog van alles door mijn hoofd. Wat deed die non hier? Toen zag ik vanuit mijn ooghoek nog een in een zwart gewaad gehulde gedaante voorbijflitsen en drong het tot me door dat er nog meer nonnen in de cadeauwinkel waren. Nonnen? Liep hier misschien een compleet legertje nonnen rond? Zouden ze niet volslagen hysterisch worden als ze erachter kwamen dat halfwas vampiers liefdadigheidswerk wilden doen voor Street Cats?

'Juist. Bij een eerste bezoek worden bezoekers altijd hartelijk welkom geheten. Wat kan Street Cats voor jullie doen?'

'Ik wist niet dat de benedictijner zusters betrokken waren bij Street Cats,' zei Aphrodite tot mijn verbazing.

'Jazeker. We leiden Street Cats inmiddels alweer twee jaar. Katten zijn bijzonder spirituele wezens, vind je niet?'

Aphrodite snoof. 'Spiritueel? Ze werden vroeger afgemaakt vanwege het feit dat ze zich associeerden met heksen en onder één hoedje speelden met de duivel. Wanneer een zwarte kat je pad kruist, geloven de mensen dat dat ongeluk brengt. Is dat wat u met "spiritueel" bedoelt?'

Ik kon Aphrodite wel slaan omdat ze zo oneerbiedig klonk, maar de non bleef de kalmte zelf.

'Zou dat niet zijn omdat katten altijd zo nauw geassocieerd worden met vrouwen? Met name vrouwen die door het grote publiek als wijs worden beschouwd? Dan is het logisch dat in een overwegend door mannen gedomineerde maatschappij een bepaald soort mensen iets onheilspellends in ze ziet.'

Ik voelde dat Aphrodite hier verbaasd van opkeek. 'Ja, dat is precies hoe ik erover denk. Het verbaast me wel dat u dat ook vindt,' zei ze heel eerlijk. Ik zag dat Darius was opgehouden met doen alsof hij gewoon aan het winkelen was en met duidelijke interesse het gesprek volgde.

'Jongedame, het feit dat ik een nonnenkap draag, wil niet zeggen dat ik niet meer kan nadenken of er een eigen mening op na kan houden. En ik kan je verzekeren dat ik heel wat meer aanvaringen met mannelijke overheersing heb gehad dan jij.' Haar glimlach maakte haar woorden minder scherp dan ze hadden kunnen zijn.

'Nonnenkap! Zo heet zo'n geval dus,' hoorde ik mijn domme

mond eruit flappen, en ik voelde mijn wangen branden terwijl ze knalrood werden.

'Ja, zo heet die inderdaad.'

'Neem me niet kwalijk. Ik... ik heb nog nooit een non ontmoet,' zei ik, en toen moest ik nog erger blozen.

'Dat is niet zo verwonderlijk. We zijn echt niet met zovelen. Ik ben zuster Mary Angela, priores van onze kleine kloostergemeenschap en bedrijfsleider van Street Cats.' Ze glimlachte naar Aphrodite. 'Herkende je onze orde omdat je katholiek bent, mijn kind?'

Aphrodite moest lachen. 'Ik ben beslist niet katholiek. Maar ik ben wel de dochter van Charles LaFont.'

Zuster Mary Angela knikte begrijpend. 'Ah, onze burgemeester. Dan ben je natuurlijk bekend met het liefdadigheidswerk van onze orde.' Haar wenkbrauwen gingen omhoog toen het tot haar doordrong wat het nog meer betekende dat Aphrodite de enige dochter van de burgemeester van Tulsa was. 'Je bent een halfwas vampier.'

Ze klonk niet overdreven verontrust, maar ik besloot dat dit misschien een goed moment was om de non te laten weten dat ze Satan op bezoek had. Ik ademde een keer diep in en uit, stak haar mijn hand toe en zei in één adem: 'Ja, Aphrodite is een halfwas en ik ben Zoey Redbird, halfwas vampier en leider van de Duistere Dochters.'

Toen wachtte ik op de uitbarsting, die echter uitbleef.

Zuster Mary Angela nam even de tijd voor ze reageerde. Toen nam ze mijn hand in haar stevige, warme greep. 'Wees gegroet, Zoey Redbird.' Haar blik ging van mij naar Aphrodite en toen naar Darius. Ze trok een van haar grijze wenkbrauwen op en zei: 'Jij lijkt me ietwat volwassen voor een halfwas.'

Hij neigde zijn hoofd in een kleine eerbiedige buiging. 'Heel opmerkzaam van u, priesteres. Ik ben een volwassen vampier, een Zoon van Erebus.'

O, geweldig. Hij had haar 'priesteres' genoemd. Weer wachtte ik op een schrikreactie, die niet kwam.

'Ah, ik begrijp het. Jij bent de begeleider van de halfwassen.' Ze richtte haar aandacht weer op mij. 'Wat betekent dat jullie belangrijke jongedames moeten zijn om met zo veel zorg omringd te worden.'

'Nou, zoals ik al zei: ik ben de leider van de Duistere Dochters en...'

'We zijn belangrijk,' zei Aphrodite, me weer onderbrekend, 'maar dat is niet de enige reden dat Darius ons begeleidt. In de afgelopen paar dagen zijn er twee vampiers gedood en onze hogepriesteres vond het niet goed dat we zonder bescherming van de campus af gingen.'

Ik wierp Aphrodite een 'krijg nou wat'-blik toe. Het was echt niets voor haar om zo loslippig te zijn.

'Zijn er twee vampiers gedood? Ik heb maar van één moord gehoord.'

'Onze poet laureate is drie dagen geleden gedood.' Ik kon zijn naam niet over mijn lippen krijgen.

Zuster Mary Angela leek daar erg van te schrikken. 'Dat is afschuwelijk nieuws. Ik zal hem aan onze gebedslijst toevoegen.'

'Zou u dan bidden voor een vampier?' De vraag glipte zonder dat ik er erg in had mijn mond uit en ik voelde mijn wangen weer warm worden.

'Maar natuurlijk, en mijn zusters ook.'

'Neem me niet kwalijk. Dit is niet onbeleefd bedoeld, maar vindt u dan niet dat alle vampiers tot de hel gedoemd zijn omdat we een godin vereren?' vroeg ik.

'Mijn kind, wat ik geloof is dat jullie Nux gewoon een andere incarnatie is van onze Heilige Moeder Maria. Ook geloof ik oprecht in Matteus 7:1: "Oordeel niet, opdat er niet over u geoordeeld wordt."'

'Jammer dat de People of Faith niet geloven zoals u,' zei ik.

'Sommigen doen dat wel, mijn kind. Probeer om ze niet allemaal over één kam te scheren. Vergeet niet dat het "oordeel niet" wederkerig is. Nu dan: wat kan Street Cats voor het Huis van de Nacht doen?'

Mijn geest had nog steeds moeite met het bevatten van het feit dat deze non totaal geen probleem had met vampiers, maar ik schudde mezelf mentaal door elkaar en kreeg mezelf voldoende in de hand om te zeggen: 'Als leider van de Duistere Dochters leek het me een goed idee als we ons zouden inzetten voor een plaatselijke liefdadigheidsorganisatie.'

Zuster Mary Angela's warme glimlach was terug. 'En natuurlijk dacht je daarbij aan kattenopvang.'

Ik beantwoordde haar glimlach. 'Ja! Eerlijk gezegd ben ik nog niet echt lang gemerkt en ik vind het raar dat, terwijl de school pal in het centrum van Tulsa staat, we zo van de stad geïsoleerd zijn. Dat voelt gewoon niet juist.' Ze was echt makkelijk om mee te praten en ik kon vrijuit spreken. 'Daarom ben ik...' Ik zag vanuit mijn ooghoek dat Aphrodite fronste en verbeterde mezelf haastig: 'Daarom zijn we hier. Het leek ons wel cool om te helpen met de katten en ook om geld in te zamelen voor Street Cats. We zouden bijvoorbeeld een vlooienmarkt kunnen sponsoren en het geld dat we daarmee verdienen aan u geven.'

'We hebben altijd geld en ervaren vrijwilligers nodig. Heb jij een kat, Zoey?'

Mijn glimlach verbreedde zich. 'In wezen heeft Nala mij, en dat zou zij u ook vertellen als ze hier was.'

'Je hebt dus inderdaad een kat,' zei ze. 'En jij, krijger?'

'Nefertiti, de mooiste lapjeskat ter wereld, heeft mij zes korte jaren geleden als de hare uitgekozen,' zei Darius.

'En jij?'

Aphrodite leek zenuwachtig te worden en ik besefte opeens dat ik haar nog nooit met een kat had gezien.

'Nee. Ik heb geen kat,' zei Aphrodite. Toen we haar alle drie aankeken, haalde ze ongemakkelijk haar schouders op. 'Ik weet niet waarom, maar geen enkele kat heeft mij uitgekozen.'

'Hou je niet van katten?' vroeg de non.

'Jawel hoor, geloof ik. Ze schijnen mij gewoon niet aardig te vinden,' zei Aphrodite.

'Huh,' zei ik met net iets te veel onderdrukt plezier, en Aphrodite keek me nijdig aan.

'Dat maakt niets uit, hoor,' zei zuster Mary Angela. 'We kunnen bereidwillige handen altijd aan het werk zetten.'

Jeetje, die non meende het serieus toen ze zei dat ze ons aan het werk zou zetten. Toen ik zei dat we een paar uur de tijd hadden voor we naar school terug moesten, liet ze de zweep knallen. Aphrodite sloot zich automatisch bij Darius aan en genoot duidelijk van haar rol in het 'houd de krijger bezig zodat Zoey met Stevie Rae (die nog niet was komen opdagen) kan praten'-plan. Zuster Mary Angela stuurde hen naar de kattenruimte om kattenbakken schoon te maken en de katten te borstelen met de twee nonnen die daar al druk mee bezig waren: zuster Bianca en zuster Fatima, die zuster Mary Angela heel zakelijk aan ons drieën had voorgesteld, alsof het de normaalste zaak van de wereld was dat halfwassen en vampiers (met gecamoufleerde merktekens) zich meldden voor vrijwilligerswerk in de gemeenschap. Ik ben bepaald niet traag van begrip, dus was ik tegen die tijd opgehouden met wachten op een hysterische reactie, en ik begon te beseffen dat deze godvruchtige vrouwen een totaal ander soort 'godvruchtig' waren dan mijn vreselijke stiefloser en zijn People of Faith-sycofanten. (Ja, met dank aan Damien voor de uitbreiding van mijn vocabulaire.)

Helaas stuurde zuster Mary Angela mij naar de voorraadhel. De nonnen hadden blijkbaar zojuist een zending kattenspeeltjes ontvangen – een enorme zending: een reusachtige doos met ruim tweehonderd bevederde, muisachtige kattenspeeltjes – en zuster Mary Angela droeg me op om elk afzonderlijk (en ergerlijk grappig) kattenfrutsel in het computersysteem in te voeren. O, en ze leerde me ook nog snel hoe hun nieuwerwetse (zo noemde de non die) computerkassa werkte en toen zei ze streng: 'We blijven vanavond lang open en jij bent verantwoordelijk voor de winkel.' Daarna verdween ze in het kantoor naast de verkoopruimte, die tegenover de ruimte lag waar de katten wachtten om geadopteerd te worden.

Oké, ze liet de winkel in wezen niet echt aan mij over. Ik kon zuster Mary Angela zien door het grote raam dat bijna de hele muur aan die kant van de ruimte besloeg, wat betekende dat zij mij ook kon zien. Ja, ze was druk aan het werk met telefoneren en andere belangrijk ogende dingen, maar ik voelde dikwijls haar blik op me rusten.

Toch moet ik toegeven dat ik het cool vond dat zuster Mary Angela – een vrouw die zogenaamd met God was getrouwd – ons zo makkelijk accepteerde. Ik vroeg me onwillekeurig af of ik misschien toch altijd alle religieuze mensen (behalve Nux' religieuze volgelingen) over één kam had geschoren. Ik geef het niet graag toe als ik het mis heb, vooral sinds ik dat de laatste tijd erg vaak lijk te moeten doen, maar deze vrouwen met hun nonnenkap hadden me beslist stof tot nadenken gegeven.

Ik was dus met mijn gedachten bij veel dieper religieus gedoe dan voor mij normaal was en stond letterlijk tot aan mijn ellebogen in kattenspeeltjes toen de deur vrolijk klingelde en Stevie Rae binnenkwam.

We lachten naar elkaar. Ik kan niet onder woorden brengen hoe verbijsterend het is om te zien dat mijn beste vriendin niet dood is. Zelfs niet ondood. Ze leek weer helemaal op mijn Stevie Rae met haar korte blonde krullen, haar kuiltjes en haar vertrouwde Roper-spijkerbroek met haar doorknoopshirt daar (triest genoeg) in gestopt. Ja, ik ben dol op die meid. Nee, ze heeft beslist geen modegevoel. En néé, ik zou niet toestaan dat Aphrodite als haar gebruikelijke krengerige zelf me aan het twijfelen bracht aan mijn beste vriendin voor altijd.

'Z! Lieve hemel, wat heb ik jou gemist! Zeg, heb je het nieuws gehoord?' zei ze in één adem met haar aanbiddelijke boerse accent.

'Nieuws?'

'Ja, over de...'

Maar ze werd onderbroken door een scherpe tik op het raam van zuster Mary Angela's kantoor. De zilveren wenkbrauwen van de non gingen vragend omhoog. Ik wees naar Stevie Rae en vormde met mijn lippen de woorden 'mijn vriendin'. De non tekende met haar vinger een denkbeeldige maansikkel midden op haar voorhoofd en wees toen naar Stevie Rae (die met haar mond onaantrekkelijk open naar zuster Mary Angela staarde). Ik knikte heftig. De priores gaf me een haastig knikje, begroette Stevie Rae met een glimlach en een wuivend handgebaar en ging weer verder met haar telefoontjes.

'Zoey!' fluisterde Stevie Rae. 'Dat is een non.'

'Ja,' zei ik op normale toon. 'Dat weet ik. Zuster Mary Angela runt Street Cats. Er zijn in de kattenruimte nog twee nonnen met Aphrodite en de Zoon van Erebus, die ze bezighoudt met werkelijk weerzinwekkend geflirt.'

'Jegh! Aphrodite en haar geflirt, walgelijk gewoon. Maar belangrijker nog: nonnen?' Stevie Rae knipperde verward met haar ogen. 'En ze weten dat we halfwassen zijn en zo?'

Ik vermoedde dat ze met dat 'en zo' op zichzelf doelde, dus knikte ik. (Ik was echt niet van plan om de nonnen te vertellen over rode vampiers.) 'Ja. Klaarblijkelijk accepteren ze ons omdat ze Nux zien als gewoon een andere vorm van de Maagd Maria. Bovendien schijnt het zo te zijn dat nonnen niet over anderen oordelen.'

'Nou, dat "niet oordelen"-gedoe bevalt me wel, maar Nux en de Maagd Maria? Lieve hemel, dat is het bizarste wat ik in lange tijd heb gehoord.'

'Wat het waarschijnlijk wel heel erg bizar maakt, aangezien ik me kan voorstellen dat je heel wat bizarre dingen hebt gehoord terwijl je dood was en toen ondood,' zei ik.

Stevie Rae knikte ernstig en zei: 'Zo bizar dat mijn vader zou zeggen dat het een boer van zijn mestkar zou laten vallen.'

Ik schudde lachend mijn hoofd en sloeg mijn armen om haar heen. 'Stevie Rae, malle meid, ik heb je gemist!'

16

Onze omhelzing werd afgebroken door een ergerlijke stortvloed van Aphrodite-giechellachjes die vanuit de kattenruimte op ons af golfden. Stevie Rae en ik rolden allebei met onze ogen.

'Wat zei je ook alweer dat ze daar deed en met wie?'

Ik slaakte een zucht. 'We mochten niet zonder begeleiding van de Zonen van Erebus van de campus af, dus een krijger die Darius heet...'

'Hij moet wel een spetter zijn als Aphrodite zich zo voor hem uitslooft.'

'Ja, hij is echt een spetter. Hoe dan ook, Darius bood aan om Aphrodite en mij te begeleiden. Zij zei dat ze hem bezig zou houden zodat wij konden praten.'

'Daar zal ze wel erg onder lijden,' zei Stevie Rae sarcastisch.

'Alsjeblieft. We weten allemaal dat ze nogal sletterig is,' zei ik.

'"Nogal"?'

'Ik probeer aardig te zijn,' zei ik.

'O, juist. Oké. Ik ook. Ze houdt dus die spetter van een krijger bezig zodat jij en ik kunnen praten.'

'Ja, en...'

Nog twee tikken op het raam deden Stevie Rae en mij opkijken naar zuster Mary Angela, die zei, zo luid dat we haar door het glas heen konden horen: 'Minder praten en meer werken!'

Stevie Rae en ik knikten heftig, alsof we bang voor haar waren. (Eh, wie is er niet bang voor nonnen?)

'Als jij nou al die kleine grijze muisjes met roze stippen die met kattenkruid zijn gevuld uit de doos haalt en aan mij geeft, dan klik ik ze het voorraadsysteem in,' zei ik, terwijl ik het vreemde, op een pistool lijkende apparaat omhooghield dat de non me had leren gebruiken. 'Dan praten we terwijl ik kattenspeeltjes tel.'

'Okidoki.' Stevie Rae rommelde in de grote bruine UPS-doos.

'Wat zei je daarnet over iets wat je op het nieuws had gezien?' vroeg ik, terwijl ik de muizen die ze me aangaf het systeem in klikte alsof ik een schutter was aan een van die automaten die vroeger in speelhallen stonden.

'O ja! Je gelooft je oren niet! Kenny Chesney geeft een concert in de nieuwe BOK Arena!'

Ik keek haar aan. En ik bleef haar aankijken. Zonder iets te zeggen.

'Wat nou? Je weet toch dat ik dol ben op Kenny Chesney.'

'Stevie Rae,' wist ik eindelijk uit te brengen. 'Met al die rottigheid die speelt begrijp ik niet hoe je de tijd kunt vinden om je druk te maken over een countrymuziekmalloot.'

'Dat neem je terug, Z. Hij is geen malloot.'

'Best. Ik neem het terug. Jij bent de malloot.'

'Best,' zei ze. 'Maar wanneer ik heb uitgevist hoe ik in de tunnels toegang tot internet kan krijgen zodat ik online kaartjes kan bestellen, hoef je me niet te vragen om er ook een voor jou te bestellen.'

Ik schudde mijn hoofd. 'Computers? In de tunnels?'

'Nonnen? Bij Street Cats?' kaatste ze terug.

Ik ademde een keer diep in en uit. 'Oké, ik snap wat je bedoelt. Alles is tegenwoordig bizar. Laten we opnieuw beginnen. Hoe gaat het met je? Ik heb je gemist.'

Stevie Raes frons werd onmiddellijk vervangen door haar glimlach, die kuiltjes in haar wangen toverde. 'Met mij gaat het heel goed. En met jou? O, en ik heb jou ook vreselijk gemist.'

'Ik ben de laatste tijd erg in de war en gestrest,' zei ik. 'Geef me nu maar die paarse speeltjes met veertjes. Volgens mij hebben we de grijs-met-roze muizen allemaal gehad.'

'Nou, ik zie een massa paarse veren, dus we zijn nog wel even zoet.' Ze gaf me het eerste van de lange, rare speeltjes. (Ik ging echt niet zo'n ding voor Nala kopen. Ze zou waarschijnlijk een hoge rug opzetten en opzwellen als een grote kogelvis als ze het zag.) 'Hoezo was je verward en gestrest? Het normale gedoe of nieuwe-en-verbeterde stressmaterie?'

'Nieuw en verbeterd, natuurlijk.' Ik keek Stevie Rae aan en zei met gedempte stem: 'Vannacht is een halfwas die Stark heette in mijn armen gestorven.' Ik wachtte even toen Stevie Rae in elkaar kromp alsof wat ik zojuist had gezegd haar lichamelijk had gekwetst. Maar ik moest verder gaan. 'Heb je enig idee of hij terugkomt?'

Stevie Rae gaf niet meteen antwoord en ik gaf haar de tijd haar gedachten te ordenen terwijl ze me kattenspeeltjes aanreikte. Eindelijk keek ze op. 'Ik wou dat ik je kon vertellen dat hij terug zou komen, dat alles goed met hem komt. Maar ik weet het gewoon niet.'

'Hoe lang duurt het voor je dat weet?'

Ze schudde haar hoofd en zag er nu echt gefrustreerd uit. 'Dat weet ik niet! Dat kan ik me niet herinneren. In die tijd betekenden dagen niets voor me.'

'Wat kun je je wel herinneren?' vroeg ik zacht.

'Ik weet nog dat ik wakker werd en honger had, verschrikkelijke honger, Zoey. Het was afschuwelijk. Ik moest bloed hebben. Zij was er en ze gaf het me.' Stevie Rae trok een scheef gezicht toen ze daaraan dacht. 'Van haar. Het eerste wat ik deed toen ik wakker werd, was haar bloed drinken.'

'Neferet?' Ik fluisterde de naam.

Stevie Rae knikte.

'Waar was je?'

'In die afschuwelijke lijkenkamer. Je weet wel, naast de school bij de zuidmuur en de pijnbomen die daar staan. Waar die crematieoven is.'

Ik huiverde. Ik wist van het bestaan van de crematieoven. Alle halfwassen wisten dat. Daar was Stevie Raes lichaam dus naartoe gebracht.

'Wat gebeurde er toen? Ik bedoel, nadat je je had gevoed?'

'Ze bracht me naar de tunnels en de andere halfwassen. Ze kwam dikwijls bij ons langs. Soms bracht ze zelfs daklozen mee met wie we ons konden voeden.' Stevie Rae wendde haar blik af, maar niet voordat ik de pijn en het schuldgevoel in haar ogen zag. Ze was zo'n lieve meid, zo'n goeierd, dat het afschuwelijk voor haar moest zijn om terug te denken aan hoe het was geweest toen ze haar menselijkheid kwijtraakte. 'Het is niet makkelijk om eraan terug te denken, Zoey. En het is nog moeilijker om erover te praten.'

'Dat weet ik. Het spijt me, maar het is belangrijk. Ik moet weten wat er gaat gebeuren als Stark terugkomt.'

Stevie Rae keek me recht in de ogen en opeens was haar stem die van een vreemde. 'Ik weet niet wat er gaat gebeuren. Soms weet ik niet eens wat er met mij gebeurt.'

'Maar je bent nu anders. Je bent Veranderd.'

Haar gezicht vertrok en ik zag woede in haar ogen. 'Ja, ik ben Veranderd, maar het ligt niet zo simpel als wat er met gewone vampiers gebeurt. Ik moet voor mijn menselijkheid kiezen en soms is die keus niet zo zwart-wit als je zou denken.' Haar blik verscherpte. 'Zei je dat de dode halfwas Stark heette? Ik herinner me niemand met die naam.'

'Hij was nieuw. Hij was juist overgeplaatst van het Huis van de Nacht in Chicago.'

'Hoe was hij voor hij stierf?'

'Stark was oké,' zei ik automatisch, en toen zweeg ik. Het drong opeens tot me door dat ik niet echt had geweten hoe hij was, en voor het eerst vroeg ik me af of het feit dat ik me zo tot hem aangetrokken had gevoeld mogelijk het beeld vertroebelde dat ik van hem had. Hij had bekend dat hij zijn mentor had gedood. Hoe kon ik dat zo makkelijk over het hoofd hebben gezien?

'Zoey? Wat is er?'

'Ik begon hem aardig te vinden. Echt heel aardig, maar ik kende hem niet echt goed,' zei ik. Ik voelde plotseling een aarzeling opkomen om Stevie Rae alles over Stark te vertellen.

Haar gezichtsuitdrukking verzachtte en ze leek weer op mijn beste vriendin voor altijd. 'Als je om hem geeft, dan zul je naar het lijkenhuis moeten gaan om hem daar weg te halen. Hou hem een paar dagen in de gaten om te zien of hij terugkomt. Als dat gebeurt, zal hij honger hebben en zal hij waarschijnlijk een beetje maf zijn. Je zult hem moeten voeden, Zoey.'

Ik haalde een trillende hand over mijn voorhoofd om mijn haar uit mijn gezicht te strijken. 'Oké... oké.... Ik bedenk wel iets. Ik moet gewoon iets bedenken.'

'Als hij wakker wordt, breng hem dan bij mij. Hij kan bij ons blijven,' zei Stevie Rae.

'Oké,' zei ik nog eens. Ik voelde me volslagen overweldigd. 'Er gebeuren zo veel bizarre dingen in het Huis van de Nacht. Het is heel anders dan vroeger.'

'Hoe anders? Vertel op; misschien kan ik je helpen erachter te komen wat er aan de hand is.'

'Nou, in de eerste plaats is Shekinah plotseling in het Huis van de Nacht opgedoken.'

'Die naam komt me bekend voor. Alsof ze een belangrijk iemand is of zo.'

'Dat kun je wel zeggen: ze is de leider van alle vampierhogepriesteressen. En ze heeft in het bijzijn van het bestuur Neferet min of meer op haar nummer gezet.'

'Verdikkeme, dat zou ik graag hebben gezien.'

'Ja, het was geweldig, maar tegelijkertijd best wel eng. Ik bedoel, als Shekinah genoeg macht heeft om Neferet de oren te wassen, nou ja, dat is gewoonweg angstaanjagend.'

Stevie Rae knikte. 'Wat zei Shekinah precies?'

'Je weet dat Neferet een barricade om de school had opgetrokken, de vakantie had beëindigd en iedereen had teruggeroepen.'

'Ja.' Stevie Rae knikte weer.

'Shekinah heeft de barricade opgeheven.' Ik boog me dichter naar Stevie Rae toe en dempte mijn stem nog verder voor ik verderging. 'En ze heeft de oorlog afgelast.'

'Ooo! Dat zal Neferet behoorlijk pissig hebben gemaakt,' fluisterde Stevie Rae terug.

'En hoe. Shekinah lijkt oké, tenminste, voor zover ik dat nu kan bekijken. Maar begrijp je wat ik bedoel als ik zeg dat ze angstaanjagend machtig is?'

'Ja, maar het betekent misschien ook dat jij iemand aan jouw kant hebt die meer in de melk te brokkelen heeft dan Neferet. Ze heeft per slot van rekening de oorlog tegengehouden, wat een goed iets is.'

'Dat wel, maar Shekinah wil ook een groot zuiveringsritueel voor de hele school laten houden en ik moet dat ritueel houden. Ik en mijn groepje superbegiftigde halfwassen. Je weet wel: de tweeling als water en vuur, Damien, Mr. Lucht zelf, en om het af te ronden Aphrodite om aarde te vertegenwoordigen.'

'Oeps,' zei Stevie Rae. 'Eh, Z, heeft Aphrodite nog enige affiniteit voor aarde?'

'Nul komma nul,' zei ik.

'Kan ze doen alsof?'

'Totaal niet.'

'Heeft ze dat geprobeerd?'

'Ja. De groene kaars verzet zich tegen haar en vliegt uit haar hand. Ze is niet gewoon minus aarde, ze is minus aarde in het kwadraat.'

'Dat is een probleem,' gaf Stevie Rae toe.

'Ja. Dat is een probleem waar Neferet naar alle waarschijnlijk op de een of andere manier een draai aan zal geven zodat het lijkt alsof het is gebeurd omdat er met mij iets mis is. Of erger nog, met Aphrodite, Damien en de tweeling.'

'Verdikkeme, dat is goed waardeloos. Kon ik je maar helpen.' Toen zei ze opgewonden: 'Hé! Misschien kan ik dat wel! Als ik nu eens het ritueel binnenglip en me achter Aphrodite verstop? Ik durf te wedden dat als je je op mij concentreert terwijl je aarde oproept en ik me tegelijkertijd op aarde concentreer, dat de kaars ontvlamt en alles op het oog normaal lijkt.'

Ik opende mijn mond om te zeggen 'Nee, maar bedankt voor het aanbod', omdat de kans veel te groot was dat ze betrapt zou worden en dat iedereen dan van haar bestaan op de hoogte zou zijn. Maar toen deed ik mijn mond weer dicht. Zou het eigenlijk wel zo vreselijk zijn als dat zou gebeuren? Niet betrapt worden terwijl ze stiekem deelnam aan een ritueel, natuurlijk, maar stel dat ze zich gewoon bekend zou maken? Het warme, vertrouwde gevoel in mijn binnenste vertelde me dat ik misschien eindelijk (voor de verandering) weer eens op het juiste spoor zat.

'Zoiets zou misschien inderdaad kunnen werken.'

'Meen je dat? Wil je me verstoppen? Okidoki, zeg maar waar en wanneer.'

'En als we je nu eens niet verbergen? Als we je in plaats daarvan nu eens uit de kast halen?'

'Zoey, ik ben echt dol op Damien, maar ik ben beslist geen lesbo. Ik bedoel, ik heb al heel lang geen echt vriendje gehad, maar ik krijg het nog steeds warm als ik aan Drew Partain denk. Weet je nog hoe aardig hij me vond voor ik doodging en raar werd?'

'Oké, ten eerste: ja. Ik weet nog dat Drew je leuk vond. Ten tweede: je bent niet meer dood en raar, dus zou hij je waarschijnlijk nog steeds leuk vinden, dat wil zeggen als hij zou weten dat je nog leefde. Wat me bij mijn derde punt brengt. Toen ik zei dat we je uit de kast konden halen bedoelde ik niet als lesbo. Ik bedoelde als jezélf.' Ik gebaarde met een zwaai van mijn hand naar de ingekleurde rode tatoeages op haar gezicht, die ze zorgvuldig had gecamoufleerd alvorens zich in het openbaar te vertonen.

Stevie Rae staarde me geruime tijd geschokt aan. Toen ze eindelijk sprak, klonk haar stem gesmoord. 'Maar ze mogen niets over me weten.'

'Waarom niet?' vroeg ik rustig.

'Omdat ze dan ook achter het bestaan van de anderen komen.'

'Nou en?'

'Dat zou niet goed zijn,' zei ze.

'Waarom niet?'

'Zoey, zoals ik al eerder heb gezegd: het zijn geen normale halfwassen.'

'Stevie Rae, wat maakt dat nou uit?'

Ze knipperde met haar ogen naar me. 'Je begrijpt het niet. Ze zijn niet normaal en ik ben niet normaal.'

Ik bleef een hele tijd naar haar kijken terwijl ik nadacht over wat ik wist: dat Stevie Rae haar menselijkheid had teruggekregen, en wat ik min of meer vermoedde maar niet wilde toegeven, dat ze dan wel haar menselijkheid terug had, maar toch nog duistere plekken in zich had die ik niet begreep.

Ik wist dat ik een besluit moest nemen. Óf ik vertrouwde haar, óf ik vertrouwde haar niet. En als puntje bij paaltje kwam, was dat een erg makkelijke beslissing.

'Ik weet dat je niet helemaal dezelfde bent als vroeger, maar ik vertrouw je. Ik geloof in je menselijkheid en dat zal ik altijd blijven doen.'

Stevie Rae zag eruit alsof ze moest huilen. 'Weet je dat zeker?'

'Heel zeker.'

Ze ademde een keer diep in en uit. 'Oké, vertel dan maar hoe je plan eruitziet.'

'Nou, ik heb het nog niet goed doordacht, maar volgens mij zouden de vampiers en halfwassen moeten weten van het bestaan van jou en de anderen, vooral nu er weer een halfwas is gestorven. We weten niet alles over jou wat we zouden willen weten, maar we zijn er tamelijk zeker van dat Neferet jullie op de een of andere manier heeft geschapen, of op zijn minst een bizarre deur heeft geopend opdat jullie geschapen konden worden. Mee eens?'

'Ik geloof van wel. Eerlijk gezegd ben ik nog steeds bang dat ze controle heeft over de halfwassen of dat ze door haar beïnvloed kunnen worden, hoewel ze nu anders zijn en ze ons de laatste tijd met rust heeft gelaten.'

'Is het dan niet logisch dat het beter zou zijn als Neferet niet de enige volwassen vampier is die van jullie bestaan op de hoogte is? Vooral als ze jullie misschien nog steeds naar haar hand kan zetten? Vooral nu er mogelijk een nieuwe rode halfwas op het punt staat om wakker te worden?' En toen viel me nog iets in. 'Stark had een bijzondere gave. Hij miste nooit als hij met zijn pijl-en-boog ergens op richtte. Ik bedoel echt nóóit.'

'Hem zou ze beslist willen gebruiken,' zei Stevie Rae. 'Het staat vast dat ze vóór mijn Verandering de andere halfwassen gebruikte of dat op zijn minst probeerde.' Ze haalde verontschuldigend haar schouders op. 'Ik vind het echt vervelend dat ik me helemaal niets kan herinneren van wat er gebeurde voordat ik Veranderde, en de andere halfwassen zeggen dat dat bij hen net zo is. Ik kan alleen maar gissen naar het meeste ervan.'

'Nou, uit het kleine beetje dat ik heb gezien is me wel duidelijk geworden dat Neferet niets goeds in de zin had.'

'Dat zal geen schok zijn geweest, Z,' zei ze.

'Dat klopt. Maar dat brengt ons weer terug bij het punt dat de andere vampiers zouden moeten weten dat jullie bestaan. Als jullie in de openbaarheid zijn, spreekt het vanzelf dat het voor Neferet veel moeilijker zou zijn om jullie te gebruiken voor haar persoonlijke, bizarre, duivelse wereldveroveringsplan.'

'Heeft ze dan zo'n plan?'

'Weet ik veel. Al klinkt het wel als iets wat ze zou kunnen hebben.'

'Dat is waar,' zei Stevie Rae.

'Dus? Wat denk je ervan?'

Ze gaf niet meteen antwoord en ik hield mijn mond en liet haar nadenken. Dit was niet niks. Voor zover wij wisten, waren Stevie Rae en de rode halfwassen iets wat nooit eerder had bestaan. Als Stark niet doodging, als hij als een rode halfwas wakker werd, zou Stevie Rae de eerste van een nieuw soort vampier zijn, en de eerste van iets zijn was een enorme verantwoordelijkheid. Daar wist ik toevallig alles van.

'Je zou wel eens gelijk kunnen hebben,' zei ze eindelijk, op nauwelijks meer dan een fluistertoon. 'Maar ik ben bang. Stel dat de normale vampiers ons freaks vinden?'

'Jullie zijn géén freaks,' zei ik, met veel meer overtuiging dan ik voelde. 'Ik zal ervoor zorgen dat jou en de anderen niets overkomt.'

'Beloof je dat?'

'Dat beloof ik. Bovendien is de timing perfect. Shekinah is machtiger dan Neferet, en er loopt een compleet leger Zonen van Erebuskrijgers in de school rond.'

'Wat heb ik daaraan?'

'Als Neferet haar verstand verliest, kunnen zij haar de baas.'

'Zoey, ik wil niet dat je dit als een excuus gebruikt om het openlijk tegen Neferet op te nemen,' zei Stevie Rae, die plotseling wat wit om de neus zag.

Ik schrok van haar woorden. 'Dat doe ik niet!' zei ik veel te luid, en toen dempte ik mijn stem. 'Ik zou jou nooit op die manier gebruiken.'

'Ik bedoel niet dat je dit doelbewust hebt beraamd om Neferet te pakken te nemen. Ik bedoel alleen maar dat het me niet verstandig lijkt als jij of wie dan ook van ons publiekelijk stelling tegen haar neemt, en volgens mij maakt het eigenlijk niet uit dat de Zonen van Erebus en Shekinah hier zijn. Er is meer met Neferet aan de hand dan haar normale krankzinnigheid. Dat weet ik diep vanbinnen. Ik kan me niet herinneren wat ik weet, maar ze is gevaarlijk. Echt levensgevaarlijk. Er is iets fundamenteels in haar veranderd, en die verandering is geen goed iets.'

'Ik wou maar dat je je kon herinneren wat er met je is gebeurd.'

Stevie Rae trok een scheef gezicht. 'Ik soms ook. En andere keren ben ik echt verschrikkelijk blij dat dat niet zo is. Wat er met me is gebeurd was niet goed, Zoey.'

'Dat weet ik,' zei ik ernstig.

We telden een poosje zwijgend kattenspeeltjes, allebei verloren in gedachten over dood en duisternis. Ik moest onwillekeurig denken aan hoe afschuwelijk het was geweest toen Stevie Rae in mijn armen was gestorven, en wat een nachtmerrie de nasleep daarvan was geweest toen ze ondood was en zich verzette tegen het volledig verliezen van haar menselijkheid. Ik keek naar haar en zag dat ze zenuwachtig op haar lip kauwde terwijl ze in de doos rommelde op zoek naar nog meer speeltjes met paarse veertjes. Ze zag er bang en jong uit, en ondanks haar nieuwe krachten en verantwoordelijkheid, veel te kwetsbaar.

'Hé,' zei ik zacht. 'Het komt allemaal goed. Dat beloof ik. Nux moet hier iets mee te maken hebben.'

'Wat betekent dat de godin aan onze kant staat?'

'Precies. Dus morgen om middernacht houden we het zuiveringsritueel bij de oostmuur.' Ik hoefde er niet aan toe te voegen dat het niet alleen een plek van kracht was, maar ook een plek des doods. 'Denk je dat je de campus op kunt komen en je ergens in de buurt kunt verstoppen tot ik aarde naar de cirkel roep?'

'Ja,' zei ze aarzelend. Ze was het duidelijk nog niet voor de volle honderd procent met me eens. 'Als ik besluit om te komen, vind je dan dat ik de andere halfwassen ook moet meebrengen?'

'Die beslissing is aan jou. Als jij het gevoel hebt dat je dat moet doen, dan vind ik het best.'

'Daar moet ik even over nadenken. Ik zal met hen moeten overleggen.'

'Oké, geen probleem. Ik vertrouw op je oordeelskracht bij het nemen van het besluit om wel of niet te komen en wel of niet de halfwassen mee te brengen.'

Ze keek me lachend aan. 'Het is echt fijn om je dat te horen zeggen, Z.'

'En ik meen het echt.' Toen – omdat ze dan wel naar me had gelachen maar er toch nog zorgelijk uitzag en duidelijk in tweestrijd stond over wat ze moest doen – veranderde ik even van onderwerp terwijl zij daarover nadacht. 'Zeg, wil je misschien meer weten over mijn nieuwe en verbeterde stresstoestanden?'

'Zeker weten.'

'Zodra we hier klaar zijn, moet ik weer naar school, en hoewel mijn rooster dit semester is omgegooid, moet ik vandaag toch nog naar drama. En weet je wie de docent is? De immens populaire, mij uit de grond van zijn hart hatende, kersverse professor in het Huis van de Nacht: Erik Night.'

'Nee toch?' zei Stevie Rae.

'Jawel, en ik verwacht niet echt een hoog cijfer.'

'Ach, misschien kun je die les slapend af,' zei ze, met een ondeugende grijns.

'Hou op! Ik heb seks afgezworen. Finaal. Ik heb mijn lesje geleerd. Bovendien vind ik het echt gemeen van je om te suggereren dat ik bereid zou zijn om met hem te slapen voor een hoog cijfer.'

'Nee, Z. Ik bedoelde niet dat Erik je een hoog cijfer zou geven als je met hem naar bed ging. Ik bedoelde gewoon dat je je niet zo druk moet maken.'

'Huh?' zei ik gepikeerd.

Ze slaakte een zucht. 'Gossie, Zoey. Je bent echt één bonk stress.'

'Nou fijn, bedankt.'

'Word nou niet kwaad.' Ze gooide een gevederd kattenspeeltje naar me toe. 'Ik zat je maar een beetje te pesten.'

Ik keek haar nog steeds fronsend aan toen haar mobieltje overging. Stevie Rae keek naar het nummer en slaakte een zucht. Ze wierp een snelle blik op zuster Mary Angela, wier hoofd verborgen was achter haar computerscherm, en nam op. 'Hoi, Venus, wat is er?' Ze klonk overdreven opgewekt. Ze zweeg even terwijl ze luisterde en haar opgewektheid verflauwde. 'Nee! Ik heb je gezegd dat ik niet lang weg zou blijven en dat we daarna allemaal wat zouden eten.' Na een korte stilte zei ze fronsend, terwijl ze zich van me afwendde en haar stem dempte: 'Nee! Ik zei dat we "íets" en niet "íemand" te eten zouden halen. Gedragen jullie je alsjeblieft. Ik kom er zo aan. Dag, hoor.'

Toen Stevie Rae zich weer naar me omdraaide, had ze een neplach op haar bezorgde gezicht geplakt. 'Waar hadden we het ook alweer over?'

'Stevie Rae, vertel me alsjeblieft dat die halfwassen geen mensen eten.'

17

'Natuurlijk eten ze geen mensen!' Stevie Rae legde een gepaste hoeveelheid geschoktheid in haar stem, zo veel dat we zuster Mary Angela's nonnenkap achter haar computerscherm vandaan zagen komen en de vrouw fronsend naar ons keek.

We wuifden en glimlachten en hielden kattenspeeltjes omhoog. Ze bleef ons geruime tijd fronsend aankijken, maar toen verzachtte haar gezicht door haar warme glimlach en richtte ze haar aandacht weer op het computerscherm.

'Stevie Rae, hoe zit het nou eigenlijk precies met die halfwassen?' fluisterde ik, terwijl ik meer paars gevederde wanproducten de voorraad in klikte.

Ze haalde veel te onverschillig haar schouders op. 'Ze hebben gewoon honger. Meer niet. Je weet hoe jongelui zijn; ze hebben altijd honger.'

'En hoe komen ze aan eten?'

'Meestal van pizzabezorgers,' zei ze.

'Eten ze pizzabezorgers?' fluisterde ik paniekerig.

'Nee! We bestellen ze met een mobieltje en geven het adres door van een van de gebouwen in de buurt van de remise en de ingang tot onze tunnels. We zeggen meestal dat we bij het Performing Arts Center moeten overwerken of dat we in de Tribune Lofts wonen, en dan wachten we op de pizzabezorger.' Ze aarzelde.

'En dan?' moedigde ik haar ongeduldig aan.

'En dan onderscheppen we de bezorger als hij het gebouw binnen wil gaan en pakken we de pizza's, en dan zorg ik ervoor dat hij vergeet dat hij ons heeft gezien en dan gaat hij gewoon weg en eten wij de pizza's op, niet de bezorger,' zei ze in één ademteug.

'Stelen jullie pizza's?'

'Nou, ja, maar dat is beter dan de bezorgers opeten, toch?'

'Eh, ja,' zei ik, rollend met mijn ogen naar haar. 'En jullie stelen ook bloed van de bloedbank in het centrum?'

'Ook hier geldt dat het beter is dan de bezorgers opeten,' zei ze.

'Kijk, des te meer reden om jullie in de openbaarheid te brengen.'

'Omdat we pizza's en bloed stelen? Moeten we dat echt aan de vampiers vertellen? Ik bedoel, volgens mij zullen we genoeg problemen hebben om aan te pakken zonder die onbenullige overtredingen ter sprake te brengen.'

'Nee, niet omdat jullie stelen, maar omdat jullie geen geld hebben of wat voor manier ook om op een wettelijk toegestane manier voor jezelf te zorgen,' zei ik met de nadruk op 'wettelijk toegestane manier'.

'Ik wou maar dat Aphrodite met me mee zou gaan. Zij heeft bergen geld en een massa creditcards,' mompelde Stevie Rae.

'Dan zou je haar voor lief moeten nemen,' zei ik.

Stevie Rae fronste. 'Jammer dat ik haar geest niet kan beïnvloeden zoals ik bij die pizzabezorgers doe. Dan zou ik haar een grote dosis "wees aardig" toedienen en zouden we daarna lang en gelukkig leven.'

'Stevie Rae, je kunt echt niet in die tunnels blijven wonen.'

'Ik vind het fijn in de tunnels,' zei ze koppig.

'Ze zijn akelig en vochtig en smerig,' zei ik.

'Ze zijn nu beter dan de laatste keer dat jij ze hebt gezien, en ze zouden nog veel beter zijn als ze nog een beetje meer werden opgeknapt.'

Ik staarde haar aan.

'Oké, misschien meer dan een beetje.'

'Dat zal wel. Wat ik wil zeggen is dat je het geld en de macht en bescherming van de school nodig hebt.'

Stevie Rae keek me recht in de ogen en ze leek plotseling veel ouder en volwassener dan ik haar ooit had gezien. 'Het geld en de macht en de bescherming van de school hebben professor Nolan, Loren Blake en zelfs die Stark niet geholpen.'

Ik wist niet wat ik moest zeggen. Ze had gelijk, maar ik had nog steeds sterk het gevoel dat mensen – met name vampiermensen – moesten weten dat zij en de rode halfwassen bestonden. Ik slaakte een zucht. 'Oké, ik weet dat het plan niet voor honderd procent waterdicht is, maar ik geloof oprecht dat iedereen van jullie bestaan af zou moeten weten.'

'Echt waar? Geeft Nux je zo'n "dat moet je doen"-gevoel?'

'Ja,' zei ik.

Haar zucht was veel dieper en gevuld met meer verontrusting en stress dan die van mij. (Jeetje, wie had kunnen denken dat dát kon gebeuren?) 'Goed. Dan zal ik er morgen zijn. Ik reken erop dat jij ervoor zorgt dat het goed afloopt, Zoey.'

'Daar kun je op rekenen.' Ik stuurde Nux een inwendig schietgebedje: *Ik reken op u zoals zij op mij rekent...*

Toen Stevie Rae en ik alle kattenspeeltjes eindelijk in de computer hadden ingevoerd en ik een blik wierp op de klok, zag ik dat we ons als een gek moesten haasten om niet te laat op school terug te komen. En Stevie Rae moest natuurlijk naar haar groep halfwassen terug voor ze zich aan meer schuldig maakten dan pizzakruimeldiefstal. We namen dus snel afscheid en ik zei nog eens dat ik haar de volgende dag zou zien voor haar openbare bekendmaking. Ze zag een beetje bleek, maar omhelsde me en beloofde er te zijn. Toen stak ik mijn hoofd om de deur van zuster Mary Angela's kantoor.

'Neem me niet kwalijk dat ik u stoor, mevrouw.' Ik wist eigenlijk niet precies hoe iemand die de aandacht van een non wilde trekken, die helemaal opging in wat leek op instant messaging op haar laptop, haar moest aanspreken zonder respectloos te lijken.

Dat 'mevrouw' leek prima te werken, want ze keek met haar warme glimlach naar me op. 'Helemaal klaar met de voorraad, Zoey?'

'Ja, en we moeten nu echt terug naar school.'

Zuster Mary Angela wierp een blik op de klok en haar ogen werden groot van verbazing. 'Goeie genade! Ik had geen idee dat het al zo laat was. En ik heb er niet bij stilgestaan dat jullie dagen in wezen omgekeerd zijn.'

Ik knikte. 'U zult wel vinden dat we er vreemde uren op na houden.'

'Ik zal jullie maar beschouwen als nachtschepsels, zoals onze prachtige katten. Zoals je weet, geven die ook de voorkeur aan de nacht. À propos, wat zou je ervan zeggen als we op zaterdagavond langer open blijven zodat dat jullie vrijwilligersdag kan zijn?'

'Dat lijkt me geweldig. Ik zal het voor alle zekerheid met onze priesteres bespreken. O, en wilt u dat ik het plan voor de vlooienmarkt verder uitwerk?'

'Ja. Ik heb gebeld met onze kerkenraad, en na enige discussie werden we het eens over het feit dat het een goed idee is.'

Ik hoorde de scherpte in haar stem en zag dat haar toch al rechte rug nog rechter leek te worden. 'Niet iedereen vindt halfwassen oké, hè?' zei ik.

Haar harde blik werd zachter. 'Daar hoef jij je geen zorgen over te maken, Zoey. Ik heb dikwijls mijn eigen weg gebaand en ik ben eraan gewend om het kapmes ter hand te nemen om onkruid en andere hinderlijke barrières weg te hakken.'

Ik voelde mijn ogen groot worden en twijfelde er geen moment aan dat deze stoere non het waarschijnlijk niet louter figuurlijk bedoelde. Een deel van wat ze had gezegd deed me vragen: 'Toen u zei dat u met uw kerkenraad moest overleggen, bedoelde u dat die van úw kerk waren of van andere?'

'Ze zijn niet van onze abdij, die eigenlijk geen kerk is, aangezien onze enige congregatie uit benedictijner zusters bestaat. De kerkenraad waarover ik sprak, is samengesteld uit leiders van diverse plaatselijke kerken.'

'Zoals de People of Faith?'

Ze fronst haar voorhoofd. 'Ja. De People of Faith zijn sterk vertegenwoordigd in de raad, wat getuigt van de grootte van hun congregatie.'

'Ik durf te wedden dat zij het onkruid waren dat u moest weghakken,' mompelde ik.

'Wat zei je daar, Zoey? Ik heb het niet goed verstaan,' zei ze. Haar ogen vernauwden zich ondeugend door de glimlach die ze (zonder succes) probeerde te verhullen.

'O, niets. Ik dacht gewoon hardop.'

'Een vreselijke gewoonte en iets wat je in grote moeilijkheden kan brengen als je niet uitkijkt,' zei ze. Ze glimlachte nu vrijuit.

'Daar weet ik alles van,' zei ik. 'U weet dus zeker dat de vlooienmarkt een goed idee is? Als het te veel gedoe geeft, dan kunnen we ook een andere manier bedenken om...'

Zuster Mary Angela's geheven hand snoerde me de mond. Ze zei: 'Overleg met je hogepriesteres over welke dag volgende maand schikt voor de vlooienmarkt. Wij zullen ons aan jullie aanpassen.'

'Oké, prima,' zei ik. Ik was best trots op mezelf omdat mijn idee voor vrijwilligerswerk zo goed uitpakte. 'Maar nu moet ik Aphrodite waarschuwen. We zijn alleen maar vrijgesteld van de eerste lesuren en we moeten nu echt terug.'

'Ik geloof dat je vrienden al een poosje klaar zijn, maar ze zijn nogal...' Ze wachtte even en haar ogen schitterden weer. '... geoccupeerd.'

'Huh?' Ik was nogal geschokt. Het was cool dat zuster Mary Angela niet moeilijk deed over halfwassen en vampiers in het algemeen, maar dat ze het zo amusant vond dat Aphrodite zo walgelijk met Darius zat te flirten, was gewoonweg té ruimdenkend... zelfs voor mij.

De non kon waarschijnlijk mijn gedachten van mijn gezicht aflezen, want ze lachte, pakte me bij mijn schouders, draaide me om en gaf me een zacht duwtje haar kantoor uit en in de richting van de kattenruimte. 'Vooruit... dan kun je met eigen ogen zien wat ik bedoel,' zei ze.

Volslagen in de war stak ik de gang over naar de ruimte waarin de voor adoptie beschikbare katten werden gehouden. Er waren geen nonnen in de buurt, maar Aphrodite en Darius zaten als geliefden in de 'kattenspeelhoek', dicht tegen elkaar aan, met hun rug naar me toe. Ze deden iets (jegh) met hun handen. Het leek zelfs alsof ze een heleboel met hun handen deden (dubbel jegh). Ik schraapte theatraal mijn keel. In plaats van schuldbewust uit elkaar te vliegen zoals ze hadden horen te doen, keek Darius me grijnzend over zijn schouder aan, terwijl Aphrodite (de slet) zich niet eens omdraaide om te zien wie er zojuist binnen was gekomen. Jeetje, ik had wel een non kunnen zijn, of iemands moeder.

'Eh, sorry dat ik jullie moet storen bij dit knusse onderonsje, maar we moeten ervandoor,' zei ik sarcastisch.

Aphrodite draaide zich eindelijk met een diepe zucht om en zei: 'Best. We gaan. Maar ik neem haar mee.' En toen zag ik wat Darius en zij met hun handen aan het doen waren geweest.

'Het is een kat!' zei ik.

Aphrodite rolde met haar ogen. 'Dat meen je niet! Hoe bestaat het: een kat bij Street Cats.'

'Het is een lelijke kat,' zei ik.

'Noem haar niet zo.' Aphrodite sprong onmiddellijk in de verdediging terwijl ze worstelde om overeind te komen met de gigantische witte kat in haar armen. Darius pakte haar elleboog vast om te voorkomen dat ze op haar achterste zou vallen. 'Ze is niet lelijk. Ze is uniek, en vast en zeker erg duur.'

'Ze is een Street Cats-kat,' zei ik. 'Ze kost niet meer dan het adoptietarief, net als alle andere katten.'

Aphrodite streelde dromerig de kat, die de kraaloogjes in haar platte snoet dichtkneep en begon te spinnen, waarbij ze af en toe haperde, als een weigerende motor, wat waarschijnlijk betekende dat ze vol haarballen zat. Aphrodite sloeg geen acht op het onregelmatige gespin en keek met een liefdevolle glimlach op de platte kattensnoet neer. 'Malafide is duidelijk een rasechte pers die in deze droevige omstandigheden verkeert doordat ze de enige overlevende is van een gruwelijk drama.' Aphrodite trok haar volmaakte neus op en liet haar hooghartige blik over de keurige kooien gaan, die vol zaten met katten in alle soorten en maten. 'Ze hoort beslist niet thuis op zo'n ordinaire plek.'

'Zei je dat ze Malafide heet? Is dat niet de naam van de boze heks in "Doornroosje"?'

'Ja, en Malafide was veel interessanter dan dat walgelijk zoetsappige heilig boontje van een prinses Aurora. Bovendien vind ik het een leuke naam. Het is een krachtige naam.'

Ik stak aarzelend een hand uit om de enorme kattenbal van witte vacht te aaien. Malafide opende haar ogen tot spleetjes en gromde dreigend naar me. 'Malafide is afgeleid van "maleficia",' zei ik, terwijl ik haastig mijn hand terugtrok om buiten het bereik van haar poot te blijven.

'Ja, en "maleficia" is een krachtig woord,' zei Aphrodite, terwijl ze kusgeluidjes naar het dier maakte.

'Zijn haar nagels verwijderd?' vroeg ik.

'Nee,' zei Aphrodite opgewekt. 'Ze zou je met die grote klauwen een oog uit kunnen krabben.'

'Geweldig,' zei ik.

'Ik vind haar net zo uniek en mooi als haar nieuwe bazin,' zei Darius. Toen hij haar aaide kneep Malafide wel haar ogen tot spleetjes, maar ze gromde niet.

'Volgens mij is je oordeelsvermogen aangetast. Het zal allemaal wel. Maar nu moeten we echt gaan. Ik sterf van de honger. Ik heb niet ontbeten en we hebben de lunch al gemist, dus we zullen onderweg naar school snel ergens iets moeten eten.'

'Even Malafides spullen pakken,' zei Darius, en hij liep naar de andere kant van de ruimte, waar hij een keurige kleine tas oppakte met op de zijkant in fraai schuinschrift '*Voor uw nieuwe kat*'.

'Heb je al voor haar betaald?' vroeg ik aan Aphrodite.

'Dat heeft ze zeker,' zei zuster Mary Angela vanuit de deuropening. Het viel me op dat ze met een boog om Aphrodite en Malafide heen liep en buiten bereik van de kattenklauwen bleef. 'Het is geweldig dat ze elkaar hebben gevonden.'

'Bedoelt u dat de kat zich door niemand liet aanraken?' vroeg ik.

'Door helemaal niemand,' zei zuster Mary Angela met een brede glimlach. 'Dat wil zeggen: tot de schone Aphrodite de kattenruimte binnenkwam. Zuster Bianca en zuster Fatima zeiden dat het niets minder dan een wonder was hoe Malafide Aphrodite onmiddellijk aardig vond.'

Aphrodites glimlach was honderd procent oprecht en daardoor zag ze er jong en hartbrekend mooi uit. 'Ze wachtte op me,' zei ze.

'Ja,' zei de non. 'Ze wachtte op je. Jullie passen uitstekend bij elkaar.' Toen keek ze naar mij en Darius en zei tegen ons alle drie: 'Ik vind Street Cats en het Huis van de Nacht ook goed bij elkaar passen. Ik zie grootse dingen voor ons in de toekomst.' Toen hief ze haar rechterhand boven ons en zei: 'Begeef je op weg onder het wakende oog van onze Heilige Moeder.'

We mompelden een bedankje naar zuster Mary Angela. Ik voelde de bizarre neiging om haar te omhelzen, maar door haar kleding – de nonnenkap en dat zwarte gewaad/jurkgeval – leek dat niet op zijn plaats. Dus in plaats daarvan glimlachte en wuifde ik overdreven uitbundig (naar mijn gevoel, tenminste) toen we vertrokken.

'Je grijnsde en wuifde als een debiel,' zei Aphrodite, terwijl ze wachtte tot Darius het portier voor haar openmaakte en haar en de met haar staart zwiepende, platsnoetige Malafide op de passagiersstoel voor in de Lexus hielp instappen.

'Een kwestie van beleefdheid. Bovendien vind ik haar erg aardig,' zei ik, terwijl ik mijn portier openmaakte. Ik ging op de achterbank zitten en toen ik mijn veiligheidsgordel had vastgeklikt, keek ik op in de vlammende ogen van Malafide, die zich had uitgestrekt over Aphrodites borst en schouder zodat ze over de rugleuning naar mij kon kijken. 'Eh, Aphrodite, kun je haar niet beter in een kattenmand stoppen of zo?'

'O mijn god! Wat ben jij gemeen. Natuurlijk reist ze niet in een kattenmand.' Aphrodite streelde het dier, waardoor witte pluizen om ons heen zweefden als een weerzinwekkende regen van kattenhaar.

'Jeetje, wind je niet zo op. Ik dacht alleen maar aan de veiligheid van de kat,' loog ik. In feite dacht ik aan mijn eigen veiligheid. Malafide wekte de indruk dat ze snakte naar een grote hap van Zoey voor haar avondeten. Dat deed me aan eten denken. 'Zeg, ik rammel van de honger,' zei ik tegen Darius toen hij de auto startte. 'We moeten onderweg ergens stoppen zodat ik iets kan eten.'

'Best, hoor. Waar heb je trek in?' vroeg hij.

Ik wierp een blik op de klok in het dashboard. Ik kon bijna niet geloven dat het al elf uur was geweest. 'Nou, op dit late tijdstip zal niet alles meer open zijn.' Ik hoorde Aphrodite iets tegen Malafide fluisteren over 'die stomme mensen die zo vroeg naar bed gaan', wat ik negeerde. Ik keek om me heen en probeerde me te herinneren welke behoorlijke fastfoodtentjes (dat wil zeggen Taco Bueno en Arby's afgezet tegen McDonald's en Wendy's) in de buurt lagen. En toen dreef een verrukkelijke, vertrouwde geur door de op een kier geopende ramen van de Lexus mijn neus binnen. Het water liep me al in de mond toen ik het grote geel-met-rode uithangbord zag. 'Mmm, lekker! Laten we naar Charlie's Chicken gaan!'

'Dat is een vreselijk vette hap,' zei Aphrodite.

'Dat maakt het juist zo lekker. Heath en ik gingen daar om de haverklap eten. Het levert alle basisvoedselgroepen: vet, aardappelpuree en bruine frisdrank.'

'Je bent weerzinwekkend,' zei Aphrodite.

'Ik trakteer,' zei ik.

'Ik geef me gewonnen,' zei ze.

18

Darius bood aan om in de auto te blijven en op Malafide te passen terwijl Aphrodite en ik iets te eten gingen halen, wat volgens mij zijn plicht ver te boven ging.

'Hij is veel te goed voor je,' zei ik tegen Aphrodite. Ondanks het late uur was het bij Charlie's nog erg druk. We stortten ons in het gedrang van de kuddedieren tot we eindelijk aansloten in de rij achter een zwaarlijvige vrouw met een onvoorstelbaar slecht gebit en een kalende man die naar zweetvoeten stonk.

'Natuurlijk is hij te goed voor me,' zei Aphrodite.

Ik wist niet wat ik hoorde. 'Pardon? Dat heb ik vast niet goed verstaan.'

Aphrodite snoof. 'Dacht je soms dat ik niet weet dat ik mijn vriendjes afschuwelijk behandel? Alsjeblieft, zeg, ik ben egoïstisch, niet dom. Darius zal me waarschijnlijk binnen een paar maanden spuugzat worden. Dan dump ik hem vlak voor hij mij dumpt, maar tot het zover is kunnen we een hoop plezier met elkaar beleven.'

'Je zou ook een keer kunnen overwegen om gewoon aardig te doen en hem niet het leven zuur te maken, wat je doorgaans bij je vriendjes doet.'

Aphrodite keek me aan. 'Daar heb ik toevallig aan zitten denken en misschien pak ik het met Darius wel anders aan.' Ze wachtte even en voegde er toen aan toe: 'Ze heeft mij gekozen.'

'Wie "ze"?'

'Malafide.'

'Inderdaad, ze heeft jou gekozen. Ze is jouw kat. Zoals Nala mij heeft gekozen en Darius' kat, hoe ze ook mag heten... eh...'

'Nefertiti,' zei Aphrodite.

'Ja, Nefertiti hem heeft gekozen. Nou en? Dat gebeurt de hele tijd. Katten kiezen hun halfwas of soms hun vampier. Bijna iedere vampier heeft er uiteindelijk één en...'

En ik besefte opeens waarom het feit dat de kat haar had gekozen zo veel indruk op Aphrodite maakte.

'Het geeft me het gevoel dat ik erbij hoor,' zei ze zacht. 'Dat ik op de een of andere manier toch nog deel uitmaak van het...' – ze wachtte even en sprak zo zacht dat ik me naar haar moest overbuigen om haar te verstaan – '... dat ik nog steeds deel uitmaak van het vampiergebeuren. Het betekent dat ik niet helemaal een buitenstaander ben.'

'Je kunt geen buitenstaander zijn,' fluisterde ik terug. 'Je maakt deel uit van de Duistere Dochters. Je maakt deel uit van de school. En het belangrijkst van alles: je maakt deel uit van Nux.'

'Maar sinds dit is gebeurd...' – ze streek met haar hand over haar voorhoofd, waar ze niet langer het merkteken hoefde te camoufleren dat er niet meer was – '... heb ik niet echt meer het gevoel gehad dat ik ergens deel van uitmaakte. Maar Malafide heeft dat veranderd.'

'Huh,' zei ik, volledig van mijn stuk gebracht door Aphrodites oprechtheid.

Toen schudde ze haar hoofd, haalde haar schouders op en zei – waarbij ze veel meer op de Aphrodite leek die we allemaal kenden en niet konden uitstaan: 'Maar het zou wat. Mijn leven is nog steeds zwaar klote. En na het eten van deze goedkope, vette hap zal ik waarschijnlijk onder de pukkels komen te zitten.'

'Een beetje vet is goed voor je haar en nagels. Zoiets als vitamine E.' Ik stootte met mijn schouder tegen de hare. 'Ik zal zelfs voor je bestellen.'

'Mag ik dan tenminste iets caloriearms?'

'Kom op, zeg. Bij Charlie's vind je niets caloriearms.'

'Ze hebben lightfrisdrank,' zei ze.

Ik keek met een spottend lachje naar haar volmaakte figuur. 'Niet voor jou.'

Aangezien het letterlijk een fastfoodtent was, duurde het niet lang voor Aphrodite en ik onze bestelling kregen. We vonden een redelijk schoon tafeltje en stortten ons op de vette gebakken kip en onder ketchup bedolven frieten. Begrijp me niet verkeerd. Hoewel ik de kip en de patat haastig naar binnen zat te werken omdat we naar school terug moesten en het behoorlijk lomp was om ons gemak ervan te nemen terwijl Darius op Aphrodites hellekat paste, genoot ik van elke hap. Ik bedoel, na een paar maanden van voedzaam, voortreffelijk eten in de Huis van de Nacht-kantine, hadden mijn smaakpapillen behoefte aan een dosis weerzinwekkend lekker en volslagen onverantwoord voedsel. Mmm. Verrukkelijk.

'Dus,' zei ik tussen de happen door. 'Stevie Rae en ik hebben gepraat.'

'Ja, ik meende al haar boerse accent op te vangen.' Aphrodite nam een klein hapje van een drumstick en trok haar neus op toen ik zout strooide over de toch al behoorlijk zoute patat. 'Je zult opzwellen als een dode vis.'

'Als dat gebeurt, trek ik gewoon een trainingspak aan tot ik al dat vocht eruit heb geplast.' Ik grijnsde om een grote hap kip heen.

Ze huiverde. 'Je bent zo ordinair dat ik niet kan geloven dat we vriendinnen zijn, wat bewijst dat ik midden in een persoonlijke crisis zit. Hoe dan ook, hoe gaat het met Stevie Rae en haar verzameling wilde dieren?'

'Nou, we hebben het eigenlijk niet gehad over haar of de andere halfwassen,' zei ik. Ik wilde Aphrodite niet vertellen dat Stevie Rae had toegegeven dat ze niet zichzelf was.

'Dus aangezien je niet over de malloten hebt gesproken, vermoed ik dat Stark degene was over wie jullie hebben gepraat.'

'Ja. En dat is niet goed.'

'Nou, nee. De jongen is dood. Of mogelijk ondood. Geen van beide is bijzonder goed. Wat zei Stevie Rae over het tijdsbestek waarin hij terug zou kunnen komen? Of moeten we gewoon wachten tot hij begint te stinken en dan de conclusie trekken dat hij niet meer wakker wordt?'

'Praat niet op die manier over hem!'

'Sorry, ik was vergeten dat je iets met hem had. Wat zei Stevie Rae?'

'Helaas kon ze me niet veel vertellen. Haar herinnering aan de tijd voor ze Veranderde is nogal vaag. Het enige wat ze kon bedenken, was dat ik zijn lichaam moest stelen en dan maar zien of hij wakker wordt. En zo ja, dan moet hij onmiddellijk gevoed worden.'

'Gevoed? Met een hamburger en patat, of door het openen van een ader?'

'Dat laatste.'

'O, jegh. Ik weet dat jij ervaring hebt met dat over-en-weer-bloedzuiggedoe, maar ik vind het nog steeds stuitend.'

'Ik ook, maar de kracht ervan valt niet te ontkennen,' gaf ik ongemakkelijk toe.

Ze keek me peinzend aan. 'Volgens het sociologieboek is het te vergelijken met seks. Misschien zelfs beter.'

Ik haalde mijn schouders op.

'Daar neem ik geen genoegen mee. Ik wil details.'

'Oké. Ja. Het is te vergelijken met seks.'

Haar ogen werden groot. 'Het is dus lekker?'

'Ja. Maar wat er daardoor gebeurt, is niet altijd goed.' Ik dacht aan Heath en besloot dat het hoog tijd was om op een ander onderwerp over te gaan. 'Hoe dan ook, ik moet een manier bedenken om Starks mogelijk-tijdelijk-dode-lichaam uit het lijkenhuis weg te halen en ergens te verstoppen waar we het, theoretisch gesproken, in de gaten kunnen houden om te zien of hij wakker wordt. Dan moeten we hem voeden...'

'Eh, je bedoelt toch zeker dat jíj hem moet voeden. Geen sprake van dat ik me door die jongen laat bijten.'

'Ja, ik bedoel dat ík hem moet voeden.' Een alleszins aanlokkelijke gedachte, al zou ik dat echt niet aan Aphrodite bekennen. 'Ik heb alleen geen flauw idee hoe ik hem moet stelen of waar ik hem moet verbergen.'

'Nou, het zal moeilijk zijn om hem te verplaatsen, vooral omdat ik veronderstel dat Neferet hem scherp in de gaten houdt.'

'Die veronderstelling is juist, volgens Stevie Rae tenminste.' Ik nam een grote slok van mijn bruine frisdrank.

'Het lijkt mij dat je een oppascamera nodig hebt,' zei ze.

'Huh?'

'Je weet wel, zo'n verborgen camera die rijke moeders gebruiken om hun schatteboutjes van kinderen in de gaten te houden terwijl ze 's morgens om elf uur bij de countryclub aan de martini zitten.'

'Aphrodite, jij komt uit een volslagen andere wereld.'

'Dank je,' zei ze. 'Maar serieus, een oppascamera zou kunnen werken. Ik kan er eentje kopen bij RadioShack. Die Jack is toch zo goed met elektronica?'

'Ja,' zei ik.

'Dan kan hij de camera in het lijkenhuis installeren en kun jij de monitor in je kamer zetten. Ik zou waarschijnlijk zo'n apparaat met een draagbare monitor kunnen kopen, zodat je die bij je kunt houden.'

'Echt waar?'

'Echt waar.'

'Geweldig! Het idee dat ik Stark in mijn kast moest verstoppen bezorgde me behoorlijk wat kippenvel.'

'Eh, ranzig.' We kauwden een poosje zwijgend door en toen vroeg Aphrodite: 'Wat had ons boerinnetje verder nog te melden?'

'Eerlijk gezegd hebben we het over jou gehad,' zei ik zelfvoldaan.

'Over mij?' Aphrodite kneep haar ogen tot spleetjes.

'Nou, eigenlijk maar even. We hebben voornamelijk gesproken over het feit dat ze morgen tijdens het zuiveringsritueel de aardepositie gaat innemen.'

'Bedoel je dat ze zich achter mij gaat verstoppen en gaat proberen om de aarde aan te roepen terwijl het net lijkt of ik dat doe?'

'Eh, nee. Niet precies. Ik bedoel eigenlijk dat jij opzij gaat en Stevie Rae haar vroegere plek in de cirkel laat innemen.'

'In aanwezigheid van iedereen?'

'Ja.'

'Je maakt een geintje, hè?'

'Nee.'

'En dat gaat ze echt doen?'

'Ja,' zei ik, met meer vertrouwen dan ik in wezen voelde.

Aphrodite at een tijdje zwijgend van haar kip en toen knikte ze langzaam. 'Oké. Ik begrijp het. Je rekent erop dat Shekinah je eruit redt.'

'Dat ze óns eruit redt. En met "ons" bedoel ik jou, mij, Stevie Rae, de rode halfwassen en Stark... als hij ondood wordt. Ik stel me zo voor dat het voor Neferet veel moeilijker zal zijn om ze voor haar duivelse plannen te gebruiken als iedereen van hun bestaan af weet.'

'Klinkt erg B-filmachtig.'

'Zo klinkt het misschien, maar dat is het niet. Ik ben bloedserieus. En dat kunnen we maar beter allemaal zijn. Neferet is een griezel. Ze heeft geprobeerd een oorlog met mensen te ontketenen en ik denk niet dat ze dat heeft opgegeven. Bovendien,' voegde ik er aarzelend aan toe, 'heb ik een slecht gevoel.'

'Shit. Wat voor slecht gevoel?'

'Nou, eerlijk gezegd heb ik geprobeerd het te negeren, maar ik heb al een slecht gevoel over Neferet sinds Nux aan ons is verschenen.'

'Zoey, even serieus. Je hebt al maanden een slecht gevoel over Neferet.'

Ik schudde mijn hoofd. 'Niet zoals dit. Dit is anders. Erger. En Stevie Rae voelt het ook.' Ik aarzelde weer en voegde er toen aan toe: 'En sinds ik gisteren door weet ik veel wat ben aangevallen, jaagt de nacht me angst aan.'

'De nacht?'

'De nacht,' zei ik nog eens.

'Zoey, we zijn nachtwezens. Hoe kan de nacht je angst aanjagen?'

'Dat weet ik niet! Ik weet alleen dat ik het gevoel heb dat ik door iets word gadegeslagen. Wat zegt jouw gevoel?'

Aphrodite slaakte een zucht. 'Waarover?'

'Over de nacht of Neferet of wat dan ook! Vertel me alsjeblieft of je nieuwe negatieve vibraties hebt opgevangen.'

'Dat weet ik niet. Ik heb me helemaal niet beziggehouden met vibraties en zo. Ik heb het nogal druk gehad met mijn eigen problemen.'

Ik hield mijn handen druk in de weer met de kip en de patat om te voorkomen dat ze zich om haar keel zouden klemmen om haar te wurgen. 'Nou, misschien zou je een beetje tijd vrij kunnen maken om erover na te denken. Ik bedoel, het is nogal belangrijk.' Ik dempte mijn stem, hoewel iedereen te zeer in beslag genomen werd door het opnemen van vet om veel aandacht aan ons te schenken. 'Je had per slot van rekening die visioenen waarin ik werd gedood. Twee maar liefst, en in een daarvan kwam Neferet voor.'

'Ja, en dat zou je nieuwe "slechte gevoel" over haar kunnen verklaren.' Ze maakte aanhalingstekens in de lucht rond de woorden 'slechte gevoel'. 'En het feit dat ik je heb verteld dat ik je dood zag, zal best hebben bijgedragen aan je angst.'

'Ik heb het gevoel dat er meer achter zit. Er is me de afgelopen paar maanden veel overkomen en tot voor kort ben ik nooit bang geweest. Ik bedoel echt "ik kan wel janken"-bang. Ik...' Ik zweeg toen een bekende lach me deed opkijken naar de ingang van de eetruimte. De lucht leek uit mijn lichaam te worden gedreven alsof iemand me een stomp in mijn maag had gegeven.

Hij droeg een blad met zijn favoriete combimaaltijd (nummer 3, met extra lange frieten) en een kleine kindermaaltijd. Je weet wel, zo'n maaltijd die meisjes bestellen als ze met een jongen op stap zijn omdat ze willen dat het lijkt alsof ze niet veel eten, en dan gaan ze naar huis en vreten de koelkast leeg. Het meisje met wie hij was droeg niets, maar ze stak haar hand in zijn voorzak (voorzak!) en probeerde speels een prop papiergeld erin te stoppen. Maar hij kan echt niet tegen kietelen, waardoor hij, hoewel hij onnatuurlijk wit zag en donkere kringen onder zijn ogen had, lachte als een debiel terwijl zij met een flirterig lachje naar hem opkeek.

'Wat is er?' vroeg Aphrodite.

Toen ik alleen maar bleef zitten staren en geen woord kon uitbrengen, draaide ze zich op haar stoel om om te zien waar ik naar keek.

'Hé, is dat niet hoe-heet-hij-ook-weer? Je menselijke ex-vriendje?'

'Heath,' fluisterde ik. Ik kon de naam nauwelijks uitspreken.

Het had volslagen onmogelijk moeten zijn. We waren aan de andere kant van de ruimte en hij kon me echt niet hebben gehoord, maar zodra zijn naam over mijn lippen kwam, ging zijn hoofd met een ruk omhoog en keek hij me aan. Ik zag de lach op zijn gezicht besterven. Zijn lichaam sidderde – echt waar – alsof mijn aanblik een pijnscheut door hem heen had gejaagd. Het meisje aan zijn zij hield op met spelen met zijn broekzak. Ze volgde de richting van zijn blik en zag mij, en haar ogen werden zo groot als schoteltjes. Heath keek haastig van mij naar haar en ik zag hem zeggen: 'Ik moet met haar praten.' Het meisje knikte ernstig, pakte het blad van hem aan en liep naar een tafeltje dat zo ver mogelijk bij dat van mij vandaan stond. Toen kwam Heath langzaam naar me toe.

'Hallo, Zoey,' zei hij. Zijn stem was zo gespannen dat hij als een vreemde klonk.

'Hoi,' zei ik. Mijn lippen voelden aan alsof ze bevroren waren en mijn gezicht leek tegelijkertijd heet en koud te worden.

'Je bent dus in orde? Je bent niet gewond of zo?' zei hij, met een rustige intensiteit, die hem veel ouder deed lijken dan achttien.

'Met mij gaat het prima,' wist ik uit te brengen.

Hij liet een grote hoeveelheid lucht ontsnappen alsof hij dagenlang zijn adem had ingehouden, rukte zijn blik van me los en staarde in de verte, alsof hij mijn aanblik niet kon verdragen. Hij leek zich weer snel te vermannen en keek me weer aan. 'Er is een paar avonden geleden iets gebeurd...' begon hij, maar hij brak zijn zin af en wierp een betekenisvolle blik op Aphrodite.

'O, eh, Heath, dit is mijn, eh, mijn vriendin van, van het, eh, Huis van de Nacht, Aphrodite,' stamelde ik. Ik kreeg het nauwelijks voor elkaar om mijn stem onder controle te houden.

Heath keek vragend van Aphrodite naar mij.

Toen ik niets zei, slaakte Aphrodite een zucht, en op haar gebruikelijke sarcastische, lankmoedige toon zei ze: 'Wat Zoey bedoelt is: ja, het is oké om in bijzijn van mij over stempelafdrukken en zo te praten.' Ze wachtte even en keek me met opgetrokken wenkbrauwen aan. Toen ik nog steeds niets zei, zei Aphrodite: 'Hij kan toch vrijuit praten? Waar of niet, Zoey?' Toen ik nog steeds geen woord kon uitbrengen, haalde ze haar schouders op en zei ze: 'Tenzij je onder vier ogen met hem wilt praten. Mij best, hoor. Dan wacht ik gewoon in de auto en...'

'Nee! Je kunt blijven. Heath, je kunt vrijuit praten waar Aphrodite bij is.' Ik slaagde er eindelijk in om de woorddam te doorbreken die de pijn achter in mijn keel had opgetrokken.

Heath knikte en wendde snel zijn blik af, maar niet voor ik de flits van pijn en teleurstelling zag die zijn zachte bruine ogen verdonkerde.

Oké, ik wist dat hij liever onder vier ogen met me wilde praten.

Maar dat kon ik niet. Ik kon niet alleen met hem en zijn gekwetste gevoelens zijn. Nog niet. Niet zo snel na het verlies van Loren, Erik en Stark. Ik kon het niet verdragen om hem te horen zeggen hoe ontzettend hij me nu haatte en hoeveel spijt hij had dat we ooit met elkaar waren gegaan. Dat zou hij niet zeggen waar Aphrodite bij was. Ik kende Heath. Ja, hij zou met me breken, maar (in tegenstelling tot Erik) zou dat zonder een publieke scheldpartij gaan die een akelige scène zou kunnen veroorzaken. Heath' ouders hadden hem keurig opgevoed. Hij was een heer, door en door, en dat zou hij altijd blijven.

Toen hij me weer aankeek, was zijn gezichtsuitdrukking weer zorgvuldig neutraal. 'Oké. Zoals ik al zei: er is een paar avonden geleden iets gebeurd. Volgens mij is onze stempelband verbroken.'

Ik slaagde erin om te knikken.

'Die is dus weg. Zeker weten?'

'Ja. Zeker weten.'

'Hoe?' vroeg hij.

Ik ademde een keer diep in en uit en zei: 'Onze band werd verbroken toen ik met een ander een stempelband kreeg.'

Hij had op me neer staan kijken met zijn hoofd een beetje gebogen, en toen ik sprak, ging zijn hoofd met een ruk omhoog alsof ik hem een klap had gegeven. 'Heb je het met een ander mens gedaan?'

'Nee!'

Hij spande en ontspande de spieren in zijn kaak en zei toen: 'Was het dan die halfwas over wie je me vertelde? Die Erik?'

'Nee,' zei ik zacht.

Hij bleef me nu aankijken en deed geen poging om de pijn in zijn ogen en in zijn stem te verbergen. 'Is er nog iemand? Iemand anders dan die Erik over wie je me hebt verteld?'

Ik opende mijn mond om te zeggen dat er iemand anders was geweest maar dat die er niet meer was en dat dat hoe dan ook een grote vergissing was geweest, maar hij gaf me niet de kans om iets te zeggen.

'Je hebt het met hem gedaan.'

Het was geen vraag, maar toch knikte ik. Hij wist het al, dat kon niet anders. Onze stempelband was krachtig geweest, en zelfs als hij daardoor niet had gevoeld wat er tussen Loren en mij aan de hand was, zou hij hebben geweten dat er iets ingrijpends moest zijn gebeurd waardoor het stempel dat ons verbond werd verbroken.

'Hoe heb je dat kunnen doen, Z? Hoe heb je mij, ons, dat kunnen aandoen?'

'Het spijt me, Heath. Ik wilde je geen pijn doen. Het is gewoon...'

'Nee!' Hij hief zijn handen alsof hij mijn woorden op een afstand kon houden. 'Dat je me geen pijn hebt willen doen, is gelul. Ik ben al vanaf de basisschool gek op je. Het feit dat je met een ander bent, doet pijn. Daar is niet aan te ontkomen.'

'Jij bent vanavond met een ander.' Aphrodites kille woorden leken de lucht tussen ons in te doorklieven.

Heath' ogen fonkelden toen hij zich woedend tot haar wendde. 'Ik heb me voor het eerst in dagen door een vriendin laten overhalen om het huis uit te gaan. Een vriendín,' zei hij nog eens. Toen hij mij weer aankeek, viel me weer op hoe ziekelijk bleek hij was. 'Het is Casey Young. Ken je haar nog? Ze was vroeger ook jouw vriendin.'

Ik keek naar het tafeltje waar Casey in haar eentje zat. Ze leek zich helemaal niet op haar gemak te voelen. Ik had niet eens gezien dat zij het was toen ze binnenkwamen. Nu herkende ik haar dikke kastanjebruine haar, haar mooie honingkleurige ogen en haar leuke sproetige gezicht. Heath had gelijk: ze was een vriendin van me geweest. Niet een beste vriendin zoals Kayla, maar we waren wel met elkaar omgegaan. Heath had haar altijd als een zusje behandeld. Ze had hem leuk gevonden, maar ik had bij haar nooit het gevoel gehad dat ze mijn vriendje van me had willen afpikken, zoals ik maar al te vaak bij mijn zogenaamde beste-vriendin-voor-altijd Kayla had gevoeld. Toen Casey zag dat ik naar haar keek, hief ze aarzelend een hand en wuifde droevig naar me. Ik wuifde terug.

'Weet je wat er met de mens gebeurt als een stempelband wordt verbroken?' Heath' woorden brachten mijn aandacht met een ruk naar hem terug. Hij klonk niet meer kil of verdrietig. Zijn toon was scherp, alsof hij elk woord uit zijn ziel had losgesneden.

'Dat... dat bezorgt de mens pijn,' zei ik.

'Pijn? Dat is wel erg zwak uitgedrukt, Zoey. Ik dacht eerst dat je dood was. En toen ik dat dacht, wilde ik ook dood. Ik geloof dat een deel van me toen inderdaad is gestorven.'

'Heath...' Ik fluisterde zijn naam, met afschuw vervuld over wat ik teweeg had gebracht. 'Het...'

Maar hij was nog niet uitgesproken. 'Maar ik wist dat je niet dood was omdat ik dingen kon voelen die jij meemaakte.' Zijn gezicht vertrok van afkeer. 'Dingen die hij je liet voelen. Toen wist ik alleen nog dat er een leegte in mijn ziel was op de plek waar jij had gezeten. Ik heb nog steeds het gevoel dat er een deel van me ontbreekt. Een groot deel. De pijn is er altijd. Elke dag.' Hij deed zijn ogen dicht tegen de pijn en schudde zijn hoofd. 'Je hebt me niet eens gebeld.'

'Dat wilde ik wel,' zei ik met een ellendig gevoel.

'O, wacht eens. Je hebt me vanochtend een sms'je gestuurd. Hartelijk dank daarvoor,' zei hij sarcastisch.

'Heath, ik wilde met je praten, maar dat kon ik gewoon niet. Ik was...' Ik wachtte even en probeerde te bedenken hoe ik in een paar korte zinnen in het openbaar Loren aan hem kon uitleggen. Maar dat was niet mogelijk. Niet zo. Niet hier. Dus in plaats daarvan kon ik alleen maar zeggen: 'Het was verkeerd van me. Het spijt me.'

Hij schudde weer zijn hoofd. 'Dat is niet genoeg, Zo. Deze keer niet. Niet hierover. Weet je nog dat je zei dat ik alleen maar van je hield en zo vreselijk naar je verlangde door onze stempelband?'

'Ja.' Ik bereidde me erop voor dat hij me zou vertellen hoe waar dat was, dat hij nooit echt van me had gehouden en nooit echt naar me had verlangd, en dat hij blij was van mij en mijn stomme, pijnlijke stempelafdruk bevrijd te zijn.

'Ik zei toen dat je het mis had. Dat geldt nog steeds. Ik ben in groep vijf verliefd op je geworden. Ik hield toen van je en ik hou nog steeds van je en verlang naar je, en dat zal waarschijnlijk nooit veranderen.' Heath' ogen schitterden van onvergoten tranen. 'Maar ik wil je nooit meer zien. Van jou houden doet te veel pijn, Zoey.'

Heath liep langzaam terug naar Casey. Toen hij bij haar tafeltje aankwam, zei ze iets tegen hem, zo zacht dat ik het niet kon horen. Hij knikte en toen, zonder nog een blik op mij, stak Casey haar arm door de zijne en, terwijl ze hun eten onaangeroerd op het tafeltje lieten staan, liep Heath mijn leven uit.

19

Ik zei niets toen Aphrodite me bij mijn arm pakte, me overeind trok en uit Charlie's Chicken naar buiten sleurde. Toen Darius ons zag, sprong hij als de bliksem de auto uit.

'Waar is het gevaar?' vroeg hij kortaf.

Aphrodite schudde haar hoofd. 'Geen gevaar, ex-vriendjedrama. Laten we nu maar gaan.'

Darius bromde iets en stapte weer in. Aphrodite duwde me op de achterbank. Ik besefte pas dat ik huilde toen Aphrodite, jonglerend met een brommende Malafide, me over haar rugleuning een handvol tissues toestak.

'Je zit onder het snot en je make-up is helemaal doorgelopen,' zei ze.

'Bedankt,' mompelde ik, en ik snoot mijn neus.

'Gaat het een beetje met haar?' vroeg Darius, terwijl hij in de achteruitkijkspiegel naar me keek.

'Het komt wel goed. Normale ex-vriendjesshit is al klote. Wat er daarbinnen met haar is gebeurd, was beslist niet normaal en, nou ja, dat is dubbel klote.'

'Praat alsjeblieft niet over me alsof ik er niet bij ben.' Ik haalde mijn neus op en veegde over mijn ogen.

'Het komt dus wel goed met je?' vroeg Darius, nu aan mij.

'Als ze "nee" zegt, ga je dan terug om die stomme jongen te vermoorden?' vroeg Aphrodite.

Een klein lachje ontsnapte aan mijn verbaasde mond. 'Ik wil niet dat hij wordt vermoord en het komt echt wel goed met me.'

Aphrodite haalde haar schouders op. 'Wat jij wilt, maar volgens mij moet die jongen dood.' Toen gaf ze een rukje aan Darius' arm en wees naar de rij winkels even verderop. 'Lieve schat, zou je alsjeblieft even willen stoppen bij de RadioShack? Mijn stomme iPod Touch vertoont kuren, en ik wil even een nieuwe halen.'

'Heb je daar geen bezwaar tegen?' vroeg Darius aan mij.

'Geen enkel. Ik heb een beetje tijd nodig om tot mezelf te komen voor we naar school teruggaan. Maar, eh, wil je alsjeblieft bij mij in de auto blijven?'

'Maar natuurlijk, priesteres.' Darius' vriendelijke glimlach in de achteruitkijkspiegel bezorgde me een schuldgevoel.

'Ik ben zo terug. Hou Malafide even voor me vast.' Aphrodite slingerde de grote kat naar Darius en rende de RadioShack binnen.

Darius installeerde Aphrodites blazende kat op zijn schoot en keek me toen over de rugleuning van zijn stoel aan. 'Ik zou met die jongen kunnen praten als je dat wilt.'

'Nee, maar evengoed bedankt.' Ik snoot nog eens mijn neus en veegde de tranen van mijn gezicht. 'Hij had het volste recht om pissig te zijn. Ik heb er een puinhoop van gemaakt.'

'Mensen die zich met vampiers inlaten, kunnen overgevoelig zijn,' zei Darius, waarbij hij duidelijk voorzichtig zijn woorden koos. 'De menselijke metgezel van een vampier zijn, vooral van een krachtige hogepriesteres, is een moeilijke weg.'

'Ik ben geen vampier en ik ben geen hogepriesteres,' zei ik, volslagen overweldigd. 'Ik ben nog maar een halfwas.'

Darius aarzelde; hij vroeg zich duidelijk af hoeveel hij tegen me moest zeggen. Pas toen Aphrodite weer instapte met het pakje met de zogenaamde iPod Touch tegen haar borst geklemd, sprak hij eindelijk.

'Zoey, je moet in gedachten houden dat hogepriesteressen niet van de ene op de andere dag het leven zien. Het proces begint al terwijl ze een halfwas zijn. Hun kracht begint zich al vroeg op te bouwen. Jouw kracht bouwt zich op, priesteres. Je bent verre van een normale halfwas en dat zal altijd zo zijn. Jouw daden hebben dus het vermogen om anderen diep te beïnvloeden.'

'Weet je, ik begon net gewend te raken aan dat "wauw, wat ben ik anders"-gedoe, en nu heb ik het gevoel dat ik erin verdrink.'

Aphrodite installeerde Malafide weer op haar schoot en draaide zich toen om op haar stoel zodat ze me aan kon kijken. 'Ja, bijzonder zijn is lang niet zo geweldig als je zou denken, hè?'

Ik verwachtte een van haar sarcastische, krengerige 'ik had het je toch gezegd'-grijnslachjes, maar haar ogen waren vol begrip.

'Wat ben je opeens aardig,' zei ik.

'Dat komt door jouw slechte invloed,' zei ze. 'Maar ik probeer de dingen van de zonnige kant te bekijken.'

'De zonnige kant?'

'De zonnige kant is dat bijna iedereen denkt dat ik nog steeds een verschrikkelijke helleveeg ben,' zei ze, terwijl ze met een gelukzalige glimlach met haar kat kroelde.

'Ik vind je spectaculair,' zei Darius. Hij stak zijn hand uit om Malafide te aaien, die zowaar begon te spinnen.

'Je hebt volkomen gelijk.' Ze boog zich naar hem toe en drukte de protesterende kat bijna plat tussen hen in terwijl ze hem een smakkende zoen op zijn wang gaf.

Ik maakte kokhalsgeluiden en deed net of ik overgaf in mijn prop tissues, maar ik lachte toen Aphrodite naar me knipoogde en voelde me plotseling een beetje beter. *Het is tenminste voorbij,* zei ik tegen mezelf. *Erik haat me. Stark is dood, en zelfs als hij ondood wordt, ga ik hem alleen maar helpen om zijn weg te vinden in de wereld der ondoden. Meer niet. Dus na die akelige confrontatie met Heath ben ik voor een heel lange tijd definitief klaar met vriendjesproblemen.*

Natuurlijk was ik te laat voor drama. Doordat mijn rooster was omgegooid, was ik voor drama in een hogere klas geplaatst, wat op zich prima was. Ik zat op de South Intermediate High School in Drama II toen ik werd gemerkt, en ik hield van drama (op het toneel, niet privé). Oké, dat wilde niet zeggen dat ik zo'n goede actrice was, maar ik deed mijn best. Door de verandering van mijn rooster kwam ik natuurlijk wel in een klas met een groep nieuwe leerlingen terecht. Ik bleef in de deuropening staan en probeerde uit te vogelen waar ik moest gaan zitten; ik wilde Erik (professor Night?) echt niet storen midden in zijn verhandeling over de stukken van Shakespeare.

'Ga gewoon maar ergens zitten, Zoey.' Erik sprak zonder zelfs maar mijn kant op te kijken. Zijn stem klonk kortaf en professioneel, en zelfs ietwat verveeld. Met andere woorden: hij klonk precies als een docent. Nee, ik heb geen flauw idee hoe hij kon weten dat ik in de deuropening stond.

Ik haastte me het lokaal binnen en nam plaats aan het eerste vrije tafeltje dat ik zag. Helaas was dat helemaal vooraan. Ik knikte naar Becca Adams, die vlak achter me zat. Ze knikte terug, maar vond het duidelijk vervelend dat ze nu niet meer naar Erik kon staren. Ik kende Becca niet echt goed. Ze was blond en aantrekkelijk, volgens de norm voor halfwassen in het Huis van de Nacht (er leken vijf blondjes te zijn voor elke 'normale' halfwas) en ze had zich recentelijk bij de Duistere Dochters aangesloten. Ik meende me te herinneren dat ik haar had gezien met een paar van Aphrodites vroegere vriendinnen, maar ik had me nog niet echt een mening over haar gevormd. Het feit dat ze zowat haar nek verdraaide om langs me heen dweperig naar Erik te kijken, nam me natuurlijk niet bepaald voor haar in.

Nee! Erik is mijn vriendje niet meer. Ik kan er niet pissig om worden als een ander meisje jacht op hem maakt. Dat moet ik negeren. Misschien zul ik zelfs moeite doen om bevriend met haar te raken om iedereen te laten zien dat ik echt over hem heen ben. Ja, ik...

'Hallo, Z!'

De erg blonde, erg aantrekkelijke en erg lange Cole Clifton, het huidige vriendje van Shaunee (wat tevens betekende dat hij erg moedig was), fluisterde me een opgewekte groet toe en onderbrak mijn innerlijke gewauwel. 'Hallo,' zei ik terug, met een brede glimlach.

'O, zeg, dit is voortreffelijk. Bedankt voor je spontane aanbod, Zoey.'

'Huh?' Ik keek knipperend met mijn ogen naar Erik op.

Zijn glimlach was koel. Zijn ogen waren blauw ijs. 'Je zat te praten, dus nam ik aan dat dat wilde zeggen dat je aanbood om samen met mij de Shakespeare-improvisatie te doen.'

Ik slikte krampachtig. 'O. Nou. Ik...' Ik wilde proberen om onder wat een Shakespeare-improvisatie ook mocht zijn uit te komen, maar toen zijn koele blik spottend werd, alsof hij zich erop verheugde me als een gigantische lafaard te zien terugkrabbelen, veranderde ik van gedachten. Ik zou me niet het hele semester door Erik Night in verlegenheid laten brengen en op mijn kop laten zitten. Ik schraapte dus mijn keel en rechtte mijn rug. 'Ik bied me daar met alle plezier voor aan.'

De verbazing die die prachtige blauwe ogen groter deed worden, bezorgde me een moment van voldoening. Dat moment vervloog op slag toen hij zei: 'Goed zo. Kom dan maar naar voren en pak je kopie van onze scène.'

Ah, shit shit shit!

'Goed dan.' Erik en ik gingen op het podium voor de dramaklas staan. 'Zoals ik aan het uitleggen was toen Zoey te laat binnenkwam en me onderbrak, is Shakespeare-improvisatie een geweldige manier om je karakteriseringsvaardigheden te oefenen. Het is ongebruikelijk, dat wel, want Shakespeare wordt meestal niet geïmproviseerd. Acteurs blijven dicht bij de tekst van de toneelschrijver, maar daardoor kan het veranderen van beroemde scènes interessant zijn.' Hij wees naar het korte script in mijn van de zenuwen zweterige hand. 'Dat is het begin van een scène tussen Othello en Desdemona...'

'Doen we *Othello*?' bracht ik schril uit. Ik voelde mijn maag zich ballen tot een misselijkmakende vuist. Het was Othello's monoloog die Erik voor de hele school voor mij had gedeclameerd, zijn ogen en stem vervuld van liefde.

'Ja.' Hij keek me in de ogen. 'Heb je daar een probleem mee?'

Ja! 'Nee,' loog ik. 'Ik vroeg het me gewoon af, meer niet.' O mijn god! Wilde Erik me een van Othello's liefdesscènes laten improviseren? Ik wist niet of mijn misselijkheid met de seconde verergerde omdat ik dat wilde of omdat ik dat niet wilde.

'Goed. Je kent het verhaal, toch?'

Ik knikte. Natuurlijk kende ik het verhaal. Othello, de Moor (anders gezegd, een zwarte man) was getrouwd met Desdemona (een uitermate wit meisje). Ze hielden waanzinnig veel van elkaar tot

Iago, een schurk van een vent die jaloers was op Othello, besloot om de schijn te wekken dat Desdemona Othello ontrouw was geweest. Othello had uiteindelijk Desdemona gewurgd.

Ah, shit.

'Goed,' zei hij nog eens. 'Dus de scène die we improviseren is aan het eind van het stuk. Othello gaat de confrontatie aan met Desdemona. We zullen beginnen met het oplezen van de oorspronkelijke tekst. Ik heb die op de script gekopieerd. Als ik je vraag of je hebt gebeden, is dat je wachtwoord om te gaan improviseren. Probeer dicht bij de verhaallijn te blijven, maar gebruik hedendaagse taal. Begrepen?'

Helaas wel. 'Ja.'

'Goed. Daar gaan we dan.'

En toen, zoals ik hem al zo vaak had zien doen, stapte Erik Night in het karakter van een ander en wérd hij die persoon. Hij draaide zich om zodat hij niet meer met zijn gezicht naar me toe stond en begon Othello's tekst voor te dragen. Ik zag dat hij het script had laten vallen en de tekst uit het hoofd reciteerde.

Het is de schuld, die 't eischt, mijn ziel, de schuld,
o laat mij die niet noemen, kuische sterren!
De schuld is 't. Toch wil ik haar bloed niet plengen,
de huid niet schrammen, schooner blank dan sneeuw...

Ik zweer dat hij fysiek veranderde, en ondanks mijn zenuwen en het afgrijzen dat ik in mijn binnenste voelde opkomen omdat ik wist dat dit zou uitlopen op een erg publieke, erg gênante scène, kon ik niet anders dan zijn verbluffende talent bewonderen.

Toen draaide hij zich naar me om, en ik kon nauwelijks denken door het gebons van mijn hart toen hij mijn schouders vastpakte.

... Waar vind ik de Prometheus-vonk,
die u uw licht hergeeft? Heb ik uw roos geplukt,
'k hergeef haar nimmer 's levens bloei, zij moet
verwelken; 'k wil haar aan den struik genieten.

En toen, tot mijn grote schrik, boog Erik zich voorover en kuste hij me op de lippen. Zijn kus was ruw en teder, vurig door woede en bedrogen zijn, en toch leek hij zijn lippen niet van de mijne te willen losmaken. Hij benam me de adem. Hij maakte me misselijk. Hij deed mijn hoofd duizelen.

O, wat zou ik graag weer zijn vriendinnetje zijn!

Ik vermande me toen hij de tekst uitsprak die voor mij het teken was dat ik moest beginnen.

Ik moet weenen; 't zijn wreede tranen. Dit is hemelsmart;
die slaat waar hij bemint. Ze ontwaakt.

'Wie daar? Othello?' Ik keek van mijn script naar Erik. Ik knipperde met mijn ogen in een poging eruit te zien alsof zijn kus me had gewekt.

'Ja, Desdemona.'

Jeetje! Ik kon niet geloven wat ik nu moest zeggen! Ik slikte krampachtig, waardoor ik ademloos klonk. 'Komt gij te bed, mijn gade?'

'Desdemona, hebt gij daarstraks gebeden?'

Eriks knappe gezicht was gespannen en angstaanjagend geworden en ik zweer dat ik geen toneel hoefde te spelen om er bang uit te zien. 'Ja, mijn gade.' De laatste regel van mijn tekst las ik haastig voor.

'Goed. Je zult een reine ziel nodig hebben voor wat je vannacht te wachten staat!' improviseerde hij. Hij zag er nog steeds uit als de Othello die door jaloezie tot waanzin was gedreven.

'Wat is er? Ik heb geen flauw idee wat je bedoelt.' Het was niet moeilijk om hierop te improviseren. Ik was de klas en al die toekijkende ogen helemaal vergeten. Het enige wat ik zag was Erik als Othello, en ik kende Desdemona's angst en diepe verslagenheid bij het idee dat ze hem kwijt zou raken.

'Denk goed na!' zei hij tussen op elkaar geklemde kaken door. 'Als er iets is waarvan je spijt hebt, moet je daarvoor nu vergiffenis vragen. Voor jou zal niets meer hetzelfde zijn, niet na wat er vannacht gaat gebeuren.'

Zijn vingers boorden zich zo diep in mijn schouders dat ik wist dat ze blauwe plekken zouden achterlaten, maar ik gaf geen krimp. Ik bleef gewoon in die ogen staren die ik zo goed kende en probeerde daarin de Erik te vinden die naar ik hoopte nog steeds om me gaf, terwijl mijn vergeten script uit mijn gevoelloze handen viel.

'Maar ik weet niet wat je wilt dat ik zeg!' riep ik uit. Ik probeerde eraan te blijven denken dat Desdemona mij niet was. Zíj had zich nergens schuldig aan gemaakt.

'De waarheid!' zei hij woedend; zijn ogen stonden wild. 'Ik wil dat je toegeeft hoezeer je me hebt bedrogen!'

'Maar ik heb je niet bedrogen!' Ik voelde tranen in mijn ogen branden. 'Niet in mijn hart. Ik heb je in mijn hart nooit bedrogen.'

Eriks Othello wiste alles in mijn wereld uit – Heath, Stark, Loren. Er waren alleen hij en ik en de behoefte die ik voelde om hem te laten begrijpen dat ik hem niet had willen bedriegen. Dat ik hem nog steeds niet wilde bedriegen.

'Dan is je hart een zwart, verschrompeld ding, want je hebt me beslist bedrogen.'

Zijn handen gleden van mijn schouders naar mijn hals en ik wist dat hij daar mijn hartslag kon voelen, die bonsde als een paniekerig fladderend vogeltje. 'Nee! De dingen die ik deed, waren vergissingen! Ik heb mijn eigen hart gebroken, niet één keer, maar drie keer.'

'Dus je wilt mijn hart samen met het jouwe breken?' Zijn vingers sloten zich om mijn hals, en ik zag ook tranen in zijn ogen.

'Nee, mijn gade,' zei ik, in een poging om, al was het maar voor een deel, in de rol van Desdemona te blijven. 'Ik wil alleen dat je me vergeeft en...'

'Je vergeven!' schreeuwde hij, me onderbrekend. 'Hoe zou ik dat moeten doen? Ik hield van je en je hebt me bedrogen met een ander.'

Ik schudde mijn hoofd. 'Dat waren allemaal leugens.'

'Je geeft dus toe dat je niets anders hebt gedaan dan tegen me liegen?' Zijn vingers verstrakten om mijn hals.

Ik snakte naar adem. 'Nee! Dat bedoelde ik niet. Je begrijpt alles verkeerd. Wat ik met hém had, was de leugen. Híj was de leugen. Je had gelijk met wat je over hem zei.'

‘Te laat,’ zei hij hees. ‘Je besef kwam te laat.’

‘Het hoeft niet te laat te zijn. Vergeef me en geef me nog een kans. Laat wat wij met elkaar hadden alsjeblieft niet zo eindigen.’

Ik zag verschillende emoties over Eriks gezicht trekken. Ik herkende woede en zelfs haat, maar ik zag ook verdriet en misschien, heel misschien, iets wat op hoop leek, rustig wachtend achter in het warme zomerluchtblauw van zijn ogen.

Toen verdween het verdriet en de hoop uit zijn uitdrukking. ‘Nee! Je hebt je als een slet gedragen en wordt nu dienovereenkomstig beloond!’

Met een waanzinnige blik in zijn ogen leek hij nog langer te worden, tot hij boven me uittorende. Hij kwam vlak voor me staan, haalde een van zijn handen van mijn keel zodat hij die arm kon gebruiken om me tegen zich aan te klemmen. Zijn andere hand was zo groot dat die mijn hals bijna helemaal omsloot. Toen hij kneep, waren onze lichamen dicht tegen elkaar aan gedrukt, en ik werd overspoeld door een golf witheet verlangen naar hem. Ik wist dat het verkeerd was. Ik wist dat het bizar was, maar mijn hart bonsde van meer dan alleen angst of zenuwen. Ik staarde in zijn ogen, voelde Desdemona’s angst samen met mijn hartstocht, en ik wist door de hardheid in zijn lichaam dat hij hetzelfde voelde. Hij was Othello, van zijn zinnen beroofd door jaloezie en woede, maar hij was ook Erik, de jongen die verliefd op me was geworden en tot in zijn ziel gekwetst werd toen hij me met een andere man betrapte.

Zijn gezicht was zo dicht bij het mijne dat ik zijn adem tegen mijn huid voelde. Zijn geur was vertrouwd, en die vertrouwdheid gaf de doorslag. In plaats van me los te rukken of door te gaan met de improvisatie en in zijn armen ‘in onmacht te vallen’ en net te doen alsof ik dood was, sloeg ik mijn armen om hem heen, trok hem naar me toe en sloot de korte afstand tussen onze lippen.

Ik kuste hem met alles wat ik in me had. Ik legde al mijn pijn en verdriet en hartstocht en liefde voor hem in die kus, en zijn mond ging open onder mijn lippen, en kwam me tegemoet, hartstocht vond hartstocht, pijn vond pijn en liefde vond liefde.

En toen ging die stomme bel.

20

O. Mijn. Godin. Die bel leek wel een brandalarm. Erik rukte zich van me los en de klas barstte uit in gejuich en loftuitingen. 'Grandioos!' 'Te gek gewoon!' Ik zou zijn omgevallen als Erik mijn hand niet had vastgehouden.

'Buigen,' zei hij binnensmonds. 'Glimlachen.'

Ik deed wat hij zei, maakte een buiging en forceerde een glimlach alsof mijn wereld niet zojuist was geëxplodeerd. Terwijl de leerlingen de klas uit liepen, sprak Erik weer op zijn docententoon.

'Oké, vergeet niet om *Julius Caesar* door te nemen. Morgen improviseren we op dat stuk. En jullie hebben het vandaag goed gedaan.'

Toen de laatste leerling de deur uit was, zei ik: 'Erik, we moeten praten.'

Hij liet mijn hand vallen alsof ik hem had verbrand. 'Ik zou maar opschieten, als ik jou was. Straks kom je ook nog te laat voor het volgende lesuur.' Toen draaide hij zich om, liep het kantoor naast het dramalokaal binnen en sloeg de deur met een klap achter zich dicht.

Ik beet hard op mijn lip om te voorkomen dat ik in tranen zou uitbarsten, en mijn gezicht brandde van vernedering toen ik het dramalokaal uit vluchtte. Wat was er in hemelsnaam zojuist gebeurd? Nou, één ding wist ik zeker, al was het maar één ding, en dat was dat Erik Night nog steeds interesse voor me had. Die interesse zou natuurlijk grotendeels kunnen voortkomen uit het feit dat hij mij het liefst zou wurgen. Maar toch. Hij stond tenminste niet zo onverschillig tegenover me als hij wilde doen voorkomen. Mijn lippen deden pijn van de intensiteit van onze kussen. Ik bracht mijn hand naar mijn mond en streek voorzichtig met een vinger over mijn onderlip.

Ik liep over het voetpad zonder acht te slaan op de halfwassen die me op weg naar hun les passeerden en lette eigenlijk helemaal niet op mijn omgeving tot het gekras van een raaf vanuit de takken van een boom naast het voetpad opklonk.

Huiverend bleef ik abrupt staan, en ik tuurde omhoog in de donkere boom. De nacht flakkerde en golfde, als vet dat langs een zwarte kaars druipt. Er was iets, iets aan wat het ook was dat in de boom zat, dat mijn knieën slap maakte en mijn maag deed verkrampen.

Sinds wanneer was ik zo'n prooi geworden, zo'n angstig klein meisje?

'Wie ben je?' schreeuwde ik naar de nacht. 'Wat wil je van me?' Ik rechtte mijn schouders en besloot dat ik dit stomme verstoppertje spelen spuugzat was. Ik mocht dan overmand zijn door verdriet om Heath en verward zijn over Stark en helemaal niets kunnen doen aan de puinhoop die ik er met Erik van had gemaakt, maar dit was iets waar ik wel wat aan kon doen. Ik zou dus naar die bomen lopen en wind aanroepen om wat het ook was dat me gadesloeg naar beneden te blazen zodat ik er korte metten mee kon maken. Ik had er mijn buik van vol om me raar te voelen en bang en allesbehalve mezelf en...

Voor ik van het voetpad kon stappen, leek Darius uit het niets naast me te materialiseren. Jeetje, voor zo'n grote vent kon hij zich griezelig snel en stil verplaatsen.

'Zoey, je moet meekomen,' zei hij.

'Wat is er aan de hand?'

'Het is Aphrodite.'

Mijn maag trok zich zo hard samen dat ik dacht dat ik moest overgeven. 'Ze is toch niet stervende, hè?'

'Nee, maar ze heeft je nodig. Nu.'

Meer hoefde hij niet te zeggen. De spanning op zijn gezicht en de dodelijke ernst in zijn stem zeiden genoeg. Ze was niet stervende, dus had ze waarschijnlijk een visioen.

'Oké, ik kom eraan.' Ik haastte me in de richting van het meisjesverblijf, maar kon Darius nauwelijks bijhouden.

De krijger bleef even staan en keek me zo doordringend aan dat ik me er ongemakkelijk bij voelde. 'Vertrouw je me?' vroeg hij kortaf.

Ik knikte.

'Ontspan je dan en vertrouw erop dat je bij mij veilig bent.'

'Oké.' Ik had geen flauw idee wat hij bedoelde, maar ik protesteerde niet toen hij mijn arm vastpakte.

'Niet vergeten: ontspan je,' zei hij.

Ik opende mijn mond om nog eens 'oké' te zeggen (en misschien met mijn ogen naar hem te rollen) toen de lucht uit mijn longen werd geperst doordat Darius naar voren sprong alsof hij ontplofte, en mij op de een of andere manier meesleurde. Het was het bizarste wat ik ooit had meegemaakt, wat wel iets wilde zeggen aangezien ik in de afgelopen paar maanden massa's bizarre dingen had meegemaakt. Het was net zo'n bewegend voetpad op de luchthaven, alleen was het 'voetpad' Darius' aura of zo, en de beweging ging zo snel dat de wereld om ons heen één groot waas was.

Binnen enkele seconden stonden we voor het meisjesverblijf, en dan overdrijf ik niet.

'Godallemachtig! Hoe deed je dat?' Ik hijgde een beetje en zodra hij mijn arm losliet, begon ik als een gek mijn haar uit mijn gezicht te strijken. Het was net of ik zojuist een supersonische rit op een Harley had gemaakt.

'De Zonen van Erebus zijn machtige krijgers met enorme vaardigheden,' zei hij cryptisch.

'Huh. Je meent het.' Ik wilde zeggen dat ze ook klonken alsof ze in een *In de ban van de ring*-film thuishoorden, maar ik wilde niet onbeleefd zijn.

'Ze is in haar kamer,' zei hij, terwijl hij me min of meer de trap naar de voordeur op duwde en zijn hand uitstak om de deur voor me open te maken. 'Ze zei dat ik je onmiddellijk moest halen.'

'Nou, dat heb je beslist gedaan,' zei ik over mijn schouder. 'O, kun je alsjeblieft naar Lenobia gaan om haar uit te leggen waarom ik niet in de les ben verschenen?'

'Natuurlijk, priesteres,' zei hij. Toen verdween hij weer. Jeetje. Ik rende het meisjesverblijf in; ik was nog steeds een beetje buiten adem. De gemeenschappelijke ruimte was leeg; iedereen (behalve Aphrodite en ik) zat in de klas, dus ik kon de trap op rennen en de gang door naar Aphrodites kamer zonder allerlei vragen van veel te nieuwsgierige meisjes te hoeven beantwoorden.

Het enige licht in de kamer kwam van een kleine kaars. Aphrodite zat op haar bed met haar knieën opgetrokken tegen haar borst, haar ellebogen op haar knieën en haar gezicht begraven in haar handen. Malafide lag als een pluizige witte bal naast haar opgekruld. De kat keek naar me op toen ik de kamer binnenkwam en gromde zacht.

'Hé, wat is er met je?' vroeg ik.

Er trok een rilling door haar lichaam en het kostte haar duidelijk grote moeite om haar hoofd op te tillen en haar ogen open te doen.

'O mijn god! Wat is er gebeurd?' Ik rende naar haar toe en knipte de Tiffany-lamp aan die op haar nachtkastje stond. Toen Malafide zich bewoog en waarschuwend naar me blies, zei ik tegen het dier: 'Ik waarschuw je. Als je wat probeert, dan slinger ik je het raam uit en roep ik regen aan om je te doorweken.'

'Malafide, het is oké. Zoey is niet aardig, maar ze zal me niets doen,' zei ze vermoeid.

De kat gromde nog eens, maar krulde zich weer op tot een witte bal. Ik richtte mijn aandacht op Aphrodite. Haar ogen waren bloeddoorlopen, zo erg dat het wit helemaal rood was. Niet roze en ontstoken alsof ze allergisch was voor pollen en zojuist door een veld was gelopen. Ze waren róód. Bloedrood. Bloed vulde haar ogen en kleurde ze rood.

'Het was deze keer echt gruwelijk.' Ze klonk ellendig. Haar stem beefde en haar gezicht was griezelig wit. 'K-kun je uit de koelkast een flesje Fiji-water voor me pakken?'

Ik haastte me naar haar minikoelkast en pakte een flesje water. Toen maakte ik een omweg via haar badkamer, waar ik een van haar met gouddraad geborduurde washandjes pakte. (Jeetje, wat was die meid rijk!) Ik goot snel wat van het koude bronwater op de washand en haastte me toen terug naar haar.

'Neem een slokje, doe dan je ogen dicht en leg dit op je gezicht.'

'Ik zie er afschuwelijk uit, hè?'

'Ja.'

Ze nam een paar grote slokken Fiji-water alsof ze omkwam van de dorst, legde het koude, natte washandje op haar ogen en leunde met een uitgeputte zucht achterover tegen de berg designerkussens. Malafide sloeg me gade met gemene, tot spleetjes geknepen kattenogen, wat ik negeerde.

'Hebben je ogen dat wel eens eerder gedaan?'

'Bedoel je zo ontzettend pijn doen?'

Ik aarzelde, maar besloot toen om het haar gewoon te vertellen. Aphrodite was niet iemand die spiegels meed. Ze zou het binnen de kortste keren zelf ontdekken. 'Ik bedoel rood worden, bloedrood.'

Ik zag een schok van schrik door haar lichaam trekken en ze wilde het washandje van haar ogen trekken, maar haar hand stopte en viel terug op het bed en haar schouders zakten naar voren. 'Geen wonder dat Darius zich wezenloos schrok en naar jou op zoek ging alsof de hellehonden hem op de hielen zaten.'

'Het trekt vast wel weer weg. Het is waarschijnlijk beter als je je ogen een poosje dichthoudt.'

Ze slaakte een theatrale zucht. 'Ik word echt woest als die verrekte visioenen me nu ook nog lelijk gaan maken.'

'Aphrodite,' zei ik, terwijl ik mijn best deed om mijn glimlach uit mijn stem te houden. 'Je bent veel te mooi om ooit lelijk te worden. Dat is tenminste wat je iedereen al tig keer hebt verteld.'

'Je hebt gelijk. Zelfs met rode ogen ben ik mooier dan wie dan ook. Bedankt dat je me daaraan herinnert. Kun je nagaan hoe gestrest ik raak van die visioenbullshit. Normaal zou ik er niet eens bij stilstaan om me daar druk over te maken.'

'Over visioenbullpoepie gesproken. Wil je me alsjeblieft vertellen waar het deze keer over ging?'

'Weet je, je zou écht niet smelten of zo als je een keer zou vloeken. Lieve godin, "bullpoepie" is onvoorstelbaar sukkelig.'

'Kun je alsjeblieft bij het onderwerp blijven?'

'Best. Maar verwijt het mij dan niet als mensen je zeggen dat je sukkelig en ergerlijk klinkt. Op mijn bureau ligt een vel papier waarop een gedicht is geschreven. Zie je het liggen?'

Ik liep naar haar dure kaptafel/bureau en daar lag inderdaad een enkel vel papier op het glanzende hout. 'Ik zie het,' zei ik.

'Goed. Je moet het lezen, en ik hoop dat jij begrijpt wat het in jezusnaam betekent. Ik snap gedichten nooit. Het is allemaal vervelende bullshít.'

Ze benadrukte het 'shit'-deel van het woord. Ik negeerde haar en concentreerde me op het gedicht. Zodra ik het goed had bekeken, begon mijn huid te tintelen en kreeg ik kippenvel op mijn armen alsof een koude windvlaag over me heen was getrokken.

'Heb jij dit geschreven?'

'Ja, hoor. Natuurlijk. Als kind vond ik Dr. Seuss niet eens leuk. Uitgesloten dat ik dat gedicht heb geschreven.'

'Ik bedoelde niet of je het hebt bedacht, maar of je het fysiek hebt opgeschreven.'

'Word je dommer of zo? Ja, Zoey. Ik heb het gedicht opgeschreven dat ik in mijn angstaanjagende en veel te pijnlijke visioen heb gezien. Nee, ik heb het niet bedacht. Ik heb het overgeschreven. Tevreden?'

Ik keek naar haar zoals ze achterovergeleund tegen haar berg kussens lag, op haar dure hemelbed met het met gouddraad geborduurde washandje op haar gezicht, terwijl ze met haar ene hand haar afschuwelijke kat streelde, en schudde geërgerd mijn hoofd. Een regelrechte divabitch. 'Weet je, ik zou je met je kussen kunnen smoren en niemand zou je missen. Tegen de tijd dat je gevonden werd, zou die weerzinwekkende kat jou en elk bewijs van mijn misdaad hebben opgegeten.'

'Malafide zou mij niet opeten. Maar jou wel als je zou proberen me zoiets te flikken. Bovendien zou Darius me missen. Lees nou verdomme dat gedicht en vertel me wat het betekent.'

'Jij bent Visioenvrouwtje. Jij hoort te weten wat dingen betekenen.' Ik richtte mijn aandacht weer op het gedicht. Wat was er toch met het handschrift dat me zo'n raar gevoel gaf?

'Ik zie dingen, ik interpreteer ze niet. Ik ben alleen maar het zeer aantrekkelijke orakel. Jij bent de hogepriesteres in opleiding, weet je nog? Dus puzzel het uit.'

'Oké, rustig maar. Ik lees het wel hardop. Soms worden gedichten begrijpelijk als je ze hoort.'

'Je doet maar. Maar vertel me alsjeblieft wat het betekent.'

Ik schraapte mijn keel en begon te lezen.

De aloude slaapt en wacht om te verrijzen
Als de kracht van de aarde heilig rood bloed plengt
Koningin Tsi Sgili zal beramen; het merkteken zal het bewijzen
Dat dit hem uit zijn als graf omsluitende bed brengt

Door de hand van de dood is hij dan vrij
Monsterlijke aanblik, gruwelijke pracht
En weer overheerst zijn zij
Vrouwen zullen buigen voor zijn duistere macht

Kalona's lied klinkt zoet
Terwijl wij moorden met ijzige gloed

Toen ik klaar was, wachtte ik even. Ik probeerde te begrijpen wat het betekende en waarom het me zo'n beklemmend gevoel bezorgde.

'Het is angstaanjagend, hè?' zei Aphrodite. 'Ik bedoel, het is beslist geen "rozengeur en maneschijn en ze leefden nog lang en gelukkig".'

'Nee, beslist niet. Oké, eens even kijken. Wat is de kracht van de aarde en wanneer plengt die rood bloed?'

'Ik heb geen flauw idee.'

'Hm.' Ik kauwde peinzend op de binnenkant van mijn wang. 'Nou, het kan lijken alsof de aarde bloedt als iets wordt gedood en het bloed de grond in trekt. En misschien slaat die "kracht" op datgene wat gedood wordt. Zoals een krachtig of machtig persoon.'

'Of een krachtige vampier. Zoals toen ik professor Nolans lichaam vond.' Aphrodites pedante toon werd getemperd door de herinnering. 'Toen leek het net alsof de aarde bloedde.'

'Ja, je hebt gelijk. Het zou dus iets te maken kunnen hebben met dat die koningin Tsi Sgili doodgaat of vermoord wordt omdat een koningin beslist een machtig persoon is.'

'Wie is in jezusnaam die koningin Tsi Nog-wat?'

'De naam komt me bekend voor. Het klinkt als een Cherokeenaam. Ik vraag me af of...' Mijn woorden werden afgebroken doordat ik naar lucht hapte van schrik toen het opeens tot me doordrong waarom het handschrift me zo'n raar gevoel gaf.

'Wat?' Aphrodite schoot overeind, haalde het washandje van haar ogen en keek me met tot spleetjes geknepen ogen aan. 'Wat is er?'

'Het handschrift,' zei ik, tussen lippen door die ijskoud waren geworden. 'Dit is het handschrift van mijn oma.'

21

'Het handschrift van je oma?' zei Aphrodite. 'Weet je dat zeker?'

'Heel zeker.'

'Maar dat is onmogelijk. Ik heb dat ellendige gedicht een paar minuten geleden zelf opgeschreven.'

'Hoor eens, ik ben met Darius min of meer hierheen geteleporteerd, en dat zou ook onmogelijk moeten zijn, maar dat is echt gebeurd.'

'Ja, sul, aangezien zoiets als *Star Trek* helemaal niet bestaat.'

'Je herkende de verwijzing naar teleportatie. Jij bent dus ook een sul,' zei ik zelfgenoegzaam.

'Nee, ik ga gewoon gebukt onder sullen van vrienden.'

'Hoor eens, ik weet zeker dat het oma's handschrift is, maar wacht even. Ik heb in mijn kamer een brief van haar. Ik pak hem wel even. Misschien heb je gelijk...' Ik trok mijn wenkbrauwen naar haar op en voegde eraan toe: '... voor de verandering, en doet het me alleen maar aan haar handschrift denken.' Ik wilde meteen wegrennen, maar bleef lang genoeg staan om het vel papier met het gedicht aan Aphrodite te laten zien. 'Is dit je normale handschrift?'

Ze pakte het vel papier van me aan en knipperde een paar keer met haar ogen om duidelijk te kunnen zien. Ik zag de schrik over haar gezicht trekken en wist wat ze ging zeggen voor ze haar mond opendeed. 'Shit! Dit lijkt totaal niet op mijn handschrift.'

'Ik ben zo terug.'

Ik probeerde niet na te denken over wat er aan de hand kon zijn terwijl ik door de gang naar mijn kamer rende, de deur opengooide en werd begroet door Nala's *'mi-uf-auw!'* van ontstemde verrassing omdat ik haar tijdens haar schoonheidsslaapje stoorde.

Ik had er maar een seconde voor nodig om de laatste kaart die oma me had gestuurd te pakken. Ik had hem op mijn bureau neergezet (een veel goedkopere versie van het meubeltje in Aphrodites kamer). Voor op de kaart stond een afbeelding van drie ernstig kijkende nonnen (nonnen!). Het onderschrift luidde: HET GOEDE NIEUWS IS DAT ZE VOOR JE BIDDEN. Binnen in de kaart stond: HET SLECHTE NIEUWS IS DAT ZE MAAR MET ZIJN DRIEËN ZIJN. Ik moest er weer om lachen toen ik me terughaastte naar Aphrodites kamer, en ik vroeg me onwillekeurig af of zuster Mary Angela de kaart grappig of beledigend zou vinden. Volgens mij zou ze erom kunnen lachen en ik nam me voor om het haar een keer te vragen.

Aphrodite stak ongeduldig haar hand uit toen ik haar kamer binnenkwam. 'Oké, laat eens zien.' Ik gaf haar de kaart en keek er samen met haar op neer toen ze hem openklapte en het korte berichtje in oma's handschrift zag staan. Toen hield ze het vel papier met het gedicht er vlak naast en vergeleken we het handschrift.

'Dat is wel heel erg bizar!' zei Aphrodite hoofdschuddend. Het handschrift op de kaart was hetzelfde als het handschrift op het vel papier. 'Ik zweer dat ik dit gedicht nog geen vijf minuten geleden heb opgeschreven, maar het is absoluut het handschrift van je oma en niet het mijne.' Ze keek naar me op. Haar gezicht stak spierwit af tegen de afschuwelijke bloedkleur van haar ogen. 'Je moest haar maar bellen.'

'Ja, dat doe ik zo. Maar eerst wil ik alles weten wat je je van dat visioen herinnert.'

'Vind je het goed als ik mijn ogen dichtdoe en het washandje weer op mijn gezicht leg terwijl ik praat?'

'Ja, hoor. Ik wil er zelfs een beetje fris water op doen. Over water gesproken, drink nog wat. Je ziet er, nou ja, beroerd uit.'

'Geen wonder. Ik voel me echt beroerd.' Ze dronk het flesje Fijiwater leeg terwijl ik het washandje uitspoelde. Nadat ik het had opgevouwen en aan haar had teruggegeven, legde ze het op haar ogen, leunde weer achterover tegen haar kussens en streelde afwezig de spinnende Malafide. 'Ik wou dat ik maar wist waar het over gaat,' zei ze.

'Ik geloof dat ik dat weet.'

'Zonder gekheid? Weet je wat het gedicht betekent?'

'Nee, dat bedoelde ik niet. Ik bedoelde dat ik denk dat het te maken heeft met dat slechte gevoel dat Stevie Rae en ik over Neferet hebben. Ze voert iets in haar schild, iets wat verder gaat dan haar gebruikelijke duivelse praktijken. Volgens mij is ze toen Loren werd vermoord overgegaan tot wat het ook is dat nu speelt.'

'Het zou me niet verbazen als je gelijk hebt, maar ik moet je zeggen dat Neferet geen rol speelde in mijn visioen.'

'Vertel me nu maar wat je hebt gezien.'

'Nou, het was kort en uitzonderlijk duidelijk vergeleken met de andere visioenen die ik de laatste tijd heb gehad. Het was een mooie zomerdag. Ik kon niet zien wie het was, maar midden op een veld, nee, het was meer een weiland of zo, zat een vrouw. Ik zag vlakbij een kleine steile rots en ik hoorde water van een beek of een kleine rivier. Hoe dan ook, de vrouw zat op een grote witte quilt. Ik weet nog dat ik dacht dat het niet bepaald slim van die vrouw was om een witte quilt op de grond uit te spreiden. Daar zouden allemaal grasvlekken op komen.'

'Daar hoefde ze niet bang voor te zijn,' zei ik, tussen lippen door die weer gevoelloos en koud waren geworden. 'Hij was van katoen en makkelijk te wassen.'

'Je weet dus wat ik bedoel?'

'Dat is oma's quilt.'

'Dan moet het je oma zijn geweest die het gedicht in haar hand had. Ik heb haar gezicht niet gezien. Eigenlijk heb ik maar weinig van haar gezien. Ze zat in kleermakerszit en ik stond achter haar en keek over haar schouder. Maar zodra ik het gedicht zag, verdween verder alles uit het visioen en was er alleen nog het gedicht.'

'Waarom heb je het opgeschreven?'

Ze haalde haar schouders op. 'Dat weet ik eigenlijk niet. Dat moest ik gewoon. Dus schreef ik het op terwijl ik nog in het visioen was. Toen kwam ik eruit, keek op naar Darius en zei dat hij jou moest halen, en volgens mij viel ik toen flauw.'

'Is dat alles?'

'Wat wil je nog meer? Ik heb verdomme dat hele gedicht opgeschreven.'

'Maar je visioenen zijn meestal een waarschuwing voor iets vreselijk akeligs wat op het punt staat te gebeuren. Dus waar is de waarschuwing?'

'Die was er niet. Eerlijk gezegd heb ik er helemaal geen slecht gevoel bij gehad. Er was alleen het gedicht. Dat veld was echt leuk, ik bedoel, ook al was het in de natuur. Zoals ik al zei: het was een mooie zomerdag. Alles was oké, tot ik uit het visioen kwam en mijn hoofd en ogen ontiegelijk veel pijn deden.'

'Nou, ik heb hier zo'n slecht gevoel over dat het ruim voldoende is voor ons allebei,' zei ik, terwijl ik mijn mobieltje uit mijn tas haalde. Ik keek hoe laat het was. Het was bijna drie uur 's nachts. Oma lag natuurlijk te slapen. Ook bedacht ik dat ik vandaag al mijn lessen zou missen, behalve die bijzonder publieke scène met Erik bij drama. Geweldig. Ik slaakte een diepe zucht. Ik wist dat oma het zou begrijpen; ik kon alleen maar hopen dat dat ook voor mijn docenten gold.

Ze nam op bij de eerste keer overgaan.

'O, Zoeybird! Wat ben ik blij dat je belt.'

'Oma, sorry dat ik u zo laat bel. Ik weet dat u lag te slapen en ik vind het vreselijk om u wakker te moeten maken,' zei ik.

'Nee, u-we-tsi-a-ge-ya, ik sliep niet. Ik ben uren geleden wakker geworden door een droom over jou en sindsdien ben ik wakker en heb ik gebeden.'

Haar vertrouwde gebruik van het Cherokee-woord voor 'dochter' gaf me het gevoel van bemind en geborgen te zijn, en ik vond het plotseling afschuwelijk dat haar lavendelboerderij anderhalf uur buiten Tulsa lag. Wat zou ik graag nu bij haar zijn geweest zodat ze me kon omhelzen en tegen me kon zeggen dat alles goed zou komen, zoals ze toen ik nog klein was altijd deed als ik bij haar logeerde nadat mijn moeder met de stief-loser was getrouwd en ze veranderde in een ultrareligieuze versie van een Stepford-echtgenote.

Maar ik was niet meer klein en oma kon mijn problemen niet met een omhelzing wegnemen. Ik was in opleiding tot hogepriesteres en mensen rekenden op mij. Nux had mij uitverkoren en ik moest leren om sterk te zijn.

'Lieve schat? Wat is er? Wat is er gebeurd?'

'Alles is oké, oma, ik maak het goed,' verzekerde ik haar vlug. Ik vond het verschrikkelijk om die bezorgdheid in haar stem te horen. 'Maar Aphrodite heeft weer een visioen gehad en dat heeft iets met u te maken.'

'Verkeer ik weer in gevaar?'

Ik moest onwillekeurig glimlachen. Ze had bezorgd en van streek geklonken toen ze dacht dat er iets met mij zou kunnen zijn, maar nu zij mogelijk degene was die gevaar liep, klonk ze sterk en klaar om het tegen de wereld op te nemen. Ik vind mijn oma echt een fantastische vrouw en ik ben dol op haar!

'Nee, dat geloof ik niet,' zei ik.

'Ik ook niet,' voegde Aphrodite eraan toe.

'Volgens Aphrodite verkeert u niet in gevaar. Tenminste, niet nu.'

'Nou, blij dat te horen,' zei oma nuchter.

'Dat is inderdaad een goed iets. Maar, oma, het punt is dat we Aphrodites visioen niet begrijpen. Er is meestal een duidelijke, ernstige waarschuwing. Maar deze keer zag ze alleen u met een vel papier in uw hand met een gedicht erop, en ze had sterk het gevoel dat ze het gedicht moest overschrijven.' Ik vertelde er niet bij dat ze het in oma's handschrift had overgeschreven. Dat voelde als superbizar toevoegen aan toch al enorm bizar. 'Dat deed ze dus, maar we kunnen er geen van beiden iets zinnigs in ontdekken.'

'Nou, misschien moet je me het gedicht voorlezen. Misschien herken ik het.'

'Ja, dat dachten wij ook. Oké, daar gaat-ie dan.' Zonder dat ze kon zien wat ze deed, stak Aphrodite het vel papier met het gedicht omhoog. Ik pakte het van haar aan en begon het voor te lezen.

De aloude slaapt en wacht om te verrijzen
Als de kracht van de aarde heilig rood bloed plengt
Koningin Tsi Sgili zal beramen; het merkteken zal het bewijzen

Hier viel oma me in de rede. 'Dat wordt uitgesproken als "t-si *s-gi-li*", met nadruk op het laatste woord. Haar stem klonk gespannen en ze sprak bijna op een fluistertoon.

'Gaat het wel goed met u, oma?'

'Ga door met lezen, u-we-tsi-a-ge-ya,' zei ze gebiedend; ze klonk weer meer als zichzelf. Ik las verder en begon met de laatste regel met de correcte uitspraak.

Koningin Tsi Sgili zal beramen; het merkteken zal het bewijzen
Dat dit hem uit zijn als graf omsluitende bed brengt

Door de hand van de dood is hij dan vrij
Monsterlijke aanblik, gruwelijke pracht
En weer overheerst zijn zij
Vrouwen zullen buigen voor zijn duistere macht

Kalona's lied klinkt zoet
Terwijl wij moorden met ijzige gloed

Oma's adem stokte en ze riep: 'O Grote Geest, bescherm ons!'

'Oma! Wat is er?'

'Eerst de Tsi Sgili en dan Kalona. Dit is erg, Zoey. Dit is erg, Zoey. Dit is verschrikkelijk erg.'

De angst in haar stem maakte me doodsbang. 'Wat is een Tsi Sgili? En een Kalona? Waarom is het zo erg?'

'Kent ze het gedicht?' vroeg Aphrodite, die rechtop ging zitten en het washandje van haar gezicht haalde. Ik zag dat haar ogen iets minder rood waren en dat ze weer wat kleur in haar gezicht kreeg.

'Oma, vindt u het goed dat ik u op de speaker zet?'

'Maar natuurlijk, Zoeybird.'

Ik drukte op de speakerknop en ging naast Aphrodite op het bed zitten. 'Oké, u staat nu op de speaker, oma. Er is hier niemand behalve ik en Aphrodite.'

'"Aphrodite en ik",' verbeterde ze me automatisch.

Ik rolde met mijn ogen naar Aphrodite. 'Sorry, oma, "Aphrodite en ik".'

'Mevrouw Redbird, herkent u het gedicht?' vroeg Aphrodite.

'Lieve schat, je mag me "oma" noemen, hoor. En nee, ik herken het niet. Dat wil zeggen: ik heb het nog nooit gelezen. Maar ik heb er wel van gehoord, van de mythe dan, die door mijn volk van generatie op generatie wordt doorgegeven.'

'Waarom schrok u toen u me Tsi Sgili en Kalona hoorde noemen?' vroeg ik.

'Dat zijn Cherokee-demonen. Duistere geesten van de ergste soort.' Oma zweeg even en ik kon horen dat ze op de achtergrond ergens mee bezig was. 'Zoey, voor we verder over deze wezens praten, ga ik de *smudge*-pot aansteken. Ik gebruik salie en lavendel. Terwijl we praten, zal ik de rook uitwaaieren met een duivenveer. Zoeybird, ik stel voor dat jij hetzelfde doet.'

Ik was stomverbaasd. Smudgen werd al honderden jaren gebruikt bij Cherokee-rituelen, vooral wanneer er behoefte bestond aan reiniging, zuivering of bescherming. Oma smudgede en reinigde zich regelmatig. Ik was opgegroeid in het geloof dat het gewoon een manier was om de Grote Geest te eren en mijn eigen geest te reinigen. Maar ik had nog nooit meegemaakt dat oma de behoefte voelde om te smudgen bij het noemen van iemand of iets.

'Zoey, doe het nu,' zei oma scherp.

22

Zoals altijd wanneer oma me iets opdroeg, deed ik dat onmiddellijk. 'Oké, goed. Ik ga al. Ik heb een smudge-bundel in mijn kamer. Ik ga hem snel even halen.' Ik keek Aphrodite aan en ze knikte en maakte met haar hand een wuivend gebaar naar de deur.

'Welke kruiden?' vroeg oma.

'Witte salie en lavendel. Ik bewaar hem in mijn la met T-shirts,' zei ik.

'Goed. Heel goed. Hij is van jou persoonlijk, maar de magie is nog niet bevrijd. Goed.'

Ik rende naar Aphrodites kamer terug.

'Ik heb een "pot" voor je,' zei Aphrodite, en ze gaf me een lavendelkleurige kom die was versierd met driedimensionale druiven en een rank die zich er helemaal omheen kronkelde. Het was een beeldschone kom en hij zag er duur en oud uit. Ze haalde haar schouders op. 'Ja, hij is duur.'

Ik rolde met mijn ogen naar haar. 'Oké, ik heb de kom, oma.'

'Heb je een veer? Het liefst van een vreedzame vogel, zoals de duif, of een beschermende vogel, zoals een havik of een adelaar.'

'Eh, oma, nee. Ik heb geen veren.' Ik keek Aphrodite vragend aan.

'Ik ook niet,' zei ze.

'Doet er niet toe, dan maar zonder. Ben je klaar, Zoeybird?'

Ik zwaaide de kleine toverstafachtige bundel van in elkaar gevlochten gedroogde kruiden heen en weer tot het vuur doofde en er rook van opsteeg. Toen plaatste ik de bundel in de lavendelkleurige kom en zette de kom tussen ons in. 'Ik ben klaar. Hij rookt perfect.'

'Wapper met jullie handen om de rook te verspreiden. Meisjes, jullie moeten je allebei concentreren op beschermende, positieve geesten. Denk aan jullie godin en aan haar liefde voor jullie.'

We deden wat oma ons opdroeg. We wapperden zachtjes met onze handen en verspreidden de rook om ons heen, terwijl we langzaam in- en uitademden.

Malafide nieste, gromde, sprong van het bed en verdween in Aphrodites badkamer. Ik kan niet zeggen dat het me speet om haar te zien gaan.

'Jullie moeten dicht bij de smudge-pot blijven en goed naar me luisteren,' zei oma. Ik hoorde haar driemaal de reinigende rook diep in- en uitademen en toen stak ze van wal. 'In de eerste plaats moeten jullie weten dat de Tsi Sgili Cherokee-heksen zijn, maar laat je niet misleiden door de titel "heks". Ze houden zich niet aan de vreedzame, prachtige gebruiken van wicca. Ze zijn evenmin de wijze priesteressen die je kent en respecteert, die Nux dienen. Een Tsi Sgili leeft als een verstotene, ver bij de stam vandaan. Ze zijn kwaadaardig, door en door. Ze zwelgen in moorden, ze scheppen genoegen in de dood. Hun magische krachten worden versterkt door de angst en pijn van hun slachtoffers. Ze voeden zich met de dood. Ze kunnen folteren en doden met de *ane li sgi*.'

'Ik weet niet wat dat betekent, oma.'

'Dat betekent dat ze beschikken over paranormale krachten en het vermogen om met hun geest te doden.'

Aphrodite keek naar me op. Onze blikken ontmoetten elkaar en ik kon zien dat we hetzelfde dachten: Neferet.

'Wie is de koningin die in het gedicht wordt vermeld?' vroeg Aphrodite.

'Ik heb nog nooit gehoord van een Tsi Sgili-koningin. Het zijn solitaire wezens en ze kennen geen hiërarchie. Maar ik ben geen autoriteit op dit gebied.'

'Is Kalona een van de Tsi Sgili?' vroeg ik.

'Nee. Kalona is erger. Veel erger. De Tsi Sgili zijn boosaardig en gevaarlijk, maar ze zijn menselijk en kunnen als dusdanig worden aangepakt.' Oma zweeg even en ik kon horen dat ze nog eens driemaal de reinigende rook diep in- en uitademde. Toen oma weer begon te praten was dat met gedempte stem, alsof ze bang was dat iemand haar zou kunnen horen. Nee, ze klonk eigenlijk niet bang, maar voorzichtig. Voorzichtig en doodernstig.

'Kalona was de vader van de Raafspotters en hij was niet menselijk. We noemen hem en zijn verwrongen nakomelingen "demonen", maar dat is niet helemaal correct. Ik denk dat je Kalona het best kunt beschrijven als een engel.'

Een koude rilling trok door mijn lichaam toen oma 'Raafspotters' zei, en toen drong het tot me door wat ze nog meer had gezegd, en ik knipperde verbaasd met mijn ogen. 'Een engel? Zoals in de Bijbel?'

'Zijn dat niet zogenaamd de braveriken?' vroeg Aphrodite.

'Ja. Maar vergeet niet dat volgens de christelijke traditie Lucifer zelf de stralendste en mooiste van alle engelen was, maar dat hij is gevallen.'

'Dat is waar ook. Dat was ik helemaal vergeten,' zei Aphrodite. 'Dus Kalona was een engel die is gevallen en slecht werd?'

'In zekere zin. In het verre verleden bewandelden engelen de aarde en plantten ze zich voort met mensen. Veel volken hebben verhalen waarin deze tijd wordt beschreven. De Bijbel noemde ze "*nephilim*". De Grieken en Romeinen noemden ze "Olympische goden". Maar hoe ze ook werden genoemd, alle verhalen zijn het op twee punten eens: ten eerste, dat ze mooi en machtig waren en ten tweede, dat ze zich met mensen voortplantten.'

'Daar kan ik wel in komen,' zei Aphrodite. 'Als het zulke spetters waren, lijkt het me logisch dat vrouwen zich tot ze aangetrokken voelden.'

'Nou, het waren uitzonderlijke wezens. Het Cherokee-volk vertelt over één engel in het bijzonder, weergaloos mooi. Hij had vleugels de kleur van de nacht en hij kon van gedaante veranderen en de vorm aannemen van een wezen dat op een reusachtige raaf leek. Aanvankelijk verwelkomde ons volk hem als een bezoekende god. We zongen en dansten voor hem. Onze gewassen tierden welig. Onze vrouwen waren vruchtbaar.

Maar langzamerhand veranderde alles. Ik weet eigenlijk niet waarom. De verhalen zijn te oud. Te veel daarvan is verloren gegaan in de tijd. Ik vermoed dat het moeilijk is om te leven met een god onder het volk, hoe mooi die ook is.

Ik herinner me een lied dat mijn grootmoeder vroeger zong, waarin werd verteld dat Kalona veranderde toen hij met de maagden van de stam de bijslaap begon te bedrijven. Het verhaal wil dat hij na de eerste keer met een maagd het bed te hebben gedeeld, geobsedeerd raakte. Hij móést simpelweg vrouwen nemen, hij hunkerde voortdurend naar hen, en tegelijkertijd haatte hij hen omdat ze bij hem de begeerte en de behoefte wekten.'

Aphrodite snoof. 'Ik durf te wedden dat hij misschien last had van begeerte, maar die vrouwen niet. Niemand wil een man die zich gedraagt als een mannelijke hoer, hoe aantrekkelijk die man ook is.'

'Je hebt gelijk, Aphrodite. Het lied van mijn grootmoeder vertelde dat de maagden zich van hem afwendden, en dat hij toen een monster werd. Hij gebruikte zijn goddelijke macht om onze mannen in bedwang te houden terwijl hij onze vrouwen ontmaagdde. En de hele tijd nam zijn haat jegens vrouwen toe met een intensiteit die des te angstwekkender was door zijn obsessie voor hen. Ik heb een oude wijze vrouw een keer horen zeggen dat de Cherokeevrouwen voor Kalona water, lucht en eten waren, zijn leven, maar dat hij het grondig verafschuwde dat hij hen zo ontzettend nodig had.' Ze zweeg weer even en toen ze haar verhaal vervolgde, klonk de afschuw duidelijk in haar stem door.

'De vrouwen die hij verkrachtte raakten zwanger, maar de meesten bevielen van dode wezens, onherkenbaar als zuigelingen van welke soort ook. Maar zo nu en dan bleef een van zijn nakomelingen in leven, al was die duidelijk niet menselijk. Volgens de verhalen waren Kalona's kinderen raven, met de ogen en ledematen van een man.'

'Getver, het lichaam van een kraai en de benen en ogen van een man? Weerzinwekkend gewoon,' zei Aphrodite.

Er trok een huivering door mijn lichaam. 'Ik heb de laatste tijd raven gehoord, massa's raven. Volgens mij heeft eentje geprobeerd me aan te vallen. Ik heb ernaar uitgehaald en toen haalde die mijn hand open.'

'Wat zeg je daar? Wanneer is dat gebeurd?' vroeg oma scherp.

'Ik hoor ze 's avonds en 's nachts. Ik vond het vreemd dat ze zo'n herrie maakten. En... en gisteravond fladderde er iets om me heen terwijl ik helemaal niets zag, als een gemene, onzichtbare vogel. Ik sloeg ernaar en toen rende ik de school in en riep ik vuur om de kou te verdrijven die het wezen meebracht.'

'En werkte dat? Heeft vuur het verjaagd?'

'Ja, maar sindsdien heb ik voortdurend het gevoel dat ik word gadegeslagen.'

'Raafspotters.' Oma's stem was zo hard als staal. 'Waar jij door lastig wordt gevallen zijn de geesten van de demonenkinderen van Kalona.'

'Ik heb ze ook gehoord,' zei Aphrodite, die weer akelig wit zag. 'Het is zelfs bij me opgekomen dat ze de afgelopen paar nachten behoorlijk hinderlijk zijn.'

'Sinds professor Nolan is vermoord,' zei ik.

'Ik geloof dat het mij toen ook voor het eerst is opgevallen. Mijn god, oma! Kunnen ze iets te maken hebben met de dood van professor Nolan en Loren?'

'Nee, dat geloof ik niet. De Raafspotters zijn hun fysieke gedaante kwijtgeraakt. Ze hebben alleen nog hun geest en kunnen weinig kwaad doen, behalve bij degenen die erg oud en de dood nabij zijn. Hoe ernstig hebben ze je hand verwond, lieve schat?'

Ik keek automatisch naar mijn hand, waarop niets meer te zien was. 'Dat valt wel mee. De schram was binnen enkele minuten verdwenen.'

Na een korte aarzeling zei oma: 'Ik heb nog nooit gehoord van een Raafspotter die in staat was om een krachtig jong persoon echt kwaad te doen. Het zijn onruststokers, duistere geesten die zich vermaken met het lastigvallen van de levenden en het kwellen van hen die aan de rand van het graf staan. Ik geloof niet dat ze de dood van een gezonde vampier zouden kunnen bewerkstelligen, maar ze worden mogelijk naar het Huis van de Nacht getrokken door de dood van die vampiers en hebben daar op de een of andere manier kracht uit geput. Wees voorzichtig. Het zijn afschuwelijke wezens, en hun aanwezigheid is altijd een slecht voorteken.'

Terwijl ik naar oma luisterde, was mijn blik weer naar het gedicht gedwaald. Ik las keer op keer de regel *Door de hand van de dood is hij dan vrij.*

'Wat is er met Kalona gebeurd?' vroeg ik kortaf.

'Zijn onverzadigbare lust naar vrouwen is hem uiteindelijk noodlottig geworden. De krijgers van de stammen hebben jarenlang geprobeerd om hem te overmeesteren. Tevergeefs. Hij was een wezen van mythe en magie, en slechts mythe en magie konden hem verslaan.'

'Wat is er gebeurd?' vroeg Aphrodite.

'De Ghigua riep een geheime raad van wijze vrouwen van alle stammen bijeen.'

'Wat is een Ghigua?' vroeg ik.

'Dat is de Cherokee-naam voor de Geliefde Vrouw van de stam. Ze is een begenadigde wijze vrouw, een diplomaat, en staat dikwijls erg dicht bij de Grote Geest. Elke stam kiest er één, en zij heeft zitting in een raad van vrouwen.'

'Ze zijn dus eigenlijk hogepriesteressen?' vroeg ik.

'Ja, zo kun je ze inderdaad beschouwen. Een Ghigua riep dus de wijze vrouwen bijeen, en ze kwamen in het geheim bij elkaar op de enige plek waar Kalona hen niet kon afluisteren: een diepe grot in de aarde.'

'Waarom kon hij hen daar niet horen?' vroeg Aphrodite.

'Kalona had een afkeer van de aarde. Hij was een wezen van de hemel, waar hij thuishoorde.'

'Nou, waarom heeft de Grote Geest of wie dan ook hem dan niet teruggestuurd naar de plek waar hij thuishoorde?' vroeg ik.

'Vrije wil,' zei oma. 'Het stond Kalona vrij om zijn eigen weg te kiezen, zoals het ook jou en Aphrodite vrij staat om je eigen weg te kiezen.'

'Vrije wil is af en toe goed waardeloos,' zei ik.

Oma lachte en het vertrouwde blije geluid verminderde de spanning in mijn binnenste enigszins. 'Dat kun je wel zeggen, u-we-tsi-a-ge-ya. Maar in dit geval is de vrije wil van de Ghigua-vrouwen de redding van ons volk geweest.'

'Wat hebben ze gedaan?' vroeg Aphrodite.

'Ze hebben de magie van vrouwen aangewend om een maagd te scheppen die zo mooi was dat Kalona haar onmogelijk zou kunnen weerstaan.'

'Hebben ze een meisje geschapen? Bedoelt u dat ze iemand een soort magische make-over hebben gegeven?'

'Nee, u-we-tsi-a-ge-ya. Ik bedoel dat ze een maagd hebben geschapen. De begenadigste pottenbakker onder de Ghigua maakte van klei het lichaam van een maagd en verfde een gezicht voor haar dat weergaloos mooi was. De Ghigua die bekendstond als de begenadigste wever van alle stammen weefde voor haar lang, donker haar, dat golvend tot aan haar slanke middel viel. De Ghigua-kleermaakster ontwierp een jurk voor haar in het wit van de vollemaan, en alle vrouwen samen versierden die met schelpen, kralen en veren. De snelvoetigste Ghigua streek over haar benen en zegende haar met snelheid. En de Ghigua die bekendstond als de begenadigste zangeres van alle stammen fluisterde haar lieve, zachte woorden in en zegende haar met een prachtige stem.

Alle Ghigua maakten een snee in hun handpalm en gebruikten hun eigen bloed om symbolen van kracht op het lichaam van de maagd te tekenen, symbolen die de Heilige Zeven vertegenwoordigden: noord, zuid, oost, west, boven, onder en geest. Toen gaven ze elkaar de hand, gingen ze in een kring om haar heen staan en bliezen ze haar met vereende krachten adem in.'

'Dat kunt u niet menen, oma! Wilt u zeggen dat de vrouwen iets wat eigenlijk een pop was, tot leven hebben gebracht?' zei ik.

'Zo gaat het verhaal,' zei oma. 'Jongedame, waarom is dat moeilijker te geloven dan het feit dat een meisje het vermogen heeft om alle vijf de elementen op te roepen?'

'Huh,' zei ik. Ik voelde mijn wangen warm worden door haar milde berisping. 'Daar zit wel wat in.'

'Daar zit zeker wat in. Hou nu je mond en laat haar de rest van het verhaal vertellen,' zei Aphrodite.

'Sorry, oma,' mompelde ik.

'Je moet niet vergeten dat magie echt bestaat, Zoeybird,' zei oma. 'Het is gevaarlijk om dat te vergeten.'

'Ik zal eraan denken,' verzekerde ik haar, terwijl ik bedacht dat het wel erg ironisch was dat ik kon twijfelen aan de kracht van magie.

'Dus om verder te gaan,' zei oma, waarmee ze mijn aandacht naar het verhaal terughaalde, 'De Ghigua-vrouwen bliezen de vrouw die ze A-ya noemden leven en een doel in.'

'Hé, ik ken dat woord. "A-ya" betekent "ik",' zei ik.

'Heel goed, u-we-tsi-a-ge-ya. Ze noemden haar A-ya omdat ze een stukje van ieder van hen in zich had. Ze was voor iedere Ghigua-vrouw "ik".'

'Dat is eigenlijk echt cool,' zei Aphrodite.

'De Ghigua vertelden niemand over A-ya, noch hun man noch hun dochters, zonen of vaders. Bij het krieken van de volgende dag leidden ze haar de grot uit naar een plek bij de rivier waar Kalona zich elke ochtend ging baden, terwijl ze haar de hele weg influisterden wat ze moest doen.

Ze installeerden haar op een plek in het zonlicht van de vroege ochtend. Ze kamde haar haren en zong een lied over een schone maagd toen Kalona haar zag en, zoals de vrouwen hadden geweten, kon hij aan niets anders denken dan dat hij haar moest bezitten. A-ya deed waarvoor ze was geschapen. Ze vluchtte met haar magische snelheid bij hem vandaan. Kalona volgde haar. In zijn vurige verlangen naar haar aarzelde hij nauwelijks bij de ingang van de grot waarin ze verdween, en zag hij niet de Ghigua-vrouwen die achter hem aan kwamen terwijl hij evenmin hun zachte magische gezang hoorde.

Diep onder de grond kreeg Kalona A-ya te pakken. In plaats van te gillen en zich tegen hem te verzetten, verwelkomde de mooiste aller maagden hem met open armen en een uitnodigend lichaam. Maar zodra hij bij haar binnendrong, veranderde dat zachte, uitnodigende lichaam in wat het vroeger was geweest: aarde, en de geest van vrouwen. Haar armen en benen werden de klei die hem vasthield, haar geest het drijfzand dat hem gevangenhield, terwijl het gezang van de Ghigua-vrouwen de Aardmoeder vroeg om de grot af te sluiten en Kalona in A-ya's eeuwige omhelzing vast te zetten. En daar bevindt hij zich tot op de dag van vandaag, stevig vastgeklemd in de armen van de aarde.'

Ik knipperde met mijn ogen alsof ik na een lange duik boven water kwam, en mijn blik viel op het gedicht dat naast de lavendelkleurige kom op het bed lag. 'Maar hoe zit het met het gedicht?'

'Nou, Kalona's opsluiting in de grot was niet het eind van het verhaal. Op het moment dat zijn graftombe werd afgesloten, hieven zijn kinderen, de afschuwelijke Raafspotters, met een mensenstem een lied aan dat beloofde dat Kalona op een dag zou terugkomen. Het lied beschreef de gruwelijke wraak die hij op menselijke wezens zou nemen, vooral op vrouwen. De bijzonderheden van het lied van de Raafspotters zijn in de loop der tijd verloren gegaan. Zelfs mijn grootmoeder kende slechts fragmenten daarvan, woorden die ze haar grootmoeder had horen fluisteren. Er waren maar weinig mensen die zich het lied wilden blijven herinneren. Ze geloofden dat het ongeluk bracht om te blijven stilstaan bij zulke verschrikkingen, maar er is genoeg in de herinnering gebleven, doordat het van moeder op dochter is doorgegeven, om te kunnen zeggen dat het sprak van de Tsi Sgili en de bloedende aarde, en dat de gruwelijke schoonheid van hun vader zou verrijzen.' Oma aarzelde even terwijl Aphrodite en ik met afschuw vervuld naar het gedicht staarden. Toen zei ze: 'Ik ben bang dat het gedicht in je visioen het lied is dat de raven zongen. En ik denk dat het een waarschuwing is dat Kalona op het punt staat terug te komen.'

23

'Het is een waarschuwing,' zei Aphrodite ernstig. 'Al mijn visioenen zijn waarschuwingen voor een ramp die zou kunnen gebeuren. Het laatste was dat dus ook.'

'Ik denk dat jullie gelijk hebben,' zei ik tegen Aphrodite en oma.

'En is het niet zo dat als de waarschuwingen in Aphrodites visioenen niet in de wind worden geslagen, voorkomen wordt dat de gruwelijke gebeurtenissen daadwerkelijk plaatsvinden?' zei oma.

Aphrodite keek bedenkelijk, dus antwoordde ik voor haar, waarbij ik mijn stem zekerder deed klinken dan ik me voelde. 'Ja, dat klopt. Haar visioen heeft u gered, oma.'

'En verscheidene anderen die die dag op de brug zouden zijn omgekomen,' zei oma.

'Het enige wat we toen hoefden te doen, was uitpuzzelen hoe we konden voorkomen dat het ongeluk gebeurde zoals zij dat in haar visioen had gezien, dus is dat ook het enige wat we met deze waarschuwing moeten doen,' zei ik.

'Dat lijkt mij ook, Zoey. Aphrodite is een instrument van Nux, en dit is duidelijk een waarschuwing van de godin.'

'Ze wil kennelijk ook dat u ons helpt,' zei Aphrodite. 'U was degene die ik het gedicht zag lezen.' Ze keek mij aarzelend aan en ik knikte; ik snapte wat ze oma nog meer wilde vertellen. 'Toen ik het gedicht overschreef, kwam het in uw handschrift op het papier.'

Ik hoorde oma verbaasd naar lucht happen. 'Weet je dat zeker?'

'Ja,' zei ik. 'Ik heb zelfs een van uw brieven ernaast gelegd om het te controleren. Het is beslist uw handschrift.'

'Dan denk ik ook dat Nux wil dat ik hier een rol in speel,' zei oma.

'Dat is niet zo vreemd,' zei ik. 'U bent de enige Ghigua-vrouw die we kennen.'

'Ach, lieve schat! Ik ben geen Ghigua-vrouw. Dit is iets waarover een hele stam een stem uitbrengt, en er is bovendien al generaties lang geen officiële Ghigua-vrouw geweest.'

'Nou, mijn stem hebt u,' zei Aphrodite.

'En ook die van mij,' zei ik. 'En ik durf te wedden ook die van Damien en de tweeling. En bovendien vormen wij met elkaar een soort stam.'

Oma lachte. 'Nou, ik zou het niet in mijn hoofd halen om tegen de wil van de stam in te gaan.'

'U moet eigenlijk hiernaartoe komen,' zei Aphrodite opeens.

Ik keek haar verbaasd aan, en ze knikte langzaam, bloedserieus. Ik luisterde naar mijn gevoel en wist met een misselijkmakende bons van mijn hart dat Aphrodite gelijk had.

'O, Aphrodite, hartelijk dank, maar nee. Ik blijf liever op mijn lavendelboerderij. We kunnen met elkaar telefoneren en sms'en. We vinden wel een oplossing.'

'Oma, vertrouwt u mij?' vroeg ik.

'Maar natuurlijk vertrouw ik jou, dochter,' zei ze, zonder te aarzelen.

'U moet hiernaartoe komen,' zei ik eenvoudigweg.

Het bleef even stil en ik kon oma bijna horen denken. 'Ik zal wat spullen inpakken,' zei ze toen.

'Breng ook wat van die veren mee,' zei Aphrodite. 'Ik durf te wedden dat we nog meer zullen moeten smudgen.'

'Dat zal ik doen, kind,' zei oma.

'Kom nu, oma.' Ik haatte het gevoel van dringende noodzaak dat me overspoelde.

'Vannacht, Zoeybird? Kan ik niet een paar uur wachten tot het ochtend is?'

'Vannacht.' Als uitroepteken achter mijn verzoek hoorden Aphrodite en ik het beangstigende geluid van een diepe, griezelige, krassende kreet van een raaf, zo luid dat de vogel in oma's warme, gezellige woonkamer had kunnen zijn. 'Oma! Is alles goed met u?'

'Het zijn geestwezens, u-we-tsi-a-ge-ya. Ze kunnen me alleen maar kwaad doen als ik de dood nabij ben, en ik kan je verzekeren dat ik daar nog heel ver vandaan ben,' zei ze beslist.

Ik moest denken aan de ijzige angst die ze met zich mee brachten en de brandende striem op mijn hand, en was er niet van overtuigd dat ze daar honderd procent gelijk in had. 'Haast u, oma. Ik zal me een stuk geruster voelen als u hier bent,' zei ik.

'Ik ook,' zei Aphrodite.

'Binnen twee uur ben ik bij jullie. Ik hou van je, Zoeybird.'

'En ik van u, oma.'

Ik wilde juist de verbinding verbreken toen oma eraan toevoegde: 'En ik hou ook van jou, Aphrodite. Dit zou wel eens de tweede keer kunnen zijn dat je me het leven redt.'

'Dag, oma. Tot straks,' zei Aphrodite.

Ik klapte de telefoon dicht en zag tot mijn verbazing dat Aphrodites ogen, waarvan het wit nu weer bijna helemaal wit was, vol tranen stonden, en dat ze een blos op haar wangen had. Toen ze voelde dat ik naar haar keek, haalde ze haar schouders op en veegde over haar ogen; ze leek verlegen met de situatie. 'Wat? Ik ben nogal op je oma gesteld. Is dat een misdaad?'

'Weet je, ik begin het idee te krijgen dat zich ergens in jou een aardige Aphrodite schuilhoudt.'

'Nou, word alsjeblieft niet sentimenteel. Zodra ik die vind, verdrink ik haar in de badkuip.'

Ik lachte naar haar.

'Moet jij er eigenlijk niet vandoor? Je hebt een hoop te doen.'

'Huh?' zei ik.

Ze slaakte een zucht. 'Je moet de kudde oenen verzamelen, ze vertellen over het gedicht en zo, en bedenken waar je je oma moet onderbrengen, wat betekent dat je waarschijnlijk iets met Shekinah moet regelen, aangezien ik durf te wedden dat je niet zit te springen om een gezellig onderonsje met Neferet, en dan moet je ook nog regelen dat Jack de oppascamera in het lijkenhuis installeert. Ik wens je succes met alles.'

'Shit, je hebt gelijk. Wat ga jij doen terwijl ik die hele lijst afwerk?'

'Uitrusten zodat ik met frisse moed de angstaanjagend ontzagwekkende kracht van mijn hersenen aan het werk kan zetten met het gedichtraadsel.'

'Jij gaat dus gewoon slapen?'

'Voornamelijk. Hé, kijk eens wat vrolijker. We hebben het klaargespeeld om een hele dag school over te slaan,' zei ze.

'Jij misschien. Maar ik heb het klaargespeeld om net op tijd dat ene lesuur dat mijn ex-vriendje doceert binnen te vliegen om voor de hele klas een behoorlijk ongemakkelijke en hoogst gênante improvisatiescène met hem te spelen.'

'Ooo! Daar wil ik alles over horen!'

'Dan kun je lang wachten,' zei ik over mijn schouder toen ik de deur uit liep.

Damien en de tweeling waren niet moeilijk te vinden. Ze zaten zich in de gemeenschappelijke ruimte van het meisjesverblijf vol te proppen met pretzels en vetarme chips. (Jegh! Het was echt stom dat we van de vampiers alleen maar gezonde dingen mochten eten.) Doordat iedereen zweeg toen ze me zagen en ze vervolgens allemaal tegelijk weer begonnen te kletsen, was het duidelijk dat ze ook over mij zaten te roddelen.

'O, lieve schat. We hebben zojuist het verhaal gehoord over Erik en de dramales,' zei Damien, met een meevoelend klopje op mijn arm.

'Ja, maar we hebben er nog niet genoeg over gehoord,' zei Shaunee.

'We zitten dringend verlegen om details uit de eerste hand,' zei Erin.

'Die van jou, dus,' besloot Shaunee.

Ik slaakte een zucht. 'We hebben een improvisatiescène gedaan. Hij heeft me gekust. De klas werd helemaal gek. Iedereen vertrok toen de bel ging. Ik bleef. Hij negeerde me. Einde.'

'Niks daarvan. Daar kom je echt niet mee weg,' zei Erin.

'Ja, we kregen sappiger details van Becca te horen. Weet je, tweelingzus, ik geloof echt dat dat meisje verliefd is op onze Erik,' zei Shaunee.

'Dat meen je niet, tweelingzus! Moeten we haar de ogen uitkrabben voor Z?' zei Erin. 'Ik heb al in geen tijden iemand lekker de ogen kunnen uitkrabben.'

'Wat zijn jullie toch banaal,' zei Damien. 'Erik en Zoey zijn uit elkaar, weet je nog?'

'Ja, nou, wij hebben ba-schoon genoeg van je ba-vocabulaire,' zei Erin.

'Ba-precies,' zei Shaunee.

'God nog an toe! Kunnen jullie alsjeblieft een keer ophouden met dat gekibbel? Er spelen zich belangrijke levenskwesties af waardoor mijn treurige liefdesleven nog bespottelijker lijkt dan het al is. Ik ga nu een bruin frisdrankje pakken en de hele keuken ondersteboven keren om te zien of ik échte chips kan vinden. Terwijl ik dat doe, gaan jullie naar boven en dan treffen we elkaar in Aphrodites kamer. Er zijn dingen die we moeten uitpuzzelen.'

'Dingen?' zei Damien. 'Wat voor dingen?'

'Van het soort waarmee we inmiddels vertrouwd zijn: angstaanjagende, levensverwoestende, wereldvernietigende dingen,' zei ik.

Damien en de tweeling keken me een paar seconden knipperend met hun ogen aan en toen mompelden ze alle drie: 'Oké, cool. Op ons kun je rekenen.'

'O, en Damien,' zei ik. 'Haal Jack. Hij moet er ook bij zijn.'

Damien keek me verbaasd aan en toen blij, en toen een beetje droevig. 'Z, is het oké als hij Duchess meebrengt? Die hond laat hem geen moment uit haar gezichtsveld.'

'Ja, ze mag meekomen. Maar waarschuw hem dat Aphrodite een nieuwe kat heeft, en die kat is een bizarre harige kloon van Aphrodite.'

'O jee,' zei de tweeling.

Ik verdween hoofdschuddend de keuken in, vastbesloten om me niet wéér hoofdpijn door hen te laten bezorgen.

'O-mijn-god, ik geloof dat ik flauw ga vallen!' Jack waaierde zichzelf koelte toe. Hij zag lijkbleek en wierp voortdurend snelle blikken op het achter zware gordijnen verborgen raam. Duchess, die tussen ons en de grommende Malafide in Aphrodites kamer was gepropt, leunde zacht jammerend tegen hem aan. Jack was de eerste die de lange stilte verbrak die was gevolgd op onze uitleg over Aphrodites visioen, het gedicht en oma's verhaal over de Tsi Sgili, de Raafspotters en Kalona.

'Oké, dat is het griezeligste verhaal dat ik in tijden heb gehoord.' Shaunee klonk ademloos. 'Ik zweer dat het nog huiveringwekkender is dan alle *Saw*-films bij elkaar.'

'O-mijn-god, tweelingzus. *Saw IV* joeg me de stuipen op het lijf,' zei Erin. 'Maar je hebt gelijk. Dit Kalona-gedoe is nog bizarder. En ik vind het een goed idee om je oma hiernaartoe te halen, Z.'

'Helemaal mee eens, tweelingzus,' zei Shaunee.

'O, Z!' riep Jack, die verwoed Duchess' oren streelde. 'Het idee van die weerzinwekkende raafwezens die krassen naar je lieve oma in haar huisje op die lavendelboerderij ver weg in de rimboe bezorgt me de kriebels.'

'Leuk, hoor,' zei Aphrodite. 'Alsof Zoey nog niet genoeg in de rats zit zonder dat jullie drieën het nodig vinden om het mes in haar buik om te draaien.'

'O, jezus! Het spijt me, Zoey!' Jack was onmiddellijk berouwvol. Hij klampte zich met zijn ene hand aan Damien vast en aaide Duchess met de andere. Hij leek op het punt te staan om in tranen uit te barsten.

Ik verwachtte dat de tweeling zoals gewoonlijk een hoge rug zou opzetten en naar Aphrodite zou blazen, maar in plaats daarvan keken Shaunee en Erin eerst elkaar aan en toen mij.

'Sorry, Z,' zei Erin.

'Ja, de helle... ik bedoel, Aphrodite heeft gelijk. We hadden je niet bang moeten maken door dat over je oma te zeggen,' zei Shaunee.

'Het is niet waar! Zei de sukkeliamese tweeling zojuist dat ik gelijk had?' Aphrodite drukte de rug van haar hand tegen haar voorhoofd en deed net of ze op het punt stond flauw te vallen.

'Als je je daar beter door voelt...' zei Shaunee.

'... we haten je nog steeds,' besloot Erin.

'Eh, misschien kunnen we in gedachten houden dat Duchess

vandaag een heleboel bullpoep heeft doorgemaakt.' Ik ging voor de grote blonde labrador op mijn hurken zitten en nam haar snuit tussen mijn handen. Haar ogen stonden rustig en verstandig, alsof ze nu al veel meer begreep dan wij ooit zouden begrijpen. 'Jij bent braver dan de rest van ons bij elkaar, hè?'

Duchess likte mijn gezicht en ik glimlachte. Ze deed me aan Stark denken, de levende, ademende, zelfverzekerde Stark, en ik voelde de hoop in me opkomen dat hij misschien terug zou komen voor zijn hond (en voor mij). Hoewel dat mijn leven alleen maar ingewikkelder zou maken, gaf het me op de een of andere manier ook het gevoel dat de dingen niet zo angstaanjagend waren als ik dacht. Toen verbrijzelde Damien mijn illusie.

'Laat me dat gedicht even zien.' Typisch weer Mr. Studiehoofd; hij kwam meteen ter zake en liet een groot deel van het drama links liggen.

Immens opgelucht dat er nog een stel hersenen was dat zich over het raadsel zou buigen, stond ik op en gaf hem het gedicht.

'Ten eerste is "gedicht" een verkeerde benaming ervoor,' zei Damien.

'Oma noemde het een lied,' zei ik.

'Dat is het eigenlijk ook niet. Volgens mij, dan.'

Ik had groot respect voor Damiens mening waar het zaken betrof die vaaglijk academisch waren, dus vroeg ik: 'Als het geen gedicht is en ook geen lied, wat is het dan wel?'

'Het is een profetie,' zei hij.

'Krijg nou wat! Hij heeft gelijk,' zei Aphrodite.

'Helaas moet ik zeggen dat ik het daarmee eens ben,' zei Shaunee.

'Naderend onheil en duisternis verwoord in verwarrende taal. Ja, zeker weten een profetie,' zei Erin.

'Een profetie, zoals in *In de ban van de ring* over de terugkeer van de koning?' vroeg Jack.

Damien glimlachte naar hem. 'Ja, precies.'

Toen keken ze allemaal naar mij. 'Dat lijkt me wel te kloppen,' zei ik mat.

'Goed. Laten we dan nu maar eens proberen om het te ontcijferen.' Damien bestudeerde de profetie. 'Oké, dus, het is geschreven in een "abab-cdcd-ee"-rijmschema, waardoor het in drie strofen is gesplitst.'

'Is dat belangrijk?' vroeg ik. 'Ik bedoel, we noemen het nu een "profetie" in plaats van een "gedicht", dus wat maakt dat abab-gedoe dan uit?'

'Nou, ik weet het niet voor honderd procent zeker, maar aangezien het in dichtvorm is geschreven, lijkt het mij dat we dichtregels moeten gebruiken om het te ontcijferen.'

'Oké, klinkt logisch,' zei ik.

'Strofen in gedichten zijn ruwweg synoniem met alinea's in proza; ze staan op zichzelf, maar vormen samen een geheel.'

'Briljant, man!' zei Jack, die grijnsde en Duchess knuffelde.

'Verdomme, wat is die jongen toch slim,' zei Shaunee.

'Een echte knappe kop,' zei Erin.

'Alleen al naar hem kijken bezorgt me koppijn,' zei Aphrodite.

'En dat betekent dat we de strofen eerst afzonderlijk moeten bekijken,' zei ik. 'Klopt dat?'

'Dat kan geen kwaad,' zei Damien.

'Lees het hardop,' zei Aphrodite. 'Het was beter te begrijpen toen Zoey het hardop voorlas.'

Hij schraapte zijn keel en las de eerste strofe met zijn boeiende voorleesstem voor.

De aloude slaapt en wacht om te verrijzen
Als de kracht van de aarde heilig rood bloed plengt
Koningin Tsi Sgili zal beramen; het merkteken zal het bewijzen
Dat dit hem uit zijn als graf omsluitende bed brengt

'Nou, het is duidelijk dat Kalona de aloude is naar wie wordt verwezen,' zei Damien.

'En Aphrodite en ik hadden al bedacht dat het lijkt alsof de aarde bloedt als er iemand wordt vermoord, zoals professor Nolan.' Ik wachtte even en slikte krampachtig. Ik had Loren daaraan moeten toevoegen, maar ik kon zijn naam niet over mijn lippen krijgen.

'Toen ik haar vond was er... was er zo veel bloed op het gras dat het... het nog niet door de grond geabsorbeerd was, waardoor het net leek alsof de aarde had gebloed.' Aphrodites stem trilde bij de herinnering.

'Ja, dat zou een goede beschrijving zijn geweest,' zei ik. 'En als de persoon of vampier die vermoord was krachtig was, dan zou dat passen bij de verwijzing naar kracht.'

'Oké, dat slaat ergens op, vooral als je de volgende twee regels eraan toevoegt. Het is duidelijk dat die koningin Tsi Sgili alles beraamt.' Damien zweeg, fronste zijn voorhoofd en voegde er toen aan toe: 'Weet je, het zou een bedrieglijke verwijzing kunnen zijn. Tsi Sgili beraamt, of brengt teweeg wat er gebeurt, en haar krachtige bloed laat de aarde bloeden en spoelt hem van zijn bed.'

'Jegh, walgelijk,' zei Shaunee.

'Maar wie is de koningin van de Tsi Sgili?' vroeg Erin.

'Dat weten we niet precies. Oma had geen idee. Ze weet eigenlijk niet veel over de Tsi Sgili, behalve dat ze gevaarlijk zijn en dat ze zich voeden met de dood,' zei ik.

'Goed, dan moeten we alert blijven op een mogelijke koningin,' zei Damien.

'Terwijl we geen idee hebben wie hij of zij zou kunnen zijn?' zei Shaunee.

'We weten wel iets,' zei Erin. 'Zoey's oma zei dat de Tsi Sgili zich voeden met de dood, dus moet het iemand zijn die krachtiger wordt als er iemand doodgaat.'

'Zoey's oma zei ook nog dat de Tsi Sgili dikwijls iets hebben... eh... ane li – hoe noemde ze dat ook alweer, Zoey?'

'Ane li sgi,' zei ik. 'Dat betekent dat ze over sterke paranormale krachten beschikken.' Ik ademde een keer diep in en uit en zei: 'Volgens mij kennen we allemaal één vampier in het bijzonder die mogelijk aan die beschrijving voldoet.'

'Neferet,' fluisterde Damien.

'Oké, we weten dat ze niet is wat ze lijkt,' zei Erin.

'Maar wil dat zeggen dat ze net zo duivels is als een Tsi Sgili volgens zeggen moet zijn?' vroeg Shaunee.

Aphrodite en ik wisselden een blik. Ik hakte de knoop door en knikte.

'Ze bewandelt niet meer hetzelfde pad als Nux,' zei Aphrodite.

De tweeling hapte naar lucht. Jack omhelsde Duchess, en ik zweer dat hij een zacht, hondachtig jammergeluidje maakte.

'Weet je dat zeker?' vroeg Damien. Zijn stem klonk onvast.

'Ja. Dat weten we zeker,' zei ik.

'Dan bestaat de kans dat Neferet de koningin is naar wie de profetie verwijst.'

Ik voelde mijn maag verkrampen toen meer stukjes van de puzzel op hun plaats vielen. 'Neferet gedraagt zich anders sinds de dood van professor Nolan en Loren.'

'O godin! Bedoel je dat ze iets te maken had met die gruwelijke moorden?' bracht Jack hortend uit.

'Ik weet niet of ze daar iets mee te maken had of dat ze zich alleen maar heeft gevoed met het eindresultaat,' zei ik. En toen moest ik denken aan de scène tussen Loren en Neferet waarvan ik getuige was geweest kort voor hij werd gedood. Ze waren minnaars geweest, dat was overduidelijk. Hij had van haar gehouden, maar zij had hem gebruikt om mij onderuit te halen. Ze had haar minnaar gebruikt om mij te verleiden en zijn stempel op mij te drukken. Hoe kon ze echt van hem hebben gehouden en hem dat hebben laten doen?

Stel dat haar versie van liefde net zo verwrongen was als zijzelf was geworden? Betekende dat dat ze kon doden wat ze beweerde lief te hebben?

'Maar we dachten allemaal dat de People of Faith iets met die moordpartijen te maken hadden,' zei Shaunee.

'Misschien is dat wat de Tsi Sgili-koningin ons wilde laten denken,' zei Damien. Hij meed het gebruik van Neferets naam, wat ik slim vond.

'Je hebt gelijk. Eerst die moorden en dan krijgt Aphrodite vlak na elkaar een paar onheilspellende visioenen waarin ik word gedood – en Neferet kwam beslist in minstens één daarvan voor – en vervolgens nog een visioen waarin deze profetie opduikt? Dat is wel heel erg toevallig. Misschien moest het wel lijken op een religieuze haatmisdaad,' zei ik, terwijl ik dacht aan de ontzettend aardige nonnen die ik juist had ontmoet en die ervoor hadden gezorgd dat ik mijn mening had bijgesteld over dat alle christelijke mensen kleingeestige zakken waren die het voorzien hadden op iedereen die hun geloof niet deelde.

'Terwijl het in werkelijkheid een machtsmisdaad was,' zei Aphrodite. 'Omdat Neferet wil dat Kalona verrijst.'

'Eh, laten we haar voorlopig maar "de koningin" noemen, oké?' zei ik haastig.

Iedereen knikte; Aphrodite haalde haar schouders op. 'Prima, hoor.'

'Wacht even, de profetie zou ook kunnen betekenen dat de dood van de koningin het Kalona mogelijk maakt om te verrijzen. Laten we eens zeggen dat we deze koningin misschien kennen, en als ze is wie we denken dat ze is, dan zie ik haar zich echt niet opofferen om iemand anders in staat te stellen aan de macht te komen,' zei Damien.

'Misschien kent ze maar een deel van de profetie. Ik bedoel, oma zei dat niemand het lied van de Raafspotters had opgeschreven, dat er alleen maar kleine fragmenten in de herinnering zijn blijven bestaan, en dat wil dus zeggen dat het in feite eindeloos veel jaren verloren is geweest.'

'O jee,' zei Aphrodite.

We keken haar allemaal aan. 'Wat is er?' vroeg ik.

'Oké, ik kan me natuurlijk vergissen, maar stel dat Kalona op de een of andere manier vanuit zijn graf of hoe je het ook wilt noemen contact zoekt? Hij zit daar al heel lang vast. Stel dat de greep van de aarde die hem vasthoudt, verslapt? Hij is onsterfelijk. Misschien kan hij vanuit de plek waar hij zich bevindt de hersenen van mensen binnendringen. Nux is daartoe in staat. Ze kan ons dingen influisteren. Stel dat hij dat ook kan?'

'Fluisteringen! Dat zei Nux ook: dat Neferet luisterde naar de fluisteringen van iemand anders.' Ik huiverde bij de gedachte en bij het gevoel dat me vertelde dat we op het goede spoor zaten.

'Het zou logisch zijn dat de mensen wier geest hij kan bereiken diegenen zijn die openstaan voor dood en kwaad,' zei Damien.

'Zoals de Tsi Sgili,' zei Erin.

'In het bijzonder hun koningin,' zei Shaunee.

'Ah, shit,' zei ik.

24

'Oké, laten we de volgende strofe eens bekijken,' zei Damien. Hij las weer hardop voor.

Door de hand van de dood is hij dan vrij
Monsterlijke aanblik, gruwelijke pracht
En weer overheerst zijn zij
Vrouwen zullen buigen voor zijn duistere macht

'En dan tot slot de laatste strofe.' Ook die las Damien voor.

Kalona's lied klinkt zoet
Terwijl wij moorden met ijzige gloed

'Jammer genoeg is de rest niet zo moeilijk te ontcijferen,' zei Erin. We keken haar allemaal verbaasd aan. 'Oké, ik geef toe – met tegenzin – dat ik het afgelopen semester bij poëzie zowaar iets heb opgestoken. Daag me maar voor het gerecht als dat een misdaad is. Hoe dan ook, behalve de eerste regel staat er duidelijk dat hij zodra hij vrij is weer vrouwen gaat buitmaken en verkrachten.'

'Maar in de eerste regel wordt beschreven hoe hij vrijkomt,' zei Damien. 'Door de hand van de dood, en als we de eerste strofe in gedachten houden, gaat die hand iets dermate bloederigs en akeligs teweegbrengen dat de grond ervan gaat bloeden.'

'Ja, en in de eerste strofe lijkt de koningin Tsi Sgili de persoon te zijn die de grond aan het bloeden brengt. Als zij is wie we denken, dan klopt dat niet. Zij is niet dood,' zei ik.

'Kan het niet gewoon symbolisch bedoeld zijn? Want hoe kan

iets wat dood is teweegbrengen dat iets gaat bloeden? Het slaat gewoon nergens op, wat een reden te meer is waarom ik nooit iets om poëzie heb gegeven,' zei Aphrodite. 'Bovendien, laten we eens zeggen dat het allemaal op één persoon slaat en dat die Tsi Sgili dood is en dat ze bloedt – dode mensen bloeden niet. Tenminste niet erg lang na hun dood.'

'O! O, nee!' Ik wist opeens wat de profetie moest betekenen, en ik viel hard op het bed neer doordat mijn knieën wankelden.

'Zoey? Wat is er?' vroeg Damien, terwijl hij me met het vel papier koelte toewapperde.

'Als je over mijn bed kotst, vermoord ik je,' zei Aphrodite.

Ik negeerde Aphrodite en greep Damiens arm vast. 'Het is Stevie Rae. Ze was dood en nu is ze ondood. Ze bloedt. Ze bloedt om de haverklap. Bovendien heeft ze paranormale krachten en ook andere grootse aardkrachten. Stel dat zij de koningin is!'

'En ze heeft een rode tatoeage. Net als in het verhaal over die hete meid die de Ghigua-vrouwen voor Kalona hebben geschapen,' zei Erin.

'Ze past precies in het plaatje,' zei Shaunee.

'Stevie Rae! O-mijn-god! Stevie Rae!' zei Jack, die nog minder kleur in zijn gezicht had dan ik.

'Ik weet het, liefje, ik weet het. Het is moeilijk te bevatten,' zei Damien.

Aphrodite zocht mijn blik. 'Ik moet instemmen met de theorie dat het Stevie Rae zou kunnen zijn.'

'Maar nee. Stevie Rae wás angstaanjagend toen ze haar menselijkheid kwijtraakte,' zei Damien langzaam, peinzend. 'Maar ze Veranderde, en nu is ze weer haar vroegere zelf. Ik geloof niet dat zij de Tsi Sgili-koningin kan zijn, omdat Stevie Rae beslist niet boosaardig is.'

Aphrodite keek me doordringend aan en zei toen: 'Hoor eens, Stevie Rae is niet meer dezelfde als vroeger.'

'Wat niet meer dan logisch is als je bedenkt wat ze allemaal heeft doorgemaakt,' zei ik haastig. Ik wilde hoe dan ook niet geloven dat Stevie Rae slecht was. Anders, ja. Maar slecht, écht niet. Toen viel me nog iets in. 'Weet je, ik zou eerder geloven dat een van die andere weerzinwekkende halfwassen de Tsi Sgili zou kunnen zijn. Ik bedoel, je hebt zelf gezegd dat ze nog steeds...' Ik brak af toen het eindelijk tot me doordrong dat Aphrodite een 'kappen!'-gebaar maakte, terwijl Damien en de tweeling me met open mond aanstaarden.

'Eh, herinner je je opeens weer dat niet iedereen van die andere halfwassen af weet?' zei Aphrodite. Toen rolde ze met haar ogen naar de verbijsterde uitdrukking op de gezichten van mijn vrienden. 'Nou, oeps! Ik laat het maar aan Zoey over om dit af te handelen. Vooruit, vertel de oenen over de freaks, Z.'

Ah, shit. Ik was helemaal vergeten dat ze niets af wisten van de rode halfwassen.

Ik besloot om flink te zijn. Om door de zure appel heen te bijten en hun de hele waarheid en niets dan de waarheid te vertellen. En als me niets anders overbleef, dan zou ik in tranen uitbarsten.

'Oké. Herinneren jullie je die andere dode halfwassen?'

Ze knikten stijfjes naar me.

'Die naarling van een Elliott en Elizabeth Geen Achternaam en nou ja, nog een paar?'

Ze knikten weer.

'Die zijn niet gestorven. Er is met hen hetzelfde gebeurd als met Stevie Rae, alleen, nou ja, anders. Het is nogal moeilijk uit te leggen.' Ik aarzelde en probeerde de juiste woorden te vinden. 'Maar het komt erop neer dat ze nog leven, en hun blauwe maansikkel is veranderd in een rode, en ze wonen met Stevie Rae in de tunnels.'

Vreemd genoeg was het die schat van een Jack die me redde. 'Bedoel je dat dit ook dingen zijn die je ons niet kon vertellen omdat je niet wilde dat wij er per ongeluk aan dachten en dat Neferet, die naar blijkt niet aan de goede kant staat, onze geest zou afluisteren en ontdekken dat jij het wist?'

'Jack, ik kan je wel zoenen,' zei ik.

'O jee!' giechelde Jack, terwijl hij Duchess' oren aaide.

Toen keek ik van hem naar mijn andere vrienden. Zouden de tweeling en Damien het ook zo makkelijk opnemen dat ik weer een massa dingen voor hen verborgen had gehouden? Ik zag dat ze elkaar onzeker aankeken.

Damien was de eerste die iets zei. 'Die ondode dode halfwassen, daar zit Neferet achter, hè?'

Ik aarzelde; ik wilde hen zo lang mogelijk tegen de waarheid beschermen.

'Ja.' Aphrodite ontnam me de keus. 'Neferet zit er absoluut achter. Daarom wilde Zoey niet vertellen over die andere halfwassen. Neferet is gevaarlijk en ze wilde jullie tegen haar beschermen.' Ze wachtte even en keek mij aan. 'Maar nu is het te laat. Ze moeten het weten.'

'Ja,' zei ik langzaam. 'Jullie moeten het weten.'

'Goed,' zei Damien resoluut. Hij pakte de hand van Jack die niet Duchess aaide. 'Het wordt tijd dat we alles weten. We zijn er klaar voor en we zijn niet bang.'

'Niet zo erg, tenminste,' zei Jack.

'Ja, je weet hoe dol we zijn op sappige roddels,' zei Erin.

'En dit is een eersteklas sappige roddel uit de eerste hand,' zei Shaunee.

'Sukkeliamese tweeling, jullie mogen dit aan helemaal niemand doorvertellen,' zei Aphrodite, duidelijk met afschuw vervuld.

'O, alsjeblieft, alsof we dat niet weten,' zei Shaunee.

'Ja, nu misschien niet, maar in de toekomst zal dit geweldig sappige roddelpraat zijn,' zei Erin.

'Oké,' zei Damien. 'Vertel op, Zoey.'

Ik ademde een keer diep in en uit en vertelde hun alles. Alles over de eerste keer dat ik meende 'geesten' te hebben gezien, die die akelige Elliott en Elizabeth Geen Achternaam bleken te zijn (die ik met vuur had moeten neerhalen en echt definitief dood had moeten maken om Heath de tunnels uit te kunnen krijgen) toen ze ondood waren. Ik vertelde hun over de tunnels en wat er was gebeurd toen ik Heath redde. Ik vertelde hun over Stevie Rae, alles over haar. Ik vertelde hun zelfs dat Stark mogelijk ondood terug zou komen.

Toen ik was uitgepraat, viel er een lange, geschokte stilte.

'Wauw,' zei Jack. Hij keek Aphrodite aan. 'Dus jij bent de enige aan wie ze dit alles kon vertellen omdat vampiers om welke reden ook jouw gedachten niet kunnen lezen?'

'Ja,' zei ze. Ik zag dat Aphrodite haar rug rechtte en dat ijzige, hautaine masker opzette dat betekende dat ze zich erop voorbereidde dat ze zich tegen haar zouden keren en zouden zeggen dat zij niet meer nodig was nu ze alles wisten.

'Dat moet moeilijk zijn geweest, vooral toen we zo gemeen tegen je deden,' zei Jack.

Aphrodite knipperde verbaasd met haar ogen.

'Ja,' zei Damien. 'Ik heb spijt van al die dingen die ik heb gezegd. Jij was voor Zoey een goede vriendin, terwijl wij haar lieten barsten.'

'Dito,' zei Shaunee.

'Helaas, idem dito,' zei Erin.

Aphrodite leek volslagen perplex te staan. Ik knipoogde grijnzend naar haar. Ik zei het niet hardop, maar het begon er echt op te lijken dat ze bij de kudde oenen ging horen.

'Dus, nu jullie alles weten, hebben we veel te doen,' zei ik. Ik had ieders aandacht. 'Zoals Stevie Rae zei, moeten we ervoor zorgen dat als Stark wakker wordt, hij dat niet doet waar Neferet bij zit, wachtend om hem tot haar slaafje te maken.'

'Jegh,' zei Shaunee.

'Daar moet je toch niet aan denken; hij was zó geweldig,' zei Erin.

'Dat is hij misschien nog steeds,' zei Jack. Toen schrok hij en bedekte hij Duchess' oren. 'En als we het over hém gaan hebben dan kunnen we hem beter J.S. noemen of zijn naam spellen. Je weet wel, uit respect voor Duchess.'

Ik keek Duchess in haar bruine ogen. Heel even raakte ik daarin verstrikt, en ik zweer dat ik pijn zag en verlies en een diepe, grenzeloze goedheid.

'Oké, laten we zijn initialen maar gebruiken,' zei ik, opgelucht omdat ik misschien door Starks initialen te gebruiken er niet aan zou denken dat we het eigenlijk over hém hadden en dat ik er dan niet aan herinnerd zou worden dat we vlak voor zijn dood zo'n diepe emotionele band hadden gekregen.

'Dus in plaats van te proberen het lichaam van, eh, J.S. te ontvoeren en in Z's kast te verstoppen of wat dan ook, had ik natuurlijk een veel beter idee.' Aphrodite wachtte even om zich ervan te vergewissen dat ze ieders aandacht had. 'Ik heb een oppascamera gekocht.'

'O, cool!' zei Jack. 'Zo'n ding heb ik onlangs bij *Dr. Phil* gezien. God, het was afschuwelijk. Een akelig, als ik het zo mag zeggen, dik, slecht gekleed kindermeisje werd door zo'n camera betrapt terwijl ze een arm stakkerdje van een kind als een gek door elkaar schudde.'

'Je kent die dingen dus?' vroeg Aphrodite.

'Ja,' zei hij.

'Goed. Jij moet namelijk het lijkenhuis binnenglippen, de camera installeren en de monitor aan Zoey geven. Zal dat lukken, denk je?' zei Aphrodite.

Jack trok wit weg. 'Het lijkenhuis? Waar ze dode lichamen bewaren?'

'Daar moet je niet aan denken,' zei ik vlug. 'J.S. zou gewoon kunnen liggen slapen, alleen ademt hij niet.'

'O,' zei Jack, allesbehalve overtuigd.

'Denk je dat je dat kunt?' vroeg ik, onvoorstelbaar opgelucht dat ik niets over elektronica wist en ik het nooit zou kunnen doen.

'Ja. Dat lukt wel. Dat verzeker ik je,' zei Jack vastberaden, terwijl hij een arm om Duchess' nek sloeg.

'Goed, dan is dat probleem afgehandeld.' Tenminste, tot hij wakker werd, áls hij wakker werd, maar ik hoopte dat ik nog een paar dagen had voordat ik me zou moeten bezighouden met alles wat dat met zich meebracht. Eerlijk gezegd vond ik het erg moeilijk om aan Stark te denken, dus ging ik snel op een ander onderwerp over. 'We moeten ons weer over de profetie buigen. Ik ben echt bang dat de regel die luidt "door de hand van de dood" op Stevie Rae slaat.'

'Ik geloof nog steeds niet dat Stevie Rae betrokken zou kunnen zijn bij het laten verrijzen van die gevallen engel,' zei Damien.

'Maar er zijn meer van die nieuwe andersoortige vampiers, toch?' zei Jack.

'Nou, geen vampiers,' legde ik uit. 'Stevie Rae is de enige die de complete Verandering heeft ondergaan. Maar er zijn aardig wat halfwassen.'

'Het lijkt me aannemelijker dat het een van hen zou zijn,' zei Damien.

'Ja, Stevie Rae zal zich echt niet inlaten met een slechterik,' zei Erin.

'Nee, geen schijn van kans,' zei Shaunee.

Aphrodite keek me alleen maar aan. Zij en ik zeiden niets.

'Maar Zoey zei dat de andere halfwassen, nou ja, weerzinwekkend zijn,' zei Jack.

'Dat zijn ze ook,' zei Aphrodite. 'Het zijn net...' – ze dacht even na en toen begonnen haar ogen te schitteren – 'Het zijn net fabrieksarbeiders. Getver.'

'Aphrodite, er is niets mis met fabrieksarbeiders,' zei ik geërgerd.

'Huh? Ik hoor je woorden, maar ze klinken als wartaal.'

Ik rolde met mijn ogen. 'Oké, in werkelijkheid is het mogelijk dat de rode halfwassen alleen in Aphrodites bizarre wereld weerzin wekkend zijn. Ik heb er niet één meer gezien sinds Stevie Rae is Veranderd, en zij heeft me verteld dat ze onder controle zijn en dat ze hun menselijkheid terug hebben, dus ik ga proberen me te onthouden van oordelen.'

'Nou, of ze nu echt weerzinwekkend zijn of louter door Gossip Girl worden gestereotypeerd, ik vind dat we ze in de gaten moeten houden,' zei Damien. 'We moeten weten wat ze doen. Met wie ze praten. Wat ze denken. Als we dat allemaal weten, zullen we ook weten of die demon probeert om contact met een van hen te zoeken om hem of haar voor zijn vileine plannen te gebruiken.'

'"Vilein"?' zei Shaunee.

'Wat betekent dat nou weer?' vroeg Erin.

'Het betekent "diep verdorven",' fluisterde Jack tegen de tweeling.

'Nou, dan komt het goed uit dat Stevie Rae en haar rode halfwassen morgen naar het ritueel komen,' zei ik.

Mijn vrienden gaapten me aan.

Ik keek naar Aphrodite. Ze slaakte een zucht. 'Ik heb geen affiniteit voor aarde meer,' bekende ze. Toen veegde ze met de rug van haar hand over haar voorhoofd en smeerde de neptatoeage van de maansikkel uit die ze daar had getekend. 'Ik ben geen halfwas meer. Ik ben weer een mens.'

'Nou, ze is niet echt een normaal mens,' voegde ik eraan toe. 'Ze heeft nog steeds visioenen, zoals blijkt uit de profetie die ze voor ons heeft overgeschreven. Ze is nog steeds erg belangrijk voor Nux.' Ik glimlachte naar Aphrodite. 'Dat heb ik de godin horen zeggen.'

'Oké, dat is behoorlijk bizar!' zei Jack.

'Volslagen freaky,' zei Shaunee.

'En dat bedoelt ze niet in de gay-zin,' zei Erin.

'Dus Aphrodite is, net als Stevie Rae en de rode halfwassen, iets wat nooit eerder heeft bestaan,' zei Damien peinzend.

'Daar ziet het wel naar uit,' zei ik.

'Er verandert van alles,' zei Damien langzaam. 'De wereldorde neemt een nieuwe wending.'

Een koude rilling trok door mijn lichaam. 'Is dat goed of slecht?'

'Dat kunnen we nu nog niet weten,' zei hij. 'Maar volgens mij zal het niet lang duren voor we erachter komen.'

'Het is angstaanjagend,' zei Jack.

Ik keek naar mijn vrienden. Ze leken allemaal bang en onzeker, en ik wist dat we dat nu niet konden gebruiken. We moesten sterk zijn. We moesten de handen ineenslaan en in elkaar geloven.

'Ik vind het niet angstaanjagend.' Toen ik het begon te zeggen, was het een dikke, vette leugen. Maar hoe meer ik zei, hoe meer ik het ging geloven. 'Verandering kan bizar zijn, of zelfs freaky.' Ik glimlachte naar Damien en Jack en ze lachten onzeker terug. 'Maar verandering is nodig om dingen te laten groeien, om ons te laten groeien. Zonder deze Verandering zou Stevie Rae dood zijn. Daar denk ik aan als ik het gevoel heb dat ik overweldigd raak door dit alles. En bovendien...' – ik keek ze om de beurt aan – '... hebben we elkaar. En verandering is niet zo erg als je er niet alleen in staat.'

Toen ik aan hun gezichtsuitdrukking zag dat hun vertrouwen toenam, kwam het bij me op dat ik misschien, op een dag, nog niet eens zo'n slechte hogepriesteres zou worden.

'Dus wat is het plan?' vroeg Damien.

'Nou, jij en Jack moeten de oppascamera in het lijkenhuis installeren. Denk je dat jullie dat voor elkaar krijgen zonder betrapt te worden?' zei ik.

'Ik denk dat we misschien wel iets kunnen verzinnen om de aandacht af te leiden,' zei Jack langzaam, terwijl hij van Duchess naar Malafide keek, die tijdens de hele 'bespreking' vanuit de badkamer dreigend naar de hond had zitten grommen. 'Als we op Aphrodites hulp kunnen rekenen.'

'Best. Maar als mijn kat die hond opvreet, dan wil ik daar geen woord over horen, zelfs niet als S-t-a-r-k wakker wordt en kregelig is omdat de snuit van zijn labrador aan flarden is gescheurd.'

'Eh, probeer er alsjeblieft alleen maar een afleidingsactie van te maken en geen bloedbad,' zei ik.

'Afgesproken,' zeiden Damien en Jack in koor.

'Ik ga op zoek naar Shekinah om haar te vertellen dat mijn oma op bezoek komt en dat ik haar in een logeerkamer wil onderbrengen,' zei ik.

'En wij blijven bij Neferet uit de buurt,' zei Erin.

'Dito,' zei Shaunee. 'En dat zou moeten gelden voor iedereen behalve Z en Aphrodite.'

Ik deed mijn mond open om haar bij te vallen toen Aphrodites luide 'Nee!' ons deed schrikken.

'Wat bedoel je "nee"? We moeten bij Neferet uit de buurt blijven. Als ze onze gedachten gaat afluisteren, zal ze erachter komen dat we alles weten over Stevie Rae en die halfwassen. En als ze werkelijk de koningin van de Tsi Sgili is, dan zal ze ook beseffen dat we alles weten over haar, de Raafspotters en zelfs Kalona,' zei Damien geïrriteerd.

'Ho even. Vertel mij eens waarom jij vindt dat ze Neferet niet moeten mijden,' zei ik tegen Aphrodite.

'Simpel. Als de kudde oenen haar mijdt, dan zal Neferet heel zeker hun gedachten gaan afluisteren. Lang en grondig. Maar als Damien, Jack en de sukkeliamese tweeling zich nu eens gedragen als hun normale, onnozele zelf? Als ze haar nu eens misschien zelfs opzoeken en haar groeten en haar dingen vragen over huiswerk en klachten verzinnen, bijvoorbeeld dat het eten te gezond is?'

'Dat zouden we niet hoeven verzinnen,' zei Jack.

'Precies, en terwijl ze bij Neferet in de buurt zijn, kan Jack bijvoorbeeld denken aan hoe zwaar het is om je de hele tijd te moeten bezighouden met een verdrietige hond. Damien denkt aan huiswerk en hoe mooi Jacks ogen zijn, en de tweeling denkt aan de school uit glippen voor de seizoensopruiming van winterschoenen bij Saks, die trouwens volgende week begint.'

'Het is niet waar! Dan al?' zei Shaunee.

'Ik wist het. Ik wist dat die dit jaar vroeg zou beginnen. Door die stomme sneeuwstorm is het traditionele uitverkoopschema helemaal in de war geschopt,' zei Erin.

'Tragisch, tweelingzus, gewoonweg tragisch,' zei Shaunee.

'Als de sukkeltjes en freaks zich net zo leeghoofdig gedragen als Neferet ze diep in haar binnenste vindt, zal ze niet verder kijken,' zei Aphrodite.

'Denk je echt dat Neferet gelooft dat we leeghoofden zijn?' vroeg Damien.

'Neferet onderschat mij altijd. Het lijkt me logisch dat ze jullie ook onderschat,' zei ik.

'Als dat waar is, dan hebben we een enorm voordeel,' zei Damien.

'Tot ze haar vergissing inziet,' zei Aphrodite.

'Nou, laten we hopen dat dat een poosje duurt,' zei ik. 'Oké, dan ga ik nu op zoek naar Shekinah. Ik vind dat we vanaf nu zo veel mogelijk bij elkaar moeten blijven. Ik weet dat oma zei dat de Raafspotters maar geesten zijn, maar ik weet bijna honderd procent zeker dat een van die wezens me gisteren heeft aangevallen... en dat deed pijn. Bovendien heb ik een algemeen beklemmend gevoel over ze. Oma zei ook dat ze oude mensen die de dood nabij zijn kwaad kunnen doen. Stel dat Kalona krachtiger wordt en die Raafspotters ook? Stel dat ze mensen kwaad kunnen doen die nog niet zo oud zijn of niet de dood nabij?'

'Je maakt me bang,' zei Jack.

'Heel goed,' zei ik. 'Als je bang bent, zul je voorzichtiger zijn.'

'Ik wil niet bang zijn en in een lijkenhuis rondlopen,' zei Jack.

'Je moet gewoon denken dat hij slaapt,' zei Damien. Hij sloeg zijn arm om Jack heen. 'Laten we Duchess meenemen naar mijn kamer en ons afleidingsplan uitwerken.' Hij keek naar Aphrodite. 'Jij gaat zeker met ons mee?'

Ze slaakte een zucht. 'Jullie gaan mijn kat gebruiken.'

Het was geen vraag, maar de twee jongens knikten en grijnsden.

'Nou, dan ga ik met jullie mee. We laten Malafide hier tot we haar nodig hebben.'

'Absoluut,' zei Damien.

Ik keek naar de tweeling. 'Ik hoef jullie niet op het hart te drukken om bij elkaar te blijven, hè?'

'Nee,' zei Erin.

'Zeg, als wij nu eens wat spullen verzamelen voor smudge-bundels?' zei Shaunee.

'Goed idee. Het kan geen kwaad om al onze kamers te smudgen,' zei ik.

'Oki,' zei Shaunee.

'Doki,' zei Erin.

'Maar wacht daar even mee,' zei Jack. 'Misschien hebben we jullie nodig voor ons afleidingsplan.'

'Je weet dat Beëlzebub niet aardig is,' zei Shaunee.

Jack grinnikte en knikte. 'Precies de reden dat hij perfect is.'

'Arme Duchess,' zei Erin.

'Zeg, Z, wat ga jij eigenlijk doen?' vroeg Jack.

'Ik ga naar Shekinah om iets voor oma's logeerpartij te regelen.' Ik wierp een blik op mijn horloge. 'Ik verwacht haar elk moment.'

'Oké, we weten allemaal wat we moeten doen. Dus laten we aan de slag gaan,' zei Damien.

Toen we met z'n allen de deur uit liepen, bleef Aphrodite achter. 'Hé, we zien elkaar straks weer hier. Het ziet ernaar uit dat jij en ik een poosje met elkaar op gaan trekken.'

Ik glimlachte naar haar. 'Je hebt jezelf behoorlijk in de nesten gewerkt, hè?'

Ze rolde met haar ogen, haalde een spiegeltje uit haar tas en werkte vakkundig haar neptatoeage bij, en toen ik achter haar aan de deur uit liep, liep ik in een spoor van haar gemompel. 'Ja hoor, geweldig... stomme, rode ogen veroorzakende visioenen, sukkelige vrienden, aloud kwaad... ik sta te popelen om te zien wat me verder nog te wachten staat...'

25

Terwijl ik over het voetpad van het meisjesonderkomen naar het hoofdgebouw liep, bedacht ik dat het niet slim zou zijn om als één brok spanning Shekinah te bezoeken, dus ademde ik een paar keer diep in en uit om mezelf tot rust te brengen en mijn gedachten te ordenen, en zei ik tegen mezelf dat ik me moest ontspannen en genieten van de prachtige, voor het seizoen ongewoon warme nacht. Gaslantaarns wierpen mooie schaduwen tegen de winterse bomen en heggen, en een zachte wind droeg de geur mee van kaneel en aarde van de gevallen bladeren die de grond als een tapijt bedekten. Tussen de gebouwen liepen groepjes halfwassen heen en weer; de meesten waren op weg naar de slaapverblijven of het deel van de school waar de kantine was. Ze praatten en lachten met elkaar. Verscheidene halfwassen zeiden 'hallo' en veel van hen begroetten me eerbiedig. Ondanks de problemen die me wachtten, voelde ik me optimistisch. Ik stond er niet alleen voor. Mijn vrienden stonden me bij, en voor het eerst in lange tijd wisten ze alles. Ik loog niet en hield niets achter. Ik vertelde de waarheid en dat maakte me blij.

Nala kwam uit de schaduwen naar me toe trippelen, ze *mi-ufauw*-de en keek me verwijtend aan. Zonder me de tijd te gunnen om me erop voor te bereiden, sprong ze in mijn armen, en ik moest zo'n beetje acrobatische toeren uithalen om haar op te vangen.

'Hé! Je zou me kunnen waarschuwen, weet je!' zei ik, maar toen zoende ik het witte vlekje boven haar neus en krabbelde haar achter de oren. We liepen over het schaduwrijke voetpad, weg van het drukke deel van de campus naar het stillere deel waar de bibliotheek en uiteindelijk de vertrekken van de docenten zich bevonden.

Het was echt een prachtige nacht en de lucht van Oklahoma was gevuld met fonkelende sterren. Nala legde haar koppetje tegen mijn schouder en lag tevreden te spinnen, maar plotseling voelde ik haar hele lijfje verstijven.

'Nala? Wat is er met...?'

En toen hoorde ik het. Eén enkele krassende raaf, die zo dichtbij klonk dat ik hem had moeten kunnen zien in de slapende nachtschaduwen van de dichtstbijzijnde boom. Zijn kreet werd overgenomen door eerst één, toen een tweede en toen nog een. Dat simpele geluid was onvoorstelbaar angstaanjagend. Ik begreep waarom ze Raafspotters werden genoemd, want hoewel je ze makkelijk kon verwarren met gewone vogels, hoorde je als je goed luisterde in hun verdacht gewone roep de echo van dood en angst en waanzin. De bries, die warm en geurig was geweest, werd vervangen door een ijzig niets, alsof ik zojuist een mausoleum binnen was gegaan. Het bloed stolde me in de aderen.

Nala blies lang en dreigend. Ze keek over mijn schouder naar de duisternis rondom de reusachtige, oude eiken, die doorgaans zo vertrouwd en verwelkomend waren. Vannacht niet. Vannacht herbergden ze monsters. Ik ging automatisch sneller lopen en keek paniekerig om me heen op zoek naar de halfwassen die luttele ogenblikken geleden nog overal leken rond te lopen. Maar Nala en ik waren een hoek om gelopen en we waren helemaal alleen met de nacht en alles wat die verborg.

De raven krasten weer. Het geluid deed de haartjes op mijn armen en in mijn nek overeind gaan staan. Nala gromde diep in haar keel en begon weer te blazen.

Vleugels fladderden overal om me heen, zo dichtbij dat ik de koude lucht voelde die ze verplaatsten. Toen rook ik ze. Ze stonken naar bedorven vlees en pus. Een geur die dodelijk, misselijkmakend zoet was. Ik proefde gal van angst achter in mijn keel.

Nog meer kwakend gekras vulde de nacht, en ik zag nu duisternis binnen de duisternis van bewegende schaduwen. Ik ving flitsen op van iets scherps en gekromds. Hoe konden ze snavels hebben die glansden in het zachte licht van de gaslantaarns als ze niet meer dan geest waren? Hoe konden geesten stinken naar dood en bederf? En als ze nu eens meer waren dan alleen maar geesten, wat betekende dat dan?

Ik bleef staan; ik wist niet of ik moest wegrennen of teruggaan. En terwijl ik daar stond, verstard door paniek en besluiteloosheid, trilde het duistere in de dichtstbijzijnde boom en wierp zich op mij. Mijn hart bonsde zo hard dat het pijn deed, en mijn paniekgevoel maakte me suf van verlammende angst. Het enige wat ik kon doen, was ademloos toekijken terwijl het dichterbij kwam. Zijn afzichtelijke vleugels verplaatsten ijskoude, stinkende lucht. Ik kon het wezen zien, ik kon de ogen van de man zien in het gemuteerde vogelgezicht... en armen... de armen van een man met verwrongen, groteske handen die uitliepen in puntige, smerige klauwnagels. Het wezen opende zijn gekromde snavel en krijste naar me, met zijn gespleten tong uit zijn mond.

'Nee!' gilde ik. Ik sprong achteruit met mijn blazende kat stevig in mijn armen geklemd. 'Ga weg!' Ik draaide me om en rende ervandoor.

Maar het wezen greep me vast. Ik voelde zijn ijskoude handen zich vastzetten in mijn schouders. Ik gilde en liet Nala vallen, die aan mijn voeten in elkaar dook en grommend naar het wezen opkeek. Zijn afzichtelijke vleugels ontvouwden zich aan weerszijden van mijn lichaam en hielden me vast. Ik voelde het tegen mijn rug leunen in een parodie van een omhelzing. Het stak zijn kop over mijn schouder, zijn snavel kromde zich rond mijn hals, over de plek waar mijn hartslag onstuimig klopte in mijn keel. Zijn bek ging net ver genoeg open om de rode gespleten tong naar buiten te laten glijden en mijn hals te keuren, alsof het wilde weten hoe ik smaakte voor het me verslond.

Ik was absoluut verstijfd van angst. Ik wist dat het me de keel open zou rijten. Aphrodites visioen kwam uit, met als enige verschil dat een demon me zou vermoorden en niet Neferet! *Nee! O godin, nee!* gilde mijn geest. *Geest! Stuur iemand om me te helpen!*

'*Zoey?*' Damiens stem was opeens in een vragende wind die om me heen wervelde.

'Damien, help me...' wist ik op haperende fluistertoon uit te brengen.

'Red Zoey!' schreeuwde Damien.

Een woeste windvlaag sloeg het wezen van mijn rug, maar het zag nog wel kans om zijn snavel over mijn keel te schrapen. Toen ik op mijn knieën viel, ging mijn hand naar mijn brandende hals. Ik verwachtte de nattigheid van mijn levensbloed te voelen opwellen, warm en dik, maar het enige wat ik voelde, was een opgezette streep die verschrikkelijk veel pijn deed.

Het geluid van flapperende vleugels vertelde me dat de wezens zich achter me hergroepeerden, en ik sprong overeind en draaide me met een ruk om. Maar deze keer was de wind die langs mijn gezicht streek niet ijzig en stinkend naar de dood. Hij was vertrouwd en gevuld met de kracht van Damiens vriendschap. De wetenschap dat ik niet alleen was, dat mijn vrienden me niet in de steek hadden gelaten, doorbrak de verlammende mist van paniek die als het wraakzuchtige zwaard van een godin mijn gedachten had vertroebeld, en mijn verstarde geest begon weer te werken. Geesten van monsterlijke vogels of slaafse volgelingen van Neferets verwrongen verlangens – eigenlijk deed het er niet toe. Ik kende iets wat al die dingen kon aanpakken.

Ik oriënteerde me snel en draaide me met mijn gezicht naar het oosten. Toen hief ik beide armen boven mijn hoofd, deed mijn ogen dicht en sloot me af van de duivelse hoon van verdraaide vogelroepen. 'Wind! Waai hard, waai krachtig, waai zuiver en laat deze wezens zien wat er gebeurt als je een gunsteling van een godin aanvalt!' Ik zwaaide mijn handen uit in de richting van de wezens die bezit hadden genomen van de nacht. Het wezen dat het dichtst bij me was, het wezen dat had geprobeerd me de keel af te snijden, werd als eerste door de stormwind getroffen. De wind tilde het op en slingerde het tegen de stenen muur om het schoolterrein. Het verschrompelde en leek in de grond op te gaan en was toen verdwenen.

'Allemaal!' riep ik; mijn angst legde kracht en urgentie in mijn stem. 'Blaas ze allemaal weg!' Ik zwaaide mijn handen weer uit en ervoer grimmige voldoening toen het honende geroep van de wezens die in de bomen op de loer lagen overging in paniekerig gekrijs en toen volledig wegstierf. Toen ik wist dat ze weg waren, liet ik mijn trillende armen zakken. 'In de naam van mijn godin Nux, dank ik u, wind. Ik bevrijd u, en zeg alstublieft tegen Damien dat met mij alles goed is. Er is niets aan de hand.'

Maar voordat de wind me verliet, streelde hij vluchtig mijn gezicht, en op dat moment lag er meer in dan Damiens aanwezigheid. In de bries bespeurde ik ook een zekere warmte, die me met haar zweem van kruiden en geknetter aan Shaunee deed denken, en ook de geur van een levenbrengende lenteregen, die alleen maar van Erin kon komen. De drie elementen van mijn vrienden vermengden zich en de wind werd een genezende bries die zich als een zijden sjaal om mijn hals wikkelde en de brandende wond verzachtte die de Raafspotter me had toegebracht. Toen de pijn helemaal verdwenen was, blies de wind zichzelf langzaam weg, met medeneming van de warmte van vuur en de genezende aanraking van water, en het enige wat achterbleef waren de vredige nacht en stilte.

Ik bracht mijn hand omhoog en streek met mijn vingers over mijn keel. Niets. Niet eens een schram. Ik deed mijn ogen dicht en zond een stil *dank u voor mijn vrienden*-gebed naar Nux. Met hun hulp had ik een van Aphrodites visioenen die mijn dood aankondigden overwonnen. Dat was één... nog één te gaan...

Ik pakte Nala op, drukte haar stevig tegen me aan en liep snel over het voetpad in de richting van het schoolgebouw, terwijl ik probeerde om het trillen te laten ophouden dat nog steeds door mijn lichaam trok.

Ik voelde me beverig en hypergevoelig en toen mijn intuïtie me vertelde dat ik nu beter niet gezien kon worden, riep ik toen ik het rustig wordende schoolgebouw binnenging geest aan en liet me met stilte en schaduw omhullen. Zo liep ik onopgemerkt door de nagenoeg uitgestorven gangen van de school. Het voelde bizar aan om dit binnen in het schoolgebouw te doen en het gaf me een afstandelijk gevoel, alsof ik niet alleen mijn lichaam verborg, maar ook mijn gedachten, en op weg naar de bestuurskamer kwamen de angst en het triomfgevoel die in mijn binnenste sidderden langzaam tot bedaren, en ging ik weer rustiger ademen.

Hoewel Neferets hand niet letterlijk had geprobeerd me de keel af te snijden, wist ik diep in mijn binnenste dat ik zojuist mijn dood had voorkomen, of op zijn minst een voorbode daarvan. Als Damien nog steeds kwaad op me was geweest, geloof ik niet dat ik de kracht had gehad om door de panische angst die de Raafspotters over me hadden uitgestort heen te breken en de elementen aan te roepen om me te beschermen. En hoewel Neferet niet persoonlijk een mes op mijn keel had gezet, was ik ervan overtuigd dat zij op de een of andere manier betrokken was bij alles wat er gebeurde.

Was ik nog steeds bang? Ja, en hoe!

Maar ik leefde nog en was er min of meer heelhuids afgekomen. (Oké, ik was momenteel onzichtbaar, maar toch.) Kon ik de Raafspotters nog eens verslaan? In hun huidige gedaante waren ze voor een deel geest en voor een deel lichaam, maar: ja! Met de hulp van mijn vrienden en de elementen.

Zou ik ze kunnen verslaan als ze een volledig stoffelijke gedaante hadden aangenomen en over al hun kracht beschikten?

Ik huiverde. Het idee alleen al joeg me doodsangst aan.

Dus deed ik wat ieder weldenkend mens zou doen: ik besloot om daar later over na te denken. Een fragment van een citaat kwam uit mijn herinnering naar boven: *elke dag heeft genoeg aan zijn eigen kwaad*, en terwijl ik diep wegdook in het heerlijke land van ontkenning pijnigde ik mijn hersens in een poging erachter te komen waar ik dat had gelezen.

Geruisloos zweefde ik de trap op naar de bestuurskamer tegenover de bibliotheek, waar ik verwachtte Shekinah aan te treffen. Ik was in de gang buiten de kamer toen ik de al te bekende stem hoorde, en ik was heel erg blij dat ik mijn intuïtie had gevolgd en mezelf had verhuld.

'Dus je geeft toe dat jij het ook voelt? Het gevoel dat er iets niet goed is?'

'Ja, Neferet. Ik kan zonder aarzelen toegeven dat ik het gevoel had dat er iets niet goed was aan de school, maar zoals je je misschien kunt herinneren was ik er vijf jaar geleden sterk op tegen om deze campus van de Cascia Hall-monniken te kopen.'

'We hadden een Huis van de Nacht nodig in dit deel van het land,' zei Neferet.

'En met dat argument is het bestuur overgehaald om dit Huis van de Nacht te openen. Ik was het er toen niet mee eens en ik ben het er nog steeds niet mee eens. De recente sterfgevallen bewijzen dat we hier niet zouden moeten zijn.'

'De recente moorden bewijzen dat we hier en overal ter wereld met meer zouden moeten zijn!' zei Neferet bits. Ik hoorde haar diep inademen alsof ze moeite deed om zich te beheersen. Toen ze weer sprak, was haar stem rustiger. 'Dit slechte gevoel waarover we het hebben, heeft niets te maken met terughoudendheid om een school te openen. Het is anders, kwaadaardiger, en in de afgelopen maanden is het steeds erger geworden.'

Het bleef geruime tijd stil voordat Shekinah reageerde. 'Ik voel hier inderdaad iets kwaadaardigs, maar ik kan het niet benoemen. Het lijkt verborgen te zijn, verhuld in iets wat me niet bekend voorkomt.'

'Ik geloof dat ik het kan benoemen,' zei Neferet.

'Vertel me wat je vermoedt.'

'Ik ben tot de overtuiging gekomen dat het een kwaad is dat is verborgen, verhuld, in de verschijning van een kind, en dat het daardoor erg moeilijk zal zijn om het te ontmaskeren,' zei Neferet.

'Ik begrijp niet wat je bedoelt, Neferet. Wil je zeggen dat een van de halfwassen kwaad verbergt?'

'Dat wil ik niet zeggen, maar ik begin het wel te geloven.' Neferets stem was gevuld met droefheid, alsof wat ze zei zo moeilijk was om toe te geven dat ze bijna in tranen was.

Ik wist met absolute zekerheid dat ze toneelspeelde.

'Ik zeg je nogmaals: vertel me wat je vermoedt.'

'Het is geen wat maar een wie. Shekinah, zuster, het spijt me dat ik het moet zeggen, maar het diepe kwaad dat ik heb gevoeld, dat ook jij hebt gevoeld, is het Huis van de Nacht binnengekomen met de intrede van een bepaalde halfwas, en is sindsdien steeds sterker geworden.' Ze zweeg even, en hoewel ik wist wat ze zou gaan zeggen, was het een schok om haar de woorden daadwerkelijk te horen uiten. 'Ik vrees dat Zoey Redbird een gruwelijk geheim verbergt.'

'Zoey! Maar zij is de meest begiftigde halfwas in de geschiedenis. Niet alleen heeft geen andere halfwas ooit de kracht van alle vijf de elementen kunnen beïnvloeden, maar geen andere halfwas ooit is omringd geweest door zo veel begiftigde medehalfwassen. Elk van haar naaste vrienden kan een van de elementen oproepen. Hoe kan ze in hemelsnaam zo begiftigd zijn en kwaad verbergen?' zei Shekinah.

'Dat weet ik niet!' Neferets stem stokte, en ik kon horen dat ze huilde. 'Ik ben haar mentrix. Kun je je voorstellen hoe afschuwelijk ik het vind om zulke dingen zelfs maar te denken, laat staan ze hardop te zeggen?'

'Wat voor bewijs heb je voor je overtuiging?' vroeg Shekinah, en ik was blij te horen dat ze niet bepaald overtuigd klonk dat Neferet iets op het spoor was.

'Een tiener die vroeger haar minnaar was, werd bijna gedood door geesten die ze luttele dagen nadat ze was gemerkt heeft opgeroepen.'

Ik knipperde geschokt met mijn ogen. Heath en ik waren minnaars geweest? Echt niet! En Neferet wist dat. En niet ik, maar Aphrodite had die gemene geesten opgeroepen. Ja, ze hadden Heath bijna opgevreten, nou ja, en Erik ook, maar met de hulp van Stevie Rae, Damien en de tweeling had ik ze tegengehouden.

'Nog geen maand later werden nog twee tieners, ook mensen die laten we maar zeggen "intiem" met haar waren, ontvoerd en op een beestachtige manier gedood. Hun bloed was tot de laatste druppel uit hun lichaam gezogen. Een derde jongen, ook iemand die haar na stond, werd ook ontvoerd. De bevolking was in alle staten en daarom heeft Zoey de jongen gered.'

O. Mijn. Godin! Neferet verdraaide alles en loog of het gedrukt stond! Die akelige ondode dode halfwassen hadden die twee Unionfootballspelers, met wie ik beslist niét intiem was geweest, gedood! Ja, ik had Heath gered (alweer... zucht), maar ik had hem gered van háár walgelijke, bloedzuigende (niet dat daar iets mis mee is) volgelingen!

'Wat nog meer?' vroeg Shekinah. Ik was blij te horen dat haar stem rustig bleef en dat ze nog steeds niet klonk alsof ze overtuigd was dat Neferet gelijk had over mij.

'Dit laatste is het moeilijkste om te erkennen, maar Zoey was bijzonder voor Patricia Nolan. Ze bracht heel wat tijd met haar door voor ze werd vermoord.'

Mijn hoofd gonsde. Zeker, ik had professor Nolan graag gemogen en volgens mij zij mij ook, maar ik was beslist niet bijzonder voor haar geweest en had nooit extra tijd met haar doorgebracht.

Toen wist ik waarvan ze me vervolgens zou beschuldigen, al kon ik het nauwelijks geloven.

'En ik heb reden om te geloven dat Zoey Loren Blakes minnares is geworden vlak voor ook hij werd vermoord. In feite weet ik zeker dat ze een stempelband hadden.' Neferet zei niets meer en ik hoorde haar hevig snikken.

'Waarom heb je niets van dit alles aan het bestuur gemeld?' vroeg Shekinah streng.

'Wat had ik moeten zeggen? Ik dénk dat de meest begiftigde van alle halfwassen een verbond heeft gesloten met het kwaad? Hoe kon ik tegen een jong meisje zo'n beschuldiging uitbrengen met niet meer bewijs dan toevalligheden, vermoedens en een gevoel?'

Nou, dat was precies wat ze op dit moment deed!

'Maar, Neferet, als een halfwas een verhouding aangaat met een docent is het de plicht van de hogepriesteres om daar een eind aan te maken en het aan het bestuur te melden.'

'Dat weet ik!' Ik kon horen dat Neferet nog steeds huilde. 'Dat was verkeerd van me. Ik had iets moeten zeggen. Als ik dat had gedaan, dan had ik misschien zijn dood kunnen voorkomen.'

Het bleef een hele tijd stil en toen zei Shekinah: 'Loren en jij waren minnaars, is het niet?'

'Ja!' snikte Neferet.

‘Besef je dat je relatie met Loren je oordeel over Zoey zou kunnen vertroebelen?’

‘Ja.’ Ik hoorde dat ze ‘heldhaftig’ (mag ik een teiltje?) probeerde om zich te beheersen. ‘En dat is ook een van de redenen dat ik aarzelde om iemand iets over mijn vermoedens te vertellen.’

‘Heb je in haar geest gekeken?’ vroeg Shekinah.

Huiverend wachtte ik op Neferets antwoord.

‘Dat heb ik geprobeerd, maar dat lukt me niet.’

‘En haar vrienden? Die andere halfwassen met bijzondere affiniteiten?’

Shit! Shit! Shit!

‘Ik heb regelmatig bij hen naar binnen gekeken, maar heb niets verontrustends ontdekt. Tot nog toe.’

Ik hoorde Shekinah een zucht slaken. ‘Het is maar goed dat ik tot het eind van dit semester hier blijf. Ik zal ook opletten en luisteren in de buurt van Zoey en de andere halfwassen. De kans bestaat, en die kans is zelfs groot, dat Zoey alleen maar het middelpunt van deze gebeurtenissen lijkt te zijn omdat ze een bijzonder krachtig begiftigde jonge vrouw is. Het is mogelijk dat ze de gebeurtenissen niet veroorzaakt, maar dat ze hier door Nux is neergezet om te helpen kwaad dat niet uit haar voortkomt, uit te roeien.’

‘Dat hoop ik van harte,’ zei Neferet.

Wat kon ze toch liegen!

‘Maar we houden haar in de gaten. Nauwlettend,’ zei Shekinah.

‘Pas op voor de gunsten waarom ze vraagt,’ zei Neferet.

Huh? Gunsten? Ik had Neferet helemaal niet om gunsten gevraagd! En toen drong het met een schok tot me door wat Neferet deed. Ze wist dat ik Shekinah wilde vragen of oma op bezoek mocht komen en op de campus kon logeren, en dat probeerde ze te verknallen. Kreng!

En de schok van besef veranderde in misselijkmakende ontzetting. Hoe had Neferet kunnen weten dat oma onderweg was?

Een enorm tumult buiten overstemde Shekinahs reactie. Aangezien ik in de gang stond, kon ik makkelijk naar een van de grote, van gordijnen voorziene ramen zweven. Omdat het nacht was, waren de gordijnen open, en ik keek neer op het voorterrein van de school. Wat ik zag, deed me mijn hand tegen mijn mond drukken om te voorkomen dat ik in de lach schoot.

Blaffend als een gek rende Duchess achter een grommende, blazende, krijsende witte bol vacht aan: Malafide. Aphrodite rende achter de hond aan en schreeuwde: 'Kom! Blijf! Wees braaf, verdomme!' Damien, die vlak achter haar aan rende, zwaaide met zijn armen en schreeuwde: 'Duchess! Kom!' Plotseling sloot de kat van de tweeling, de reusachtige en bijzonder hooghartige Beëlzebub, zich bij de achtervolging aan, zij het dat hij Duchess achternazat.

'O-mijn-god! Beëlzebub! Schattebout!' Shaunee rende mijn gezichtsveld binnen, luidkeels schreeuwend.

'Beëlzebub! Duchess! Ophouden!' loeide Erin, die haar tweelingzus op de hielen volgde.

Plotseling kwam Darius de gang binnenrennen en ik verstopte me achter de gordijnen omdat ik eigenlijk niet wist of ik ook voor hem onzichtbaar was. Kennelijk had hij geen oog voor mij of voor om het even wat, want hij rende de bestuurskamer in. Ik tuurde door de gordijnen en hoorde hem tegen Neferet zeggen dat haar aanwezigheid buiten vereist was en dat er sprake was van 'gekrakeel'. Neferet haastte zich de kamer uit en de gang door en volgde Darius de mallemolen van hondengeblaf, kattengekrijs en halfwasgeschreeuw in.

Het drong opeens tot me door dat ik geen spoor van Jack had gezien.

Wat je noemt een geweldige afleidingsmanoeuvre!

26

Weer luisterde ik naar mijn instinct en in plaats van mijn onzichtbaarheidsgeest in de gang voor de bestuurskamer weg te sturen, liep ik snel de gang door en de trap af. Toen pas hief ik de onzichtbaarheid op, bedankte geest en liep de trap weer op, volkomen zichtbaar, terwijl ik mezelf influisterde: *Blijf rustig... doe gewoon... Neferet is een leugenaar en Shekinah is heel erg wijs...*

Voor de bestuurskamer bleef ik staan om tweemaal op de deur te kloppen.

'Kom maar binnen, Zoey!' riep Shekinah.

Ik probeerde me niet af te vragen of ze had geweten dat ik eerder ook al voor de deur had gestaan. Ik zette een glimlach op en ging de kamer binnen. Ik legde mijn vuist op mijn hart en maakte een eerbiedige buiging. 'Ik ben blij u te zien, Shekinah.'

'En ik jou, Zoey Redbird,' zei ze. Ik hoorde niets vreemds in haar stem. 'En, hoe was je bezoek aan de dames van Street Cats?'

Ik glimlachte. 'Wist u dat Street Cats door benedictijner zusters wordt gerund?'

Ze beantwoordde mijn glimlach. 'Dat wist ik niet, al had ik wel verwacht dat die liefdadigheidsinstelling door vrouwen wordt gerund. Vrouwen hebben al heel lang een sterke band met katten. Stonden de zusters welwillend tegenover je vrijwilligersplan?'

'Beslist. Ze waren echt aardig. O, en Aphrodite heeft terwijl we daar waren een kat geadopteerd, al kan ik misschien beter zeggen dat Malafide Aphrodite heeft geadopteerd.'

'Malafide? Wat een opmerkelijke naam.'

'Ja, maar die naam past precies bij haar. Al die herrie daarbuiten...' Ik gebaarde met mijn hoofd in de richting van de gang en de voorkant van de school. We luisterden allebei en hoorden nog steeds hondengeblaf, kattengekrijs en halfwasgeschreeuw. '... Ik vermoed dat u te horen zult krijgen dat Malafide de aanstichter is.'

'Als ik het goed begrijp, hebben de nonnen twee redenen om je dankbaar te zijn: voor je vrijwilligershulp en voor het feit dat je hebt gezorgd dat ze een uiterst lastige kat kwijt zijn.'

'Ja, inderdaad. O, en zuster Mary Angela vroeg of ik met u wilde overleggen wat een geschikte datum zou zijn voor een rommelmarkt. Ze zei dat ze hun agenda daaraan zouden aanpassen. Bovendien blijven ze in het vervolg 's zaterdags langer open zodat we één keer per week kunnen komen helpen.'

'Dat klinkt goed. Ik zal met Neferet overleggen over de datum die voor de school het beste uitkomt.' Shekinah zweeg even en voegde er toen aan toe: 'Zoey, Neferet is toch je mentrix?'

Ik hoorde alarmbelletjes in mijn hoofd rinkelen, maar ik dwong mezelf om rustig te blijven. Ik zou Shekinah zo eerlijk mogelijk antwoord geven op alles wat ze vroeg. Ik had niets verkeerds gedaan!

'Ja. Neferet is mijn mentrix.'

'En kun je het goed met haar vinden?'

'Vroeger wel. Toen ik pas hier was, konden we het heel goed met elkaar vinden. Mijn moeder en ik hebben al een aantal jaren geen hechte band meer en eerlijk gezegd zag ik Neferet als de moeder die ik graag zou hebben gehad,' zei ik naar waarheid.

'Maar dat is veranderd?' vroeg ze zacht.

'Ja,' zei ik.

'En hoe komt dat?'

Ik aarzelde en koos mijn woorden erg voorzichtig. Ik wilde Shekinah zo veel van de waarheid vertellen als ik durfde, en heel even overwoog ik om haar alles te vertellen, de hele waarheid over Stevie Rae en de profetie en wat we vreesden dat er aan de hand was, maar mijn intuïtie vertelde me dat ik niet alles nu moest onthullen. Shekinah zou morgen de waarheid te weten komen. Tot dan wilde ik niet dat Neferet ook maar een vaag vermoeden kreeg van wat er ging gebeuren: van het feit dat ze geconfronteerd zou worden met wat ze had gedaan en wat ze aan het worden was.

'Dat weet ik niet voor honderd procent zeker,' zei ik.

'Doe eens een gok.'

'Nou, volgens mij is ze de laatste tijd veranderd, en ik weet niet precies waarom. Voor een deel kan het te maken hebben met persoonlijke dingen die tussen ons zijn voorgevallen. Daar zou ik het liever niet over hebben, als u het niet erg vindt.'

'Natuurlijk niet. Ik begrijp dat er persoonlijke dingen zijn die je liever voor jezelf wilt houden. Maar, Zoey, ik wil dat je weet dat ik er voor je ben en dat je met mij kunt praten als je daar behoefte aan hebt. Hoewel het lang geleden is, weet ik nog heel goed hoe het was om een krachtige halfwas te zijn en het gevoel te hebben dat ik zo veel verantwoordelijkheden had dat de last soms ondraaglijk leek.'

'Ja,' zei ik, en ik moest opeens tranen wegslikken. 'Dat is precies hoe ik me soms voel.'

Haar openhartige blik was warm en vriendelijk. 'Het wordt beter. Dat kan ik je beloven.'

'Dat hoop ik echt,' zei ik. 'O, over beter maken gesproken: mijn oma zou graag op bezoek komen. Zij en ik hebben een bijzonder hechte band. Ik was van plan geweest om tijdens de wintervakantie naar haar toe te gaan, maar, nou ja, zoals u weet werd die vakantie vroegtijdig beëindigd. Oma zei dat ze graag hierheen wilde komen om wat tijd met me door te brengen. Vindt u het goed dat ze in de school logeert?'

Shekinah keek me peinzend aan. 'Er zijn logeerkamers in het docentenverblijf, maar volgens mij zijn die momenteel allemaal in gebruik door mijn bezoek en de toevloed van Zonen van Erebus.'

'Mag ze dan bij mij op mijn kamer logeren? Mijn kamergenote, Stevie Rae, is verleden maand overleden en ik heb nog geen nieuwe, dus ik heb een leeg bed en zo.'

'Daar heb ik niets op tegen. Als je oma het niet vervelend vindt om tussen zo veel halfwassen te zitten.'

Ik lachte. 'Oma is dol op jongelui. Bovendien kent ze een aantal van mijn vrienden en die mogen haar allemaal graag.'

'Dan zal ik de Zonen van Erebus en natuurlijk ook Neferet ervan op de hoogte brengen dat ik toestemming heb gegeven voor het bezoek van je oma en dat ze bij jou op je kamer logeert. Zoey, je weet dat vragen om gunsten niet altijd verstandig is, zelfs voor iemand met bijzondere vermogens.'

Ik keek Shekinah met een vaste blik aan. 'Dit is de eerste keer dat ik om een gunst vraag sinds ik in het Huis van de Nacht ben.' Ik dacht even na en verbeterde mezelf. 'Nee, wacht. Het is de tweede. De eerste gunst waarom ik heb gevraagd, was of ik wat spulletjes van mijn kamergenote mocht houden nadat ze was overleden.'

Shekinah knikte langzaam en ik hoopte met heel mijn hart dat ze me geloofde. Ik wilde haar toeschreeuwen: *Vraag het na bij de andere docenten! Die weten dat ik nooit om een voorkeursbehandeling vraag!* Maar ik kon niets zeggen omdat anders Shekinah zou weten dat ik haar gesprek met Neferet had afgeluisterd.

'Heel goed. Dan ben je op de goede weg. Gaven van onze godin brengen geen bijzondere rechten mee, maar verantwoordelijkheid.'

'Dat besef ik,' zei ik resoluut.

'Ik geloof inderdaad dat dat zo is,' zei ze. 'Welnu, je hebt vast en zeker huiswerk in te halen en je moet een ritueel voorbereiden dat je morgen moet leiden, dus wens ik je goedenacht. Wees gezegend,' zei ze.

'Wees gezegend.' Ik groette haar weer formeel met mijn vuist op mijn hart, maakte een buiging en vertrok.

Dat was gelukkig meegevallen. Neferet loog natuurlijk alles bij elkaar en ze was duidelijk een kwaadaardig kreng, maar dat wist ik al. Shekinah was niet dom en ze zou zich echt niet voor Neferets karretje laten spannen (*zoals Loren had gedaan*, fluisterde mijn inwendige stemmetje). Oma was onderweg naar de school en ze zou een poosje blijven logeren terwijl we dat profetiegedoe probeerden uit te puzzelen. Mijn vrienden wisten eindelijk alles, dus hoefde ik niet meer voortdurend uitvluchten te verzinnen en ze uit de weg te gaan, en ze dekten mijn rug, hoewel denken aan de Raafspotters me al de stuipen op het lijf joeg. Maar met mijn vrienden aan mijn zij redde ik het wel. En morgen zou iedereen weten van het bestaan van Stevie Rae en de rode halfwassen, en Neferet zou de macht kwijtraken die geheimhouding haar gaf. En misschien was Stark niet echt dood en zou hij zelf terugkomen. Ik begon weer licht in de duisternis te zien! Toen ik grijnzend als een idioot de voordeur opendeed, rende ik pats-boem tegen Erik op.

'O, sorry, ik lette niet op...' begon hij, terwijl hij automatisch zijn hand uitstak en mijn arm vastpakte om te voorkomen dat ik viel voor hij besefte wie hij bijna ondersteboven had gelopen. 'O,' zei hij nog eens, deze keer op een veel-minder-aardige-jongentoon. 'Jij bent het.'

Ik trok mijn arm los, deed een stap achteruit en streek het haar uit mijn gezicht. Opkijken in zijn kille blauwe ogen was als een duik in ijskoud water, en hij had me al een behoorlijk koude douche bezorgd.

'Hoor eens, ik heb je iets te zeggen.' Ik ging tussen hem en de deur staan zodat hij niet naar binnen kon.

'Zeg het maar.'

'Je vond het lekker toen je me vandaag zoende. Erg lekker.'

Zijn glimlach was spottend en bijzonder goed ingestudeerd. 'Ja, en wat dan nog? Ik heb nooit gezegd dat ik het niet lekker vond om je te zoenen. Het probleem is dat te veel kerels dat lekker hebben gevonden.'

Ik voelde mijn gezicht warm worden. 'Hoe durf je zoiets te zeggen!'

'Hoezo? Het is toch de waarheid. Je hebt met je menselijke vriendje gezoend. Je hebt met mij gezoend. En je hebt met Blake gezoend. Wat mij betreft zijn dat een heleboel mannen.'

'Wat ben je toch een lul! Je wist van Heath. Dat heb ik nooit proberen geheim te houden. Je wist hoe moeilijk het voor me was om met hem een stempelband te hebben en tegelijkertijd om jou te geven.'

'Ja, en hoe zit het met Blake? Leg dat eens uit.'

'Loren was een vergissing!' schreeuwde ik. Eindelijk verloor ik mijn zelfbeheersing. Ik was het spuugzat dat Erik me veroordeelde om iets waarvoor ik mezelf zo vaak voor de kop had geslagen dat ik de tel was kwijtgeraakt. 'Je had gelijk. Hij gebruikte me. Alleen was het niet voor seks; dat was alleen hoe hij me wijsmaakte dat hij van me hield. Je bent getuige geweest van het voorval tussen Neferet en mij. Je weet dat er hier meer aan de hand is dan iedereen denkt. Neferet heeft Loren, haar minnaar, erop uitgestuurd om me te verleiden, om me wijs te maken dat hij van me hield omdat ik bijzonder ben.' Ik zweeg even en veegde woedend de tranen weg die plotseling over mijn wangen liepen. 'Maar in werkelijkheid zat hij achter me aan zodat ik al mijn vrienden tegen me in het harnas zou jagen en ik alleen zou komen te staan, gekwetst en verward, zodat mijn gaven niets meer betekenden. En dat zou hebben gewerkt als Aphrodite me niet had bijgestaan. Jij hebt me verdomme nog geen seconde de kans gegeven om ook maar iets uit te leggen.'

Erik streek met zijn hand door zijn dikke, donkere haar. 'Ik heb gezien dat hij de liefde met je bedreef.'

'Weet je wat je hebt gezien, Erik? Je hebt gezien dat hij me gebruikte. Je hebt gezien dat ik de grootste vergissing van mijn leven beging. Tot dusver tenminste. Dat is wat je hebt gezien.'

'Je hebt me gekwetst,' zei hij zacht. Alle woede en lulligheid was uit zijn stem verdwenen.

'Dat weet ik en dat spijt me. Maar waarschijnlijk ging wat we samen hadden niet zo diep als we elkaar niet kunnen vergeven.'

'Vind je dat jij mij iets moet vergeven?'

Hij begon weer op een lul te lijken. Ik had mijn buik vol van Erik de lul. Ik kneep mijn ogen tot spleetjes en zei bits: 'Ja! Ik moet jou vergeven. Je zei dat je om me gaf, maar je hebt me voor "slet" uitgemaakt. Je hebt me in verlegenheid gebracht in bijzijn van mijn vrienden. Je hebt me in verlegenheid gebracht voor een hele klas halfwassen. En dat heb je allemaal gedaan omdat je maar een deel van het verhaal kende, Erik! Dus, ja, jij bent ook niet brandschoon.'

Erik knipperde verbaasd met zijn ogen bij mijn uitbarsting. 'Ik wist niet dat ik maar een deel van het verhaal kende.'

'Misschien kun je de volgende keer beter even nadenken voordat je je gevoelens de vrije loop laat zonder het hele verhaal te kennen.'

'Haat je me nu?' vroeg hij.

'Nee. Ik haat je niet. Ik mis je.'

We staarden elkaar aan en wisten geen van tweeën hoe we verder moesten.

'Ik mis jou ook,' zei hij ten slotte.

Mijn hart sloeg een slag over.

'Misschien kunnen we nog eens praten,' zei ik. 'Ik bedoel zonder al dat geschreeuw.'

Hij keek me heel lang aan. Ik probeerde zijn ogen te lezen, maar ze weerspiegelden alleen maar mijn eigen verwarring.

Mijn mobieltje ging over en ik trok het uit mijn zak. Het was oma. 'O, sorry. Het is mijn oma,' zei ik tegen Erik. En toen klapte ik het toestel open. 'Hallo, oma, bent u er al?' Ik knikte toen ze me vertelde dat ze zojuist het parkeerterrein op was gereden. 'Oké, ik ben met een paar minuten bij u. Ik kan niet wachten om u te zien! Tot zo!'

'Is je oma hier?' vroeg Erik.

'Ja.' Ik glimlachte nog steeds. 'Ze komt een poosje bij me logeren. Je weet wel, nu de wintervakantie is afgelast en zo.'

'O. Vandaar. Oké, tot kijk dan maar.'

'Eh, zou je met me mee willen lopen naar het parkeerterrein? Oma zei dat ze het een en ander ging inpakken, wat waarschijnlijk betekent dat ze één gigantische tas of tien kleintjes bij zich heeft. Een volwassen vampier om die voor haar te dragen zou beslist goed van pas komen en ik ben nog maar een klein halfwasje.'

Ik hield mijn adem in met het idee dat ik het waarschijnlijk (alweer) had verpest en te snel te ver was gegaan. En ja hoor, de behoedzame blik was weer terug in zijn ogen.

Precies op dat moment kwam een vampier in het uniform van de Zonen van Erebus door de deur achter me naar buiten.

'Neem me niet kwalijk,' zei Erik tegen hem. 'Dit is Zoey Redbird. Er is zojuist een gast van haar gearriveerd. Ben je in de gelegenheid om haar met haar bagage te helpen?'

De krijger groette me eerbiedig. 'Ik ben Stephan en ik ben je graag van dienst, jonge priesteres.'

Ik forceerde een glimlach en bedankte hem. Toek keek ik naar Erik. 'Dus wij zien elkaar straks weer?' zei ik.

'Natuurlijk. Je volgt mijn lessen.' Hij groette en liep het gebouw in.

Het parkeerterrein was vlakbij; we hoefden maar een kleine afstand langs de zijkant van het hoofdgebouw af te leggen. Gelukkig hoefde ik dus niet een lange wandeling in ongemakkelijke stilte met de krijger te doorstaan. Oma zwaaide naar me vanaf het midden van het erg volle parkeerterrein. Ik zwaaide terug en Stephan en ik liepen naar haar toe.

'Wauw, er zijn hier massa's vampiers,' zei ik, terwijl ik keek naar al die onbekende auto's.

'Er zijn veel Zonen van Erebus naar dit Huis van de Nacht geroepen,' zei Stephan.

Ik knikte peinzend.

Ik voelde dat hij naar me keek. 'Priesteres, je hoeft niet voor je veiligheid te vrezen,' zei hij, met rustig gezag.

Ik glimlachte naar hem en dacht: je moest eens weten, maar ik zei niets.

'Zoey! O, lieve schat! Daar ben je dan.' Oma sloeg haar armen om me heen en ik beantwoordde haar omhelzing en ademde de vertrouwde geur in van lavendel en thuis.

'Oma, wat ben ik blij dat u er bent!'

'Ik ook, lieve schat. Ik ook.' Ze drukte me stevig tegen zich aan.

Stephan maakte voor oma een eerbiedige buiging en verzamelde toen haar berg bagage.

'Oma, bent u van plan om een jaar te blijven?' vroeg ik, terwijl ik lachend over mijn schouder keek naar haar uitpuilende tassen.

'Ach, lieve schat, men moet altijd voorbereid zijn op alle eventualiteiten.' Oma Redbird gaf me een arm en we gingen op weg over het voetpad dat naar het meisjesonderkomen leidde. Stephan volgde met de bagage.

We waren nog maar net onderweg toen ze haar hoofd naar me toe boog en fluisterde: 'De school is volledig omsingeld.'

Ik voelde angst prikkelen. 'Waardoor?'

'Raven.' Ze sprak het woord uit alsof het een vieze smaak in haar mond achterliet. 'Ze zijn overal om het terrein heen, maar er is er geen enkele binnen de grens van de muur rond de school.'

'Dat komt doordat ik ze eruit heb geblazen,' zei ik.

'Is het heus?' fluisterde ze. 'Goed zo, Zoeybird!'
'Ze maken me bang, oma,' fluisterde ik terug. 'Volgens mij krijgen ze hun lichaam terug.'
'Dat weet ik, lieve schat. Dat weet ik.'
Huiverend hielden we elkaar stevig vast terwijl we ons naar mijn kamer haastten. De nacht leek ons na te kijken.

27

Het verbaasde me niet toen bleek dat iedereen zich in mijn kamer had gepropt.

'Oma Redbird!' riep Damien, en hij vloog haar om de hals. En toen moest hij natuurlijk Jack aan haar voorstellen en werd ze begroet door de tweeling en als laatste door Aphrodite, die er wat ongemakkelijk maar blij uitzag toen oma haar hartelijk omhelsde. In al die drukte sloten Damien en de tweeling me in.

'Z, is alles goed met je?' vroeg Damien met gedempte stem.

'Ja, we waren ongerust,' zei Shaunee.

'Er gebeuren behoorlijk enge dingen,' zei Erin.

'Met mij gaat het goed.' Ik wierp een steelse blik op Jack, die met oma stond te babbelen over hoe dol hij was op lavendel. 'Dankzij jullie hulp gaat het goed.'

'We zijn er voor je, Z. Je staat niet alleen,' zei Damien.

'Dito,' zei de tweeling in koor.

'Zoey? Is dat een hond?' Oma had zojuist gezien dat de berg blonde vacht op het voeteneinde van mijn bed bewoog, met het gevolg dat alle katten in de kamer tegelijkertijd begonnen te blazen.

'Inderdaad, oma. Het is een hond. En het is een lang verhaal.'

'Van wie is ze?' vroeg oma, terwijl ze Duchess voorzichtig over haar kop aaide.

'Nou, min of meer van mij. Tijdelijk dan,' zei Jack.

'Misschien is dit een goed moment om je oma alles te vertellen over Stevie Rae en zo,' zei Aphrodite.

'Stevie Rae? Ach, lieve schat. Treur je nog steeds om haar dood?'

'Niet precies, oma,' zei ik langzaam. 'Er is echt een heleboel uit te leggen.'

'Dan zou ik maar snel van wal steken. Ik heb het gevoel dat we binnenkort door de luxe van tijd heen raken,' zei oma.

'Ten eerste moet u weten dat ik u niet alles heb verteld omdat Neferet erbij betrokken is, op een akelige manier. En ze is heel erg intuïtionistisch. Dus wat ik u vertel zou ze misschien uit uw hersenen kunnen oppikken, en dat is niet goed,' zei ik.

Oma dacht daar even over na terwijl ze de stoel bij mijn bureau wegtrok en het zich gemakkelijk maakte. 'Jack, lieverd,' zei ze. 'Ik snak naar een glas koud water. Denk je dat je dat ergens voor me kunt opscharrelen?'

'Ik heb Fiji-water in de koelkast in mijn kamer,' zei Aphrodite.

'Dat zou heerlijk zijn,' zei oma.

'Ga maar halen. Maar verder nergens aankomen,' zei Aphrodite.

'Zelfs niet je...'

'Zelfs dat niet.'

Jack trok een pruillip, maar haastte zich de kamer uit om water voor oma te halen.

'Ik neem aan dat jullie allemaal op de hoogte zijn van de dingen die Zoey me gaat vertellen?' vroeg oma in het algemeen toen Jack terug was.

Iedereen knikte en keek haar met grote, babyvogelachtige ogen aan.

'En hoe voorkomen jullie dat Neferet jullie gedachten steelt?'

'Nou, het is maar theorie, maar we hadden bedacht dat we ons erop moeten concentreren om alleen maar te denken aan oppervlakkige, dwaze tienerzaken,' zei Damien.

'Zoals schoenenuitverkoop en zo,' zei Erin.

'Ja, en met "en zo" bedoelt ze spetters van jongens of huiswerkstress,' voegde Shaunee eraan toe.

'Dan zal ze waarschijnlijk niet dieper graven,' besloot ik. 'Maar Neferet onderschat ons. Ik geloof niet dat ze met u dezelfde vergissing zou begaan, oma. Ze weet al dat u de Cherokee-tradities volgt, dat u voeling hebt met de geest van het land. Bij u zal ze misschien dieper graven, ongeacht wat er in uw hoofd aan de oppervlakte rondgonst.'

'Dan zal ik mijn geest leeg moeten maken en de meditatietechniek toepassen die ik al gebruik vanaf dat ik een klein meisje was.' Oma's glimlach was vol zelfvertrouwen. 'Ze kan mijn geest niet binnendringen als ik die voor haar afsluit.'

'Maar stel dat ze de koningin van de Tsi Sgili is?'

Oma's glimlach wankelde. 'Geloof je echt dat dat mogelijk is, u-we-tsi-a-ge-ya?'

'We houden allemaal rekening met die mogelijkheid,' zei ik.

'Dan verkeren we allemaal in groot gevaar. Je moet me alles vertellen.'

En dat deed ik. Geholpen door Aphrodite, Damien, de tweeling en Jack vertelde ik oma alles, al moet ik bekennen dat ik het deel over dat Stevie Rae niet helemaal zichzelf was een beetje heb verdoezeld. Aphrodite wierp me een snelle blik toe toen ik daarmee bezig was, maar ze zei niets.

Terwijl ze het aanhoorde, werd oma's verweerde gezicht steeds somberder. Ik vertelde iedereen ook uitvoerig over de laatste aanval van de Raafspotter. Ik vertelde oma ten slotte dat Starks dood mogelijk niet definitief was en dat Stevie Rae, Aphrodite en ik hadden besloten, hoe morbide en verontrustend het ook klonk, dat we, nou ja, zijn lijk in de gaten moesten houden.

'En Jack zou dus de oppascamera in het lijkenhuis installeren,' zei ik. 'Heb je dat gedaan, Jack? Ik heb een deel van je afleidingsmanoeuvre gezien.' Ik grijnsde naar Duchess en aaide over haar oren. Ze blafte zacht en likte mijn gezicht. Malafide en Beëlzebub, die zich samen vlak bij de deur hadden opgekruld (het schijnt dat boosaardige katten elkaar aantrekken – wie had dat kunnen denken?) hieven hun kop op en bliezen in koor. Nala, die op mijn kussen lag te slapen, opende nauwelijks haar ogen.

'O ja, dat was ik in al die opwinding bijna vergeten!' Jack sprong overeind en liep naar de deur, waar hij zijn mannentas – of 'pukkel', zoals hij die altijd noemde – had neergezet. Hij liep met de tas naar mij terug en haalde er een eigenaardig, piepklein tv-schermpje uit. Hij draaide aan een paar knoppen en gaf het toen met een triomfantelijke grijns aan mij. 'Voilà! Nu kun je dus die – hopelijk – slapende jongen in de gaten houden.'

Iedereen verdrong zich achter me en keek over mijn schouder. Ik zette me schrap en drukte op de AAN-knop. En ja hoor, op het kleine schermpje verscheen een zwart-witbeeld van een kleine kamer met aan de ene kant iets wat op een grote oven leek, langs alle zichtbare muren een stel metalen planken, en een metalen tafel (zo groot als een lichaam), waarop een met een laken bedekt menselijk lichaam lag.

'Luguber,' zei de tweeling in koor.

'Akelig,' zei Aphrodite.

'Misschien kunnen we het beter afzetten terwijl de h-o-n-d hier is,' zei Jack.

Daar was ik meteen voor en dus drukte ik op de UIT-knop. Een dode bespioneren gaf me geen prettig gevoel.

'Is dat het lichaam van de jongen?' vroeg oma, die nogal bleek zag.

Jack knikte. 'Ja. Ik moest onder het laken kijken om daar zeker van te zijn.' Zijn blik werd droevig en hij had het opeens heel druk met Duchess aaien. De grote labrador legde met een zucht haar kop op zijn schoot, wat Jack leek te kalmeren, want ook hij slaakte een zucht en knuffelde de hond voor hij zei: 'Ik heb gewoon, nou ja, gedaan alsof hij sliep.'

'Zag hij er dood uit?' Ik moest het gewoon vragen.

Jack knikte weer. Hij perste zijn lippen op elkaar en zei niets.

'Jullie zijn goed bezig,' zei oma resoluut. 'Neferets kracht heeft veel met geheimzinnigheid te maken. Ze wordt gezien als een krachtige priesteres van Nux, een machtige kracht voor het goede. Ze heeft zich al een aanzienlijke tijd achter die façade verscholen en dat heeft haar de vrijheid gegeven om dingen te doen die, als jullie gelijk hebben over de omvang daarvan, monsterlijk zijn.'

'U bent het dus met ons eens dat Stevie Rae en de rode halfwassen morgen in de openbaarheid brengen iets is wat we moeten doen?' vroeg ik.

'Ja. Als geheimzinnigheid de bondgenoot van het kwaad is, dan gaan we dat bondgenootschap verbreken.'

'Oké!' zei ik.

'Oké!' viel iedereen me bij.

En toen geeuwde Jack. 'Oeps! Sorry. Het is niet dat ik me verveel of zo,' zei hij.

'Natuurlijk niet, maar het wordt al bijna licht. Je hebt een vermoeiende dag achter de rug,' zei oma. 'Misschien is het verstandig om allemaal een poos te gaan slapen. Trouwens, mogen jongens zich op dit uur nog wel in het meisjesverblijf ophouden?'

'Jeetje! Daar hebben we helemaal niet meer aan gedacht. En het laatste wat we nu kunnen gebruiken is nablijfshit!' zei Jack. Toen voegde hij er schuldbewust aan toe: 'Sorry, oma, dat ik "shit" zei.'

Oma glimlachte naar hem en gaf hem een klopje op zijn wang. 'Geeft niets, hoor, lieverd. En nu allemaal snel je bed in.'

Het verbaasde me niet dat iedereen onmiddellijk reageerde op oma's bemoedering. Jack en Damien gingen ervandoor met Duchess in hun kielzog.

'Zeg,' riep ik voor ze de deur uit waren. 'Duchess is toch hopelijk niet in de problemen geraakt door het feit dat ze het middelpunt van die afleidingsmanoeuvre was?'

Damien schudde zijn hoofd. 'Nee. We hebben Malafide de schuld gegeven, en die kat gedroeg zich zo krankzinnig dat niemand zich druk maakte om Duchess.'

'Mijn kat is niet krankzinnig,' zei Aphrodite. 'Ze is gewoon een bijzonder goede actrice.'

De tweeling stond ook op om te vertrekken. De meisjes omhelsden oma en pakten een slaperige Beëlzebub op. 'Tot later bij het ontbijt,' riepen ze.

Oma en ik bleven achter met Aphrodite, Malafide en Nala, die diep in slaap was.

'Ik denk dat ik ook maar beter kan gaan,' zei Aphrodite. 'Morgen wordt een zware dag.'

'Misschien kun je vannacht beter hier blijven slapen,' zei ik.

Aphrodite trok een perfecte blonde wenkbrauw op en wierp een minachtende blik op mijn lits-jumeaux.

Ik rolde met mijn ogen. 'Wat ben je toch een verwend loeder. Je mag in mijn bed slapen en dan pak ik wel een slaapzak.'

'Heeft Aphrodite wel eens vaker in jouw kamer overnacht?' vroeg oma.

Aphrodite snoof. 'Echt niet. Oma, als u mijn kamer zou zien, zou u weten waarom ik liever daar slaap.'

'Bovendien heeft Aphrodite de reputatie een helleveeg te zijn. Ze doet niet aan logeerpartijtjes.' Ik zei er maar niet bij dat ze misschien wel aan logeerpartijtjes met mannen deed; dat zou voor oma beslist te veel informatie zijn.

'Hartelijk dank,' zei Aphrodite.

'Als ze hier blijft slapen, vooral gezien het feit dat Shekinah Neferet inmiddels zal hebben verteld dat ik er ben, zou dat dan niet vreemd overkomen?'

'Ja,' gaf ik onwillig toe.

'Dat zou meer dan vreemd overkomen. Zeg maar gerust bizar,' zei Aphrodite.

'Dan moet je naar je eigen kamer teruggaan zodat we Neferet geen reden geven om nog meer op ons te letten dan ze al doet,' zei oma. 'Maar je zult niet onbeschermd slapen.' Oma kwam een beetje stijf overeind en liep naar haar berg tassen. Ze rommelde in de mooie, blauwe tas die ze haar 'weekendtas' noemde.

Als eerste haalde ze een prachtige dromenvanger tevoorschijn, een met leer omwikkelde cirkel met binnenin een lavendelkleurig web van draad. Midden in het web zat een gladde turkoois, het adembenemende blauw van een zomerhemel. De veren die in drie lagen aan de zijkant en de onderrand hingen, waren duifgrijs. Oma gaf de dromenvanger aan Aphrodite.

'Wat prachtig!' zei ze. 'Dat meen ik. Ik vind hem beeldschoon.'

'Ik ben blij dat je hem mooi vindt, kind. Ik weet dat veel mensen denken dat dromenvangers niets anders doen dan dromen filteren en alleen de goede doorlaten – of misschien zelfs dat niet. Ik heb er de laatste tijd verscheidene gemaakt en terwijl ik de beschermende turkoois ermiddenin vastzette, dacht ik aan de noodzaak om meer dan kwade dromen uit ons leven te filteren. Hang hem voor je raam. Moge zijn geest je slapende ziel beschermen.'

'Dank u, oma,' zei Aphrodite oprecht.

'En nog iets.' Oma liep weer terug naar haar tas, zocht even en haalde toen een roomwitte kaars tevoorschijn. 'Zet deze op je nachtkastje en laat hem branden terwijl je slaapt. Tijdens de laatste vollemaan heb ik er beschermende woorden over uitgesproken en hem de hele nacht het maanlicht laten absorberen.'

'Bent u de laatste tijd een beetje geobsedeerd geweest door bescherming, oma?' vroeg ik met een grijns. Na zeventien jaar was ik gewend aan oma's bizarre manier om dingen te weten die ze eigenlijk niet kón weten, zoals dat er gasten kwamen of dat er een tornado op komst was (lang voordat de Doppler-radar, een tornadowaarschuwingssysteem, was uitgevonden) of, in dit geval, wanneer we bescherming nodig hadden.

'Het is altijd verstandig om voorzichtig te zijn, u-we-tsi-a-ge-ya.' Ze nam Aphrodites gezicht tussen haar handen en kuste haar licht op haar voorhoofd. 'Slaap lekker, dochtertje, en mogen je dromen gelukkig zijn.'

Ik zag dat Aphrodite heftig met haar ogen knipperde en wist dat ze probeerde om niet te huilen. 'Trusten,' wist ze met moeite uit te brengen. Ze zwaaide naar mij en haastte zich de kamer uit.

Oma bleef een hele tijd stil; ze keek alleen peinzend naar de dichte deur. Maar toen zei ze: 'Volgens mij heeft dat meisje nooit de warme liefde van een moeder gekend.'

'U hebt weer helemaal gelijk, oma,' zei ik. 'Ze was vroeger zo afschuwelijk dat niemand haar kon uitstaan, vooral ik niet, maar volgens mij was dat grotendeels een façade. Niet dat ze perfect is. Ze is onvoorstelbaar verwend en oppervlakkig en soms kan ze behoorlijk krengerig doen, maar ze is...' Ik zweeg even en probeerde Aphrodite in woorden te vatten.

'Ze is je vriendin,' maakte oma de zin voor me af.

'U komt griezelig dicht bij volmaaktheid, weet u dat?' zei ik.

Oma lachte ondeugend. 'Dat weet ik. Het zit in onze familie. Help me nu maar om onze dromenvanger op te hangen en onze maankaars aan te steken, en dan moet je echt nodig je bed in.'

'Gaat u niet slapen? Ik heb u in het holst van de nacht gebeld en u zei dat u al uren op was.'

'O, ik ga wel even slapen, maar ik heb plannen. Ik kom niet dikwijls in de stad, en terwijl mijn vampierfamilie slaapt, ga ik een beetje winkelen en mezelf trakteren op een heerlijke lunch bij de Chalkboard.'

'Mmm! Daar ben ik niet meer geweest sinds die laatste keer met u.'

'Nou, slaapkop, ik zal je laten weten of het eten daar echt zo lekker is als we ons herinneren, en dan kunnen we misschien op de eerstvolgende regenachtige dag weer eens samen gaan.'

'Dus eigenlijk gaat u daar alleen maar lunchen omdat u wilt controleren of het eten niet achteruit is gegaan?' Ik trok de stoel naar het raam en zocht iets waaraan ik de dromenvanger kon ophangen die oma me aanreikte.

'Precies. Lieve schat, wat wil je met de oppascamera doen?' Oma hield het kleine schermpje omhoog. Hoewel het niet aanstond hield ze het voorzichtig vast, alsof het een bom was.

Ik slaakte een zucht. 'Aphrodite zei dat er ook een audiokanaal op zit. Ziet u een ronde knop?'

'Ja, dat zal deze wel zijn.' Oma drukte op een knop en er ging een groen lampje branden.

'Oké, als we het geluid nu eens aanlaten zonder het beeld? Ik zet het wel naast mijn bed. Als er iets gebeurt, zal ik het vast en zeker horen.'

'Dat is veel beter dan de hele nacht naar een dode zitten kijken,' zei oma somber toen ze het kleine schermpje op mijn nachtkastje zette. Toen keek ze naar me op. 'Lieve schat, waarom doe je de gordijnen niet even open zodat je de dromenvanger dichter bij het raam kunt hangen? We beschermen van buiten naar binnen en niet van binnen naar buiten.'

'O, oké.'

Ik stak beide handen omhoog om de dikke gordijnen van elkaar te trekken. Ze gingen open en ik voelde een steek van rauwe angst toen ik recht in het monsterlijke gezicht keek van een gigantische zwarte vogel met akelige, gloeiende, rode ogen die de vorm van mensenogen hadden. Het wezen klampte zich met menselijke armen en benen vast aan de buitenkant van mijn raam. Zijn gevaarlijk uitziende gekromde zwarte bek ging open, waardoor een gespleten rode tong te zien was. Het uitte een zacht krassend geluid dat tegelijkertijd spottend en dreigend klonk.

Ik kon me niet bewegen. Ik was als verlamd door zijn gemuteerde rode ogen – mensenogen in het gezicht van een gruwelijke vogel – een wezen dat voortkwam uit verkrachting en kwaad in een ver verleden. Ik voelde koude plekken op mijn schouders waar een van deze wezens me had vastgehouden. Ik moest denken aan de aanraking van die walgelijke tong en de brandende pijn toen zijn snavel had geprobeerd me de keel af te snijden.

Toen Nala begon te blazen en te krijsen, haastte oma zich naar me toe. Ik zag haar weerspiegeld in het donkere glas van het raam. 'Roep wind naar me toe, Zoey!' beval ze.

'Wind! Kom tot mij; mijn oma heeft u nodig,' riep ik, nog steeds in de ban van de monsterlijke blik van de Raafspotter.

Ik voelde het onrustige bewegen van wind onder en naast me, waar oma stond.

'U-no-le!' riep oma. 'Draag dit met mijn waarschuwing naar het beest.' Ik zag dat oma haar handen omhoogbracht en iets wat in de kom van haar handen lag naar het wezen blies dat aan de andere kant van het raam hing. *'Ahiya'a A-s-gi-na!'* riep ze.

De wind, door mij opgeroepen, maar beheerst door mijn oma, de Ghigua-vrouw, griste het fonkelende blauwe stof dat ze uit haar handpalmen had geblazen op en joeg het door de nietige kiertjes tussen de in lood gevatte ruitjes. De wind wervelde het stof om de Raafspotter, waardoor die gevangenzat in de draaikolk van fonkelend stof. De o zo menselijke ogen van het wezen werden groot toen de spikkels hem omringden, en toen de woest striemende wind het stof in zijn lijf perste, werd een afschuwelijke kreet aan de open bek ontrukt en verdween hij, wild flapperend met zijn vleugels.

'Stuur de wind weg, u-we-tsi-a-ge-ya,' zei oma, terwijl ze mijn hand vastpakte om te voorkomen dat ik viel.

'Dank u, wind. Ik laat u vrij,' zei ik bibberig.

'Dank u, u-no-le,' prevelde oma. Toen zei ze: 'De dromenvanger... hang hem snel op.'

Met trillende handen haakte ik hem om de gordijnroe en trok haastig de gordijnen dicht. Toen hielp oma me van de stoel af. Ik pakte Nala op en met zijn drieën dicht tegen elkaar aan gedrukt bleven we even staan; oma en ik stonden te trillen op onze benen.

'Het is weg... het is voorbij, voor nu...' zei oma keer op keer.

Ik had niet beseft dat we allebei hadden staan huilen tot oma me nog een knuffel gaf en toen op zoek ging naar tissues. Ik zonk op het bed neer en knuffelde Nala.

'Dank u wel,' zei ik, terwijl ik mijn gezicht droog veegde en mijn neus snoot. 'Moet ik de anderen roepen?' vroeg ik.

'Als je dat doet, hoe bang zullen ze dan zijn?'

'Doodsbang,' zei ik.

'Dan denk ik dat we er meer aan hebben als je de wind nog eens oproept. Kun je hem in een harde vlaag om de onderkomens laten razen zodat alles wat eventueel buiten op de loer ligt, wordt weggeblazen?'

'Ja, maar ik kan beter even wachten tot ik ophoud met bibberen.'

Oma glimlachte en streek het haar uit mijn gezicht. 'Je hebt het goed gedaan, u-we-tsi-a-ge-ya.'

'Ik raakte in paniek en verstijfde, net als de vorige keer!'

'Nee, je hebt zonder een spier te vertrekken een demon in de ogen gekeken, wind opgeroepen en bevolen om mij te gehoorzamen,' zei ze.

'Alleen maar omdat u zei dat ik dat moest doen.'

'Maar de volgende keer zal het niet zijn omdat ik je dat zeg. De volgende keer zul je sterker zijn en zul je uit jezelf doen wat je moet doen.'

'Wat was dat blauwe stof dat u ernaartoe blies?'

'Verpulverd turkoois. Ik zal je er een zakje van geven. Het is een bijzonder krachtige beschermende steen.'

'Hebt u genoeg om de anderen er ook wat van te geven?'

'Nee, maar ik zal het op mijn boodschappenlijstje zetten. Ik zal een paar turkooisstenen kopen en een vijzel en een stamper om ze fijn te stampen. Dan heb ik iets nuttigs te doen terwijl jij slaapt.'

'Wat zei u eigenlijk?' vroeg ik.

'*Ahiya'a A-s-gi-na* betekent "vertrek, demon".'

'En *u-no-le* betekent "wind"?'

'Ja, lieve schat.'

'Oma, had het een fysieke gedaante of was het alleen maar een geest?'

'Volgens mij van beide iets. Maar het fysieke deel was sterker.'

'Wat betekent dat Kalona ook sterker wordt,' zei ik.

'Waarschijnlijk wel.'

'Ik vind het doodeng, oma.'

Oma trok me in haar armen en streelde mijn hoofd zoals ze vroeger altijd deed toen ik nog klein was. 'Wees niet bang, u we tsi a ge-ya. De vader van de demon zal tot de ontdekking komen dat hedendaagse vrouwen zich niet zo makkelijk laten onderwerpen.'

'U hebt korte metten met dat wezen gemaakt, oma.'

Ze glimlachte. 'Ja, dochter, dat hebben we zeker.'

28

Terwijl oma goedkeurend toekeek, riep ik wind terug en liet hem door de campus razen, vooral om de gebouwen waar de slaapkamers waren. We spitsten onze oren voor het geluid van krijsende demonen, maar het enige wat we hoorden was het geruststellende gefluit van de wind. Toen trok ik eindelijk, uitgeput, mijn pyjama aan en stapte mijn bed in. Oma stak ook voor ons een beschermende vollemaankaars aan en ik nestelde me naast Nala. Ik genoot van de geluiden toen oma haar lange zilvergrijze haar borstelde en haar vertrouwde nachtelijke rituelen afwerkte.

Ik doezelde juist weg toen haar zachte stem tot me doordrong. 'U-we-tsi-a-ge-ya, ik wil dat je me iets belooft.'

'Oké, oma,' zei ik slaperig.

'Wat er ook gebeurt, ik wil dat je me belooft dat je niet zult vergeten dat Kalona niet mag herrijzen. Niets en niemand is belangrijker dan dat.'

Dit klonk zo verontrustend dat ik op slag klaarwakker was. 'Wat bedoelt u?'

'Precies wat ik zei. Laat je door niets afleiden van je doel.'

'Dat klinkt alsof u niet in de buurt zult zijn om me op het rechte pad te houden,' zei ik, en ik voelde paniek in mijn borst opwellen.

Oma kwam naar me toe en ging op de rand van mijn bed zitten. 'Ik ben van plan om nog heel lang in de buurt te blijven, lieve schat, dat weet je. Maar toch wil ik dat je me dat belooft. Zie het als een oude vrouw helpen om rustig te kunnen slapen.'

Ik keek haar fronsend aan. 'U bent geen oude vrouw.'

'Beloof het me,' drong ze aan.

'Ik beloof het. En nu moet u mij beloven dat u ervoor zorgt dat u niets overkomt,' zei ik.

'Ik zal mijn best doen, dat beloof ik,' zei ze lachend. 'Draai nu je hoofd om zodat ik je haar kan borstelen terwijl je in slaap valt. Dat zorgt voor mooie dromen.'

Met een zucht draaide ik me op mijn zij, en ik viel in slaap onder de liefdevolle aanraking van mijn oma en een zacht geneuried Cherokee-slaapliedje.

Aanvankelijk dacht ik dat de gedempte stemmen uit de oppascamera kwamen, en nog half in slaap ging ik overeind zitten en pakte ik het schermpje van mijn nachtkastje. Met ingehouden adem drukte ik op de videoknop en ik slaakte een diepe zucht van opluchting toen het beeld van de tafel op het scherm verscheen met het onveranderde, met een laken bedekte lichaam. Ik zette de video uit en wierp een blik op oma's lege, maar keurig opgemaakte bed. Glimlachend liet ik mijn wazige blik door de kamer gaan. Oma was aardig aan het opruimen geweest voor ze was vertrokken voor haar dagje winkelen en lunchen. Ik keek neer op Nala, die slaperig met haar ogen knipperend naar me opkeek.

'Sorry. Door mijn hyperactieve verbeelding hoorde ik waarschijnlijk dingen die er niet waren.' De volllemaankaars brandde nog steeds, al was die aanmerkelijk kleiner dan toen ik in slaap viel. Ik wierp een blik op mijn klok en glimlachte. Het was pas twee uur 's middags. Ik kon nog heerlijk een paar uur slapen voor ik moest opstaan. Ik ging weer liggen en trok mijn deken op tot rond mijn hals.

Gedempte stemmen, nu vergezeld van zacht geklop op mijn deur, waren beslist niet mijn verbeelding. Nala mopperde slaperig '*mi-uf-auw*', wat ik volkomen met haar eens was.

'Als het de tweeling is die de school uit wil glippen om stiekem naar een schoenenuitverkoop te gaan, ga ik ze wurgen,' zei ik tegen mijn kat, die dat een leuk vooruitzicht leek te vinden. Toen schraapte ik de slaap uit mijn keel en riep: 'Ja! Kom maar binnen.'

Toen de deur openging, zag ik tot mijn verbazing Shekinah, Aphrodite en Neferet in de gang staan. En Aphrodite huilde. Ik schoot overeind en streek mijn warrige haar uit mijn gezicht. 'Wat is er?'

Met zijn drieën kwamen ze mijn kamer binnen. Aphrodite kwam naar me toe en ging naast me op het bed zitten. Ik keek van haar naar Shekinah en als laatste naar Neferet. In hun ogen zag ik alleen maar bedroefdheid, maar ik bleef Neferet aankijken en wenste dat ik door haar façade heen kon kijken, wenste dat iedereen dat kon.

'Wat is er?' vroeg ik nog eens.

'Kind,' begon Shekinah op trieste, vriendelijke toon. 'Het is je oma.'

'Oma! Waar is ze?' Mijn maag verkrampte toen niemand iets zei. Ik greep Aphrodites hand vast. 'Vertel het me!'

'Ze heeft een auto-ongeluk gehad. Een ernstig ongeluk. Ze verloor de controle over haar auto toen ze door Main Street reed doordat... doordat een grote zwarte vogel tegen haar voorruit vloog. Haar auto raakte van de weg en botste frontaal tegen een lantaarnpaal.' De tranen stroomden over Aphrodites gezicht, maar haar stem klonk vast. 'Ze ligt op de intensive care in St. John's Hospital.'

Ik kon even niets zeggen. Ik kon alleen maar staren naar oma's lege bed en het kleine met lavendel gevulde kussentje dat ze daarop had neergelegd. Oma omringde zich altijd met de geur van lavendel.

'Ze wilde gaan lunchen in de Chalkboard. Dat vertelde ze me vannacht vlak voor...' Ik brak mijn zin af toen ik eraan dacht dat oma en ik het erover hadden gehad vlak voor ik de gordijnen had opengetrokken en oog in oog met die gruwelijke Raafspotter kwam te staan. Het wezen had ons afgeluisterd en had precies geweten wat oma vandaag ging doen. Het was naar Main Street gegaan, was tegen haar voorruit op gevlogen en had haar ongeluk veroorzaakt.

'Vlak voor wat?' Voor de onwetende toeschouwer zou Neferets stem bezorgd hebben geklonken, de stem van een vriendin en mentrix. Maar toen ik opkeek in haar smaragdgroene ogen, zag ik de kille berekening van een vijand.

'Vlak voor we naar bed gingen.' Ik deed erg mijn best om niet te laten merken hoe weerzinwekkend ik Neferet vond, dat ik wist hoe verachtelijk en verwrongen van geest ze was. 'Daardoor weet ik waarom ze daar reed. Ze vertelde me wat ze vandaag ging doen terwijl ik lag te slapen.' Ik wendde mijn blik af van Neferet en zei tegen Shekinah: 'Ik moet naar haar toe.'

'Vanzelfsprekend, lieve kind,' zei Shekinah. 'Darius staat op je te wachten met een auto.'

'Mag ik met haar mee?' vroeg Aphrodite.

'Je hebt gisteren al je lessen gemist en ik vind...'

'Alstublieft,' zei ik tegen Shekinah, Neferet onderbrekend. 'Ik wil liever niet alleen zijn.'

'Vind jij familie dan niet belangrijker dan school?' vroeg Shekinah aan Neferet.

Neferet aarzelde even. 'Ja, natuurlijk wel. Ik maakte me alleen bezorgd over Aphrodite omdat ze straks zo veel moet inhalen.'

'Ik neem mijn huiswerk mee naar het ziekenhuis. Ik raak echt niet achter.' Aphrodite schonk Neferet een geruststellende glimlach, die net zo nep was als Pamela Andersons tieten.

'Vooruit dan maar. Aphrodite gaat met Zoey mee naar het ziekenhuis en Darius zal op hen passen. Neem gerust alle tijd, Zoey. En laat het me alsjeblieft weten als er iets is wat de school voor je oma kan doen,' zei Shekinah hartelijk.

'Dank u.'

Ik keurde Neferet geen blik waardig toen ze samen vertrokken.

'Wat is het toch een kreng!' zei Aphrodite, die woedend naar de dichte deur keek. 'Alsof zij zich ooit druk heeft gemaakt over of ik met wat dan ook achter zou raken! Ze kan het gewoon niet uitstaan dat wij nu vriendinnen zijn.'

Oké... oké. Ik moet nadenken. Ik moet naar oma toe, maar eerst moet ik goed nadenken en ervoor zorgen dat alles hier geregeld is. Ik mag mijn belofte aan oma niet vergeten.

Ik veegde met de rug van mijn hand de tranen van mijn gezicht, liep vlug naar mijn ladekast en pakte een spijkerbroek en een sweatshirt. 'Neferet kan het niet uitstaan dat we vriendinnen zijn omdat ze niet in ons hoofd kan kijken. Maar dat kan ze wel bij Damien, Jack en de tweeling, en je kunt er donder op zeggen dat ze dat vandaag gaat doen.'

'We moeten ze waarschuwen,' zei Aphrodite.

Ik knikte. 'Ja, inderdaad. St. John's ligt natuurlijk buiten het bereik van de oppascamera, denk je ook niet?'

'Ja, vast wel. Volgens mij is het bereik maar een paar honderd meter.'

'Wil jij hem terwijl ik me aankleed naar de kamer van de tweeling brengen? Vertel hun wat er is gebeurd en zeg dat ze Damien en Jack voor Neferet moeten waarschuwen.' Toen ademde ik een keer diep in en uit en voegde eraan toe: 'Er hing vannacht een Raafspotter buiten mijn raam.'

'O mijn godin!'

'Het was afschuwelijk,' zei ik huiverend. 'Oma heeft er verpulverde turkoois naar geblazen en ik heb wind haar laten helpen, en toen is hij verdwenen, maar ik weet niet hoe lang hij ons had afgeluisterd.'

'Dat was wat je begon te zeggen. De Raafspotter wist dat je oma naar de Chalkboard ging.'

'Dat wezen heeft haar ongeluk veroorzaakt,' zei ik.

'Dat wezen of Neferet,' zei ze.

'Of samen.' Ik liep naar mijn nachtkastje en pakte het schermpje van de oppascamera. 'Breng dit naar de tweeling. Wacht.' Ik hield haar tegen voor ze de deur uit liep. Ik ging naar oma's blauwe weekendtas en doorzocht het vakje waarvan ze de rits open had gelaten. En waarachtig, ik vond een zakje van hertenvel. Ik maakte het open om de inhoud te controleren en tevredengesteld gaf ik het aan Aphrodite. 'Dit is turkooispoeder. Laat de tweeling het met Damien en Jack delen. Vertel hun dat het een krachtige bescherming is, maar dat we er niet veel van hebben.'

Ze knikte. 'Begrepen.'

'Haast je. Als je terug bent, ben ik klaar om te vertrekken.'

'Zoey, het komt helemaal goed met haar. Ze zeiden dat ze op de intensive care ligt, maar ze had haar veiligheidsgordel om en leeft nog.'

'Dat moet gewoon,' zei ik terwijl mijn ogen zich weer vulden met tranen. 'Ik weet niet wat ik zou doen als ze er niet bovenop komt.'

De korte rit naar St. John's Hospital verliep in stilte. Het was, natuurlijk, een afschuwelijk zonnige dag. Dus hoewel we alle drie een zonnebril droegen en de Lexus getinte ramen had, was het erg ongemakkelijk voor ons. (Nou ja, dat 'ons' slaat op Darius en mij; Aphrodite leek het er moeilijk mee te hebben dat ze niet uit het raam kon hangen om zich te koesteren in de zon.) Darius zette ons af bij de ingang van de afdeling voor spoedeisende hulp. Hij zei dat hij de auto ging parkeren, waarna hij ons bij de intensive care zou treffen.

Hoewel ik niet vaak in een ziekenhuis was geweest, leek de geur een ingeboren herinnering, en geen prettige. Ik haatte het 'door antiseptica gemaskeerde ziekte'-gevoel dat het opriep. Aphrodite en ik liepen naar de informatiebalie en een aardige oude dame in een zalmkleurig schort wees ons de weg naar de intensive care.

Oké, het was echt doodeng op de intensive care. We aarzelden voor de dubbele zwaaideuren waarop in rode letters INTENSIVE CARE was geverfd, omdat we eigenlijk niet wisten of we gewoon naar binnen konden gaan. Toen bedacht ik opeens dat mijn oma daar ergens lag en liep ik vastberaden door de intimiderende deuren de angstaanjagende afdeling op.

'Niet kijken,' fluisterde Aphrodite toen ik struikelde doordat mijn blik automatisch naar de ramen van de patiëntenkamers werd getrokken. Serieus. De muren van de kamers waren helemaal geen muren. Het waren ramen. Zodat iedereen kon staan gapen naar de stervende oude mensen die een ondersteek gebruikten en zo. 'Gewoon doorlopen naar de verpleegsterspost. Daar kunnen ze je alles vertellen over je oma.'

'Hoe weet je dat allemaal?' fluisterde ik terug.

'Mijn vader is tweemaal hier beland na een overdosis.'

Ik keek haar geschokt aan. 'Echt waar?'

Ze haalde haar schouders op. 'Zou jij geen overdosis innemen als je met mijn moeder was getrouwd?'

Ik dacht van wel, maar het leek me beter om dat niet te zeggen. Bovendien stonden we voor de verpleegsterspost.

'Wat kan ik voor je doen?' vroeg een blonde vrouw met een stevig figuur.

'Ik kom voor mijn oma, Sylvia Redbird.'

'En jij bent?'

'Zoey Redbird,' zei ik.

De verpleegster wierp een blik op een patiëntenstatus en glimlachte naar me. 'Je staat hier vermeld als haar naaste verwante. Een ogenblikje. De dokter is momenteel bij haar. Als je even wacht in de wachtkamer verderop in de gang, dan zal ik hem laten weten dat je er bent.'

'Mag ik naar haar toe?'

'Natuurlijk, maar pas als de dokter met haar klaar is.'

'Oké. Ik wacht wel.' Toen ik een paar stappen had gedaan bleef ik staan en vroeg: 'Ze wordt toch niet alleen gelaten, hoop ik?'

'Nee, daarom hebben de kamers ramen in plaats van muren. Niemand op de intensive care wordt ooit alleen gelaten.'

Nou, door een raam gluren zou niet goed genoeg zijn voor wat er met oma gaande was. 'Zorg alsjeblieft dat de dokter me zo snel mogelijk ophaalt, oké?'

'Uiteraard.'

Aphrodite en ik gingen naar de wachtkamer, die bijna net zo steriel en eng was als de rest van de intensive care.

'Ik vind het maar niks.' Ik kon niet zitten, dus ging ik op en neer lopen voor een afschuwelijk lelijke, blauwgebloemde tweezitsbank.

'Ze heeft meer bescherming nodig dan verpleegsters die af en toe door een raam naar binnen kijken,' zei Aphrodite.

'Zelfs vóór wat er recentelijk is gebeurd hadden Raafspotters het vermogen om oude mensen die de dood nabij zijn kwaad te doen, en nu is ze... is ze...' Ik struikelde over mijn woorden en kon de beangstigende waarheid niet over mijn lippen krijgen.

'Ze is gewond,' zei Aphrodite beslist. 'Dat is alles. Ze is alleen maar gewond. Maar je hebt gelijk. Op het moment is ze kwetsbaar.'

'Denk je dat ze het goed zouden vinden als ik een medicijnman voor haar laat komen?'

'Ken je er dan een?'

'Nou, min of meer. Er is een oude man, John Whitehorse, die al heel lang met oma bevriend is. Ze heeft me verteld dat hij een wijze is. Zijn nummer staat waarschijnlijk in oma's mobieltje. Hij kent vast wel een medicijnman.'

'Het kan volgens mij geen kwaad om te proberen er eentje op te trommelen,' zei Aphrodite.

'Hoe gaat het met haar?' vroeg Darius toen hij de wachtkamer binnenkwam.

'Dat weten we nog niet. We wachten op de dokter. We hadden het er juist over om een van oma Redbirds vrienden te bellen en hem te vragen een medicijnman hierheen te sturen om bij haar te zitten.'

'Is het niet makkelijker om Neferet te vragen om te komen? Zij is onze hogepriesteres en tevens een genezer.'

'Nee!' zeiden Aphrodite en ik in koor.

Darius fronste zijn voorhoofd, maar de binnenkomst van de dokter voorkwam dat we de krijger moesten uitleggen waarom we daar zo fel op tegen waren.

'Zoey Redbird?'

Ik draaide me om naar de lange, magere man en stak hem mijn hand toe. 'Ik ben Zoey.'

Hij schudde mijn hand en keek me ernstig aan. Zijn greep was stevig en zijn handen waren sterk en glad. 'Ik ben dokter Ruffing. Ik ben de behandelend arts van je grootmoeder.'

'Hoe gaat het met haar?' Ik was verbaasd dat ik zo normaal klonk, want ik had het gevoel dat mijn keel dicht zat van angst.

'Laten we even daar gaan zitten,' zei hij.

'Ik blijf liever staan,' zei ik. Toen deed ik een poging tot een verontschuldigende glimlach. 'Ik ben veel te zenuwachtig om te zitten.'

Glimlachen ging hem beter af dan mij en ik was blij dat ik zo veel vriendelijkheid in zijn gezicht zag. 'Dat begrijp ik. Je grootmoeder heeft een ernstig ongeluk gehad. Ze heeft hoofdletsel en haar rechterarm is op drie plaatsen gebroken. De veiligheidsgordel heeft haar borst gekneusd en de uitzettende airbags hebben haar gezicht geschaafd, maar ze hebben haar leven gered.'

'Komt het weer goed met haar?' Ik vond het moeilijk om luider dan op een fluistertoon te praten.

'Haar kansen zijn goed, maar na de komende vierentwintig uur weten we meer,' zei dokter Ruffing.

'Is ze bij bewustzijn?'

'Nee. Ik heb haar in coma gebracht zodat...'

'In coma!' Ik wankelde. Ik had het opeens bloedheet, en langs de randen van mijn gezichtsveld dansten felle stippen. Toen lag Darius' hand onder mijn elleboog en leidde hij me naar een stoel.

'Langzaam doorademen. Concentreer je op je ademhaling.' Dokter Ruffing zat voor me op zijn hurken; hij had mijn pols tussen zijn grote vingers en controleerde mijn hartslag.

'Sorry, sorry. Het gaat wel weer,' zei ik, terwijl ik het zweet van mijn voorhoofd veegde. 'Het kwam gewoon doordat "in coma" zo afschuwelijk klinkt.'

'Zo erg is het helemaal niet. Ik heb haar in coma gebracht om haar hersenen een kans te geven zichzelf te genezen,' zei dokter Ruffing. 'Hopelijk kunnen we op die manier de zwelling doen afnemen.'

'En als dat niet lukt?'

Hij gaf me een klopje op mijn knie en stond toen op. 'Laten we maar één stap tegelijk doen... één probleem tegelijk aanpakken.'

'Mag ik naar haar toe?'

'Ja, maar ze heeft rust nodig.' Hij draaide zich om en wilde me voorgaan naar de patiëntenkamers.

'Mag Aphrodite met me meekomen?'

'Op het ogenblik mag er maar één bezoeker tegelijk bij haar,' zei hij.

'Het is al goed,' zei Aphrodite. 'We wachten hier op je. Denk eraan: niet bang zijn. Ze is hoe dan ook nog altijd je oma.'

Ik knikte en beet op de binnenkant van mijn wang om niet te gaan huilen.

Ik volgde dokter Ruffing naar een glazen kamer niet ver van de verpleegsterspost. Voor de deur bleven we even staan. De dokter keek op me neer. 'Ze is aangesloten aan een heleboel apparaten en slangen. Die zien er akeliger uit dan ze zijn.'

'Ademt ze zelfstandig?'

'Ja, en haar hartslag is krachtig en regelmatig. Ben je er klaar voor?'

Ik knikte en hij opende de deur voor me. Toen ik de kamer binnenliep, hoorde ik duidelijk het angstaanjagende geluid van vogelgefladder.

'Hoorde u dat?' fluisterde ik tegen de dokter.

'Wat bedoel je?'

Ik keek in zijn volkomen argeloze ogen en wist voor honderd procent zeker dat hij de vleugels van de Raafspotters niet had gehoord.

'Niets, neem me niet kwalijk.'

Hij raakte mijn schouder aan. 'Er komt heel wat op je af, maar je grootmoeder is gezond en sterk. Ze heeft een uitstekende kans.'

Ik liep langzaam naar haar bed. Oma zag er zo klein en broos uit dat ik niet kon voorkomen dat de tranen over mijn wangen stroomden. Haar gezicht was afschuwelijk gekneusd en geschaafd. Haar lip was gescheurd en gehecht. En ze had ook hechtingen in haar kin. Haar hoofd was bijna helemaal verbonden. Om haar rechterarm zat een dik gipsverband waar vreemde metalen schroeven uitstaken.

'Heb je nog vragen?' vroeg dokter Ruffing zacht.

'Ja,' zei ik zonder te aarzelen en zonder mijn blik van oma's gezicht af te wenden. 'Mijn oma is een Cherokee en ik weet dat ze het prettig zou vinden als ik een medicijnman laat komen.' Toen rukte ik wel mijn blik los van oma's gehavende gezicht om naar de dokter op te kijken. 'Dit is geen gebrek aan respect voor u en het gaat niet om het geneeskundige deel. Het is voor het spirituele deel.'

'Nou, dat zou wel kunnen, maar later pas, als ze van de intensive care af is.'

Ik moest me inhouden om hem niet toe te schreeuwen: *Ze heeft juist de medicijnman nodig terwijl ze op de intensive care ligt!*

Dokter Ruffing sprak zachtjes door, maar hij klonk erg oprecht. 'Je moet begrijpen dat dit een katholiek ziekenhuis is en dat we eigenlijk alleen maar...'

'Katholiek?' zei ik, hem onderbrekend, terwijl ik overspoeld werd door opluchting. 'U zou dus een non wel toestaan om bij oma te zitten.'

'Ja, natuurlijk. Nonnen en priesters bezoeken dikwijls onze patiënten.'

Ik glimlachte. 'Voortreffelijk. Ik ken de perfecte non.'

'Goed, heb je misschien nog meer vragen?'

'Ja, kunt u me vertellen waar ik een telefoonboek kan vinden?'

29

Ik wist niet hoeveel uren er waren verstreken. Ik had Darius en Aphrodite naar de school teruggestuurd – onder protest – maar Aphrodite wist dat ik iemand nodig had om erop toe te zien dat daar alles goed ging zodat ik me daar geen zorgen om hoefde te maken terwijl ik hier was en me zorgen maakte om mijn oma, en toen ik haar dat in herinnering bracht, kreeg ik haar eindelijk zo ver dat ze vertrok. En ik beloofde Darius dat ik niet uit het ziekenhuis zou vertrekken zonder hem te bellen om me te komen ophalen, hoewel de school maar een kleine anderhalve kilometer verderop in de straat stond en ik makkelijk terug zou kunnen lopen.

De tijd verstreek vreemd op de intensivecareafdeling. Er waren geen buitenramen en op het sciencefictionachtige gegons, getik en geklik van de ziekenhuisapparaten na, waren de kamers donker en stil. Ik stelde me voor dat het een soort wachtkamer voor de dood was, wat me de stuipen op het lijf joeg. Maar ik kon oma niet alleen laten. Ik zou haar niet alleen laten, niet voordat iemand die er niet voor terugschrok om de strijd met demonen aan te gaan mijn plaats innam. Dus bleef ik zitten, en ik wachtte, en ik waakte over haar slapende lichaam terwijl het worstelde om zichzelf te genezen.

Ik zat daar dus en hield haar hand vast en zong zachtjes een van de Cherokee-slaapliedjes waarmee ze mij altijd in slaap zong, toen zuster Mary Angela eindelijk de kamer binnenkwam.

Ze wierp één blik op mij en toen op mijn oma en spreidde haar armen. Ik vloog haar om de hals en smoorde mijn snikken in de gladde stof van haar habijt.

'Stil maar. Het komt allemaal goed, kind. Ze is nu in de handen van Onze-Lieve-Vrouw,' prevelde ze terwijl ze mijn rug streelde.

Toen ik eindelijk weer kon praten, keek ik naar haar op en bedacht dat ik mijn hele leven nog nooit zo blij was geweest om iemand te zien. 'Ik ben u zo verschrikkelijk dankbaar dat u bent gekomen, zuster.'

'Ik voelde me vereerd dat je me hebt gebeld en het spijt me dat ik je zo lang heb laten wachten. Het had heel wat voeten in de aarde voor ik eindelijk weg kon,' zei ze. Met haar arm nog om me heen liep ze naar oma's bed.

'Dat geeft niet. Ik ben gewoon blij dat u er nu bent. Zuster Mary Angela, dit is mijn oma, Sylvia Redbird,' zei ik met een verstikt stemmetje. 'Ze is als een vader en een moeder voor me geweest en ik hou verschrikkelijk veel van haar.'

'Ze moet wel een heel bijzondere vrouw zijn om de liefde van een kleinkind als jij te verdienen.'

Ik keek vlug naar zuster Mary Angela op. 'Het ziekenhuis weet niet dat ik een halfwas ben.'

'Wat je bent, zou niets mogen uitmaken,' zei de non beslist. 'Als jij of je familie hulp nodig heeft, moeten ze die verschaffen.'

'Zo pakt het niet altijd uit,' zei ik.

Haar wijze ogen keken me onderzoekend aan. 'Helaas moet ik je daarin gelijk geven.'

'Zult u me dan helpen zonder hun te vertellen wie ik ben?'

'Ja,' zei ze.

'Fijn, want oma en ik hebben uw hulp nodig.'

'Wat kan ik doen?'

Ik wierp een blik op oma. Ze leek er net zo vredig bij te liggen als toen ik er net was. Ik had geen vogelgefladder meer gehoord en had geen voorgevoel van naderend kwaad meer gehad. Toch durfde ik haar niet alleen te laten, zelfs niet voor een paar minuten.

'Zoey?'

Ik keek in de wijze, vriendelijke ogen van deze wonderbaarlijke non en vertelde haar de onverbloemde waarheid. 'Ik moet met u praten en dat wil ik niet hier doen, waar we gestoord of afgeluisterd kunnen worden, maar ik durf oma niet alleen en onbeschermd achter te laten.'

Ze keek me heel rustig aan, totaal niet verontrust door mijn geheimzinnigheid. Toen stak ze haar hand in een van de voorzakken van haar wijde, zwarte habijt en haalde een klein, prachtig gedetailleerd beeldje van de Maagd Maria tevoorschijn.

'Zou het je geruststellen als ik Onze-Lieve-Vrouw bij je grootmoeder achterlaat terwijl wij ergens gaan praten?'

Ik knikte. 'Dat denk ik wel, zuster,' zei ik. Ik probeerde om niet te analyseren waarom een beeldje van de moeder van Christus dat een non bij zich had zo'n geruststellend effect op me had. Ik was gewoon blij dat mijn intuïtie me influisterde dat ik deze non en de 'magie' die ze meebracht kon vertrouwen.

Zuster Mary Angela zette het beeldje van Maria op het kastje naast oma's bed. Toen boog ze haar hoofd en vouwde haar handen. Ik kon haar lippen zien bewegen, maar ze sprak zo zacht dat ik niet kon horen wat ze zei. De non sloeg een kruisje, kuste haar vingers en raakte licht het beeldje aan, en toen verlieten we samen oma's kamer.

'Is het nog licht buiten?' vroeg ik.

Ze keek me verbaasd aan. 'Het is al uren donker, Zoey. Het is al na tienen 's avonds.'

Ik wreef over mijn gezicht. Ik was doodop. 'Vindt u het goed als we naar buiten gaan en een stukje gaan lopen? Ik moet u een heleboel moeilijke dingen vertellen en dat zal makkelijker zijn als ik in de avondlucht ben.'

'Het is een heerlijke, frisse avond. Ik ga graag een eindje met je wandelen.'

We zochten onze weg door de doolhof van gangen van St. John's en kwamen uiteindelijk bij de uitgang aan de westzijde, aan Utica Street, met de prachtige fontein tegenover het ziekenhuis op de hoek van Twenty-first Street en Utica Street.

'Zullen we naar de fontein wandelen?' vroeg ik.

'Op naar de fontein dan maar,' zei zuster Mary Angela met een glimlach.

We spraken niet onder het lopen. Ik keek voortdurend om me heen, op zoek naar verwrongen vogelgedaanten die in de schaduwen op de loer lagen, en luisterde of ik het spottende geluid ergens hoorde dat te makkelijk voor het gekras van raven doorging. Maar er was niets. Het enige wat ik in de avond bespeurde, was afwachting. En ik wist niet of dat een goed of een slecht teken was.

Vlak bij de fontein stond een zitbank. De bank keek uit op het witmarmeren beeld van Maria omringd door lammetjes en jonge herders, dat de zuidwesthoek van het ziekenhuis verfraaide. Er stond ook een erg mooi beeld van Maria, in kleur, met haar beroemde blauwe omslagdoek, net binnen de ingang van de spoedeisende hulp. Vreemd eigenlijk dat het me nooit eerder was opgevallen hoeveel beelden van Maria hier stonden.

We zaten al een poosje op de bank heerlijk uit te rusten in de frisse stilte van de avond toen ik een keer diep in- en uitademde en me op de bank omdraaide zodat ik met mijn gezicht naar zuster Mary Angela toegekeerd zat.

'Zuster, gelooft u in demonen?' Ik besloot om er ronduit mee voor de dag te komen. Het had geen zin om om de zaak heen te draaien. Bovendien had ik daar noch de tijd, noch het geduld voor.

Ze trok haar grijze wenkbrauwen op. 'Demonen? Ja, daar geloof ik in. Demonen en de katholieke kerk hebben een lange, turbulente geschiedenis.'

Toen keek ze me alleen maar rustig aan, alsof het nu weer mijn beurt was om iets te zeggen. Dat is een van de dingen die ik zo fijn vond aan zuster Mary Angela. Ze was niet een van die volwassenen die het als hun taak zagen om een zin voor je af te maken. Ze was ook niet een van die volwassenen die het niet konden opbrengen om rustig te wachten tot een jongere haar gedachten had geordend.

'Hebt u er ooit persoonlijk mee te maken gehad?'

'Niet echt, nee. Ik heb het wel af en toe gedacht, maar dat bleken ofwel erg zieke of bijzonder oneerlijke mensen te zijn.'

'En engelen?'

'Of ik daarin geloof of of ik er wel eens één ben tegengekomen?'

'Allebei,' zei ik.

'Ja en nee, in die volgorde. Al zou ik veel liever een engel dan een demon tegen het lijf lopen als ik zou mogen kiezen.'

'Daar zou ik maar niet zo zeker van zijn.'

'Zoey?'

'Zegt het woord "nephilim" u iets?'

'Ja, de giganten die worden genoemd in het Oude Testament. Er zijn theologen die vermoeden dat Goliat er of een was of ervan afstamde.'

'En Goliat was geen fijne jongen, toch?'

'Volgens het Oude Testament niet, nee.'

'Oké, goed, ik moet u een verhaal vertellen over een andere nephilim. Dat was ook geen fijne jongen. Het is een verhaal uit de overlevering van het volk van mijn oma.'

'Haar volk?'

'Ze is Cherokee.'

'O, vertel verder, Zoey. Ik ben dol op legenden van de indianen.'

'Nou, hou u stevig vast, want deze legende is geen verhaaltje voor het slapengaan.' Toen stak ik van wal met een verkorte versie van wat oma me had verteld over Kalona, de Tsi Sgili en de Raafspotters.

Ik besloot het verhaal met Kalona's gevangenname en het verloren lied van de Raafspotters dat de terugkeer van hun vader voorspelt. Zuster Mary Angela bleef enkele minuten stil en toen ze eindelijk iets zei, leek haar reactie griezelig veel op mijn eerste reactie op het verhaal.

'Hebben de vrouwen een pop van klei tot leven gebracht?'

Ik glimlachte. 'Dat is precies wat ik tegen oma zei toen ze me het verhaal vertelde.'

'En hoe reageerde je oma daarop?'

Aan de serene uitdrukking op haar gezicht kon ik zien dat ze verwachtte dat ik lachend zou zeggen dat oma me had uitgelegd dat het maar een sprookje was of misschien een religieuze allegorie. In plaats daarvan vertelde ik haar de waarheid.

'Oma bracht me in herinnering dat magie echt bestaat. En dat haar voorouders, die natuurlijk ook mijn voorouders zijn, niet meer of minder geloofwaardig waren dan een meisje dat alle vijf de elementen kan oproepen en gebieden.'

'Bedoel je dat dat jouw gave is, en de reden dat je zo belangrijk bent dat men het nodig vindt om je een krijgergeleide mee te geven als je naar Street Cats gaat?' vroeg zuster Mary Angela.

Ik zag in haar ogen dat ze me niet voor leugenaar wilde uitmaken en onze pas ontstane vriendschap niet kapot wilde maken, maar dat ze me niet geloofde. Dus stond ik op en deed een klein stapje achteruit van de bank zodat ik buiten het felle licht van de straatlantaarn stond. Ik deed mijn ogen dicht en ademde diep de frisse avondlucht in. Ik hoefde niet lang na te denken waar het oosten was. Dat wist ik intuïtief. Ik ging met mijn gezicht naar het St. John's staan, dat aan de overkant was en pal oost van waar ik stond. Ik deed mijn ogen open, glimlachte en zei: 'Wind, u hebt mijn roep in de afgelopen dagen dikwijls beantwoord. Ik respecteer uw trouw en vraag u om mijn roep nog eens te beantwoorden. Kom tot mij, wind!'

Er was zogoed als geen avondbries geweest, maar op het moment dat ik het eerste element opriep, stak een frisse, plagerige wind rondom me op. Zuster Mary Angela zat zo dichtbij dat ze voelde dat de wind me gehoorzaamde. Ze moest zelfs haar kap vasthouden om te voorkomen dat die van haar hoofd waaide. Ik wiebelde met mijn wenkbrauwen naar haar toen ze me sprakeloos van verbazing aankeek. Toen draaide ik me een kwartslag naar rechts, met mijn gezicht naar het zuiden.

'Vuur, de avond is fris en zoals altijd hebben we behoefte aan uw beschermende warmte. Kom tot mij, vuur!'

De frisse wind werd opeens warm, heet zelfs. Ik was omringd door het geknetter van een fel brandende open haard, en het was net of zuster Mary Angela en ik op een zwoele zomeravond worstjes gingen roosteren.

'Goeie genade!' hoorde ik haar ademloos zeggen.

Ik draaide me glimlachend weer een kwartslag naar rechts. 'Water, we hebben u nodig om ons te reinigen en de hitte die vuur brengt te verzachten. Kom tot mij, water!'

Het was een verademing toen ik de hitte onmiddellijk voelde afnemen in de geur en aanraking van een lenteregen. Mijn huid werd niet nat, maar zo voelde het wel aan. Het was alsof ik midden in een regenbui was neergezet en werd schoongespoeld, verfrist en vernieuwd.

Zuster Mary Angela boog haar hoofd achterover en opende haar mond alsof ze dacht dat ze echt een regendruppel kon opvangen.

Ik draaide me weer een kwartslag rechtsom. 'Aarde, ik voel me altijd dicht bij u. U voedt en beschermt. Kom tot mij, aarde!'

De lenteregen metamorfoseerde in een pasgemaaid veld zomerhooi. De door de regen gekoelde wind was nu vervuld van hooi, zon en de blije geluiden van spelende kinderen.

Ik keek naar de non. Ze zat nog steeds op de bank, maar ze had haar kap afgezet zodat haar korte grijze haar om haar gezicht waaide terwijl ze lachte en de zomerbries diep inademde, waardoor het net leek of ze weer een lieftallig kind was.

Ze voelde dat ik haar aankeek en ze zocht mijn blik op het moment dat ik mijn armen boven mijn hoofd hief. 'Het is geest die ons met elkaar verbindt, en geest die ons uniek maakt. Kom tot mij, geest!'

Zoals altijd werd ik overweldigd door het heerlijke, vertrouwde gevoel dat mijn ziel omhoog werd getild toen geest mijn roep beantwoordde.

'O!' Zuster Mary Angela's adem stokte, maar niet van angst of woede. Ze klonk vervuld van ontzag. Ik keek toe terwijl de non haar hoofd boog en de rozenkrans die ze om haar hals droeg tegen haar hart drukte.

'Dank u, geest, aarde, water, vuur en wind. U mag nu gaan met mijn dank. Ik ben u zeer dankbaar!' riep ik, en ik spreidde mijn armen terwijl de elementen speels om me heen wervelden en toen in de avond oplosten.

Langzaam liep ik terug naar de bank en ging weer naast zuster Mary Angela zitten, die haar haar gladstreek en haar kap weer opzette. Eindelijk keek ze me aan.

'Ik had al heel lang het vermoeden.'

Dat was niet wat ik had verwacht haar te horen zeggen. 'Had u het vermoeden dat ik de elementen kan beheersen?'

Ze lachte. 'Nee, kind. Ik had al heel lang het vermoeden dat de wereld is vervuld van verborgen krachten.'

'Ik wil u niet beledigen, maar dat is een bizar iets om een non te horen zeggen.'

'Werkelijk? Ik vind het niet zo bizar als je bedenkt dat ik getrouwd ben met wat in wezen een geest is.' Ze aarzelde even en zei toen: 'En ik heb de roerselen van deze krachten...'

'Elementen,' onderbrak ik. 'Het zijn de vijf elementen.'

'Neem me niet kwalijk. Ik heb de roerselen van deze elementen eerder gehoord in onze abdij. De legende wil dat de abdij is gebouwd op een eeuwenoude plek van kracht. Dus, Zoey Redbird, halfwas priesteres, wat jij me vanavond hebt laten zien, is eerder een bevestiging dan een schok.'

'Huh, nou, ik ben blij dat te horen.'

'Je vertelde me dat de Ghigua-vrouwen van klei een maagd hebben geschapen die de gevallen engel in de val heeft laten lopen, en dat de Raafspotters een lied zongen over zijn terugkeer en dat ze toen in geesten veranderden. Wat gebeurde er toen?'

Ik grijnsde om haar nuchtere toon, maar toen werd mijn gezicht weer ernstig. 'Klaarblijkelijk niet veel gedurende heel wat jaren, duizend of zo. Maar een paar dagen geleden begon ik 's nachts het akelige gekras van naar ik dacht kraaien te horen.'

'Je denkt niet meer dat het kraaien zijn?'

'Ik weet dat het geen kraaien zijn. Ten eerste maken ze een ander geluid; het gekras klinkt meer als gekwaak.'

Ze knikte. 'Het gekras van raven heeft inderdaad iets van gekwaak.'

Ik knikte. 'Dat heb ik pas ontdekt. Bovendien ben ik niet alleen door twee van die wezens aangevallen, maar heb ik er afgelopen nacht een gezien. Het hing buiten mijn raam en luisterde mee toen oma me vertelde wat ze vandaag ging doen terwijl ik lag te slapen. En onderweg heeft ze dat bizarre, bijna fatale "ongeluk" gehad.' Ik maakte aanhalingstekens in de lucht om het woord 'ongeluk'. 'Getuigen zeiden dat het werd veroorzaakt door een reusachtige zwarte vogel die recht op haar auto af vloog.'

'Heilige Maria! Waarom zaten de Raafspotters achter je oma aan?'

'Ik vermoed dat ze via haar mij wilden treffen en dat ze er zeker van wilden zijn dat ze ons niet nog meer zou helpen dan ze al heeft gedaan.'

'Jou en wie nog meer helpen waarmee?'

'Mij en mijn halfwas vrienden. De meesten hebben een affiniteit voor een van de elementen, en een van hen heeft visioenen die waarschuwen voor dingen die op het punt staan te gebeuren, doorgaans dood en verwoesting, weet u wel, het standaardvisioenengedoe.'

'Is dat misschien Aphrodite, die mooie jongedame die – Maria zij geprezen – gisteren Malafide heeft geadopteerd?'

Ik grijnsde. 'Ja, dat is Visioenvrouwtje. En nee, we zijn geen van allen dolenthousiast over de adoptie van Malafide.' Zuster Mary Angela moest lachen en ik ging verder. 'Hoe dan ook, Aphrodite heeft in haar laatste visioen iets gezien wat volgens ons de profetie van de Raafspotters zou kunnen zijn, en ze heeft het opgeschreven.'

Zuster Mary Angela verbleekte. 'En de profetie voorspelt de terugkeer van Kalona?'

'Ja, wat nu lijkt te gebeuren.'

'O, Maria!' fluisterde ze terwijl ze een kruisje sloeg.

'Daarom hebben we uw hulp nodig,' zei ik.

'Hoe kan ik helpen voorkomen dat de profetie werkelijkheid wordt? Ik weet wel het een en ander over de nephilim, maar niets specifieks over deze Cherokee-legende.'

'Ik geloof dat we het grotendeels hebben uitgepuzzeld, en vannacht gaan we iets op gang brengen wat het hem behoorlijk lastig zal maken om de profetie te vervullen. Waar ik uw hulp voor nodig heb, is oma. Het zit namelijk zo dat de Raafspotters gelijk hadden. Door haar te treffen hebben ze mij getroffen. Ik kan haar niet alleen laten en het die wezens makkelijk maken om haar te martelen. De mensen van St. John's willen niet dat ik er een medicijnman bij haal omdat ze het niet hebben op dat heidense gedoe. Ik heb dus iemand nodig die spiritueel krachtig is en die me gelooft.'

'En toen dacht je aan mij,' zei ze.

'Ja. Wilt u me helpen? Wilt u bij oma blijven en haar tegen de Raafspotters beschermen terwijl ik een poging doe om de profetie nog eens duizend jaar of zo te vertragen?'

'Met alle liefde.' Ze stond op en liep vastberaden naar het zebrapad. Ze keek achterom naar mij. 'Wat is er nou? Had je gedacht dat je weer wind zou moeten oproepen om me naar boven te blazen?'

Ik lachte en we liepen samen naar de overkant. Toen ze voor het Mariabeeld in de hal bleef staan, haar hoofd boog en een gebed prevelde, werd ik niet ongeduldig. Ik nam de tijd om het beeld van de Heilige Maagd goed te bekijken en zag voor het eerst de vriendelijkheid in haar gezicht en de wijsheid in haar ogen. En toen zuster Mary Angela knielde, fluisterde ik: 'Vuur, ik heb u nodig.' Toen ik voelde dat de hitte zich rondom me opbouwde, nam ik haar in de kom van mijn hand en knipte met mijn vingers naar een van de votiefkaarsen die, onaangestoken, aan de voeten van het beeld stonden. De kaars en nog een stuk of vijf andere vatten onmiddellijk vlam. 'Dank u, vuur. Brand er maar vrolijk op los,' zei ik.

Zuster Mary Angela zei niets, maar ze pakte een van de aangestoken kaarsen op en keek me verwachtingsvol aan. Toen ik niets zei, vroeg ze: 'Heb je een kwartje?'

'Ja, ik geloof van wel.' Ik stak mijn hand in de zak van mijn spijkerbroek en haalde het wisselgeld dat ik eerder die dag uit de cola-automaat had gekregen tevoorschijn. Twee kwartjes, twee dubbeltjes en een stuiver. Ik wist niet precies wat ze ermee wilde doen en stak haar mijn hand met het kleingeld toe.

Ze glimlachte en zei: 'Leg het maar op de plek van deze kaars, en dan gaan we snel naar boven.'

Ik legde het geld op de plek waar de kaars had gestaan en toen liepen we terug naar oma's kamer, terwijl zij met haar hand de flakkerende vlam van de kaars afschermde.

Toen we oma's kamer binnengingen, werden we niet begroet door fladderende vleugels. Er waren ook geen donkere schaduwen die aan de rand van mijn gezichtsveld zweefden. Zuster Mary Angela liep naar het Mariabeeldje en zette de votiefkaars ervoor, en toen nam ze plaats op de stoel waarop ik de hele dag had gezeten en haalde haar rozenkrans van haar hals. Zonder me aan te kijken zei ze: 'Kun jij niet beter gaan, kind? Je hebt je eigen kwaad te bestrijden.'

'Ja, inderdaad.' Ik haastte me naar het bed van oma. Ze had zich niet verroerd, maar ik probeerde mezelf wijs te maken dat ze wat meer kleur op haar wangen had en dat haar ademhaling krachtiger was. Ik kuste haar voorhoofd en fluisterde: 'Ik hou van u, oma. Ik kom zo snel mogelijk terug. In de tussentijd blijft zuster Mary Angela bij u. Zij zal u beschermen tegen de Raafspotters.'

Toen keek ik naar de non, die er bijzonder sereen en bovenaards uitzag zoals ze daar zat op de ziekenhuisstoel in het flakkerende licht van de votiefkaars, dat schaduwen liet dansen over haar en haar godin. Ze liet de kralen van haar rozenkrans tussen haar vingers door glijden, en ik deed juist mijn mond open om haar te bedanken toen zij begon te praten.

'Je hoeft me niet te bedanken, kind. Dit is mijn werk.'

'Is bij een zieke zitten uw werk?'

'Het goede helpen het kwaad op een afstand te houden is mijn werk.'

'Ik ben blij dat u daar goed in bent,' zei ik.

'Daar ben ik ook blij om.'

Ik boog me voorover en kuste haar zachte wang, en ze glimlachte. Maar ik moest nog één ding zeggen voor ik vertrok. 'Zuster, als het me niet lukt... Als mijn vrienden en ik er niet in slagen om Kalona een halt toe te roepen en hij daadwerkelijk herrijst, dan ziet het er slecht uit voor de mensen hier in de omgeving, vooral voor vrouwen. Dan zult u ergens moeten onderduiken. Kent u een plek, bijvoorbeeld een kelder of en grot, waar u snel naartoe kunt en waar u een poosje kunt blijven?'

Ze knikte. 'Onder onze abdij is een grote kelder die vroeger voor veel dingen werd gebruikt. Onder andere voor het verbergen van illegale sterkedrank in de jaren twintig van de vorige eeuw, als je oude verhalen moet geloven.'

'Dan moet u daarheen gaan. Neem de andere nonnen mee, en

ook de straatkatten. Zorg dat u ondergronds komt. Kalona haat de aarde en zal u daar niet volgen.'

'Ik begrijp het, maar ik ga geloven dat je als overwinnaar uit de strijd komt.'

'Ik hoop dat u gelijk hebt, maar beloof me dat u ondergronds gaat als dat niet gebeurt, en dat u ook oma meeneemt.' Ik keek haar in de ogen en verwachtte dat ze me in herinnering zou brengen dat het niet echt makkelijk zou zijn om een gewonde oude vrouw de intensive care uit en naar de kelder van een nonnenklooster te brengen.

In plaats daarvan glimlachte ze sereen. 'Ik geef je mijn woord.'

Ik keek haar verbaasd aan.

'Dacht je dat jij de enige was die magie kon gebruiken?' De non trok haar grijze wenkbrauwen op. 'Mensen plaatsen zelden vraagtekens bij het doen en laten van een non.'

'O. Nou, goed. Oké dan. Ik heb uw mobiele nummer. Hou uw mobieltje bij de hand. Ik zal u zo snel mogelijk bellen.'

'Maak je maar geen zorgen om je oma of mij. Oude vrouwen weten hoe ze voor zichzelf moeten zorgen.'

Ik kuste haar nog eens op haar wang. 'Zuster, u bent net als oma. Geen van u beiden zal ooit oud zijn.'

30

Ik wilde eigenlijk niet op Darius wachten omdat ik in de tijd die hij nodig zou hebben om naar zijn auto te gaan, te starten en naar het ziekenhuis te rijden de korte afstand makkelijk lopend had kunnen afleggen, maar ik deed het toch maar. De avond was veranderd van een vriend in een angstaanjagende, ongrijpbare vijand. Terwijl ik op hem wachtte, belde ik Stevie Rae.

Maar ze nam niet op. De telefoon ging niet eens over en schakelde meteen door naar haar voicemail. Weer vroeg ik me af wat voor boodschap ik moest achterlaten. *Hoi, Stevie Rae. Ik wilde even met je babbelen over de grote profetie en het eeuwenoude kwaad voordat je er vannacht middenin belandt, maar we spreken elkaar later wel.* Om de een of andere reden leek me dat niet echt slim. Dus terwijl ik op Darius stond te wachten, foeterde ik mezelf uit om het feit dat ik Stevie Rae niet eerder had gebeld, maar oma's ongeluk had me volledig in beslag genomen.

En dat was precies de bedoeling van de Raafspotters geweest.

Darius' zwarte Lexus stopte bij de ingang van de afdeling spoedeisende hulp en hij sprong eruit om het portier voor me open te maken.

'Hoe gaat het met je grootmoeder?'

'Geen verandering, wat volgens de dokter goed is. Zuster Mary Angela blijft vannacht bij haar zitten zodat ik het zuiveringsritueel kan leiden.'

Darius knikte en maakte een U-bocht om terug te rijden naar de school. 'Zuster Mary Angela is een krachtige priesteres. Ze zou een voortreffelijke vampier zijn geweest.'

Ik glimlachte. 'Ik zal haar vertellen dat je dat hebt gezegd. Is er vandaag op school nog iets gebeurd wat ik zou moeten weten?'

'Er is over gesproken om het ritueel uit te stellen toen het nieuws van het ongeluk van je oma bekend werd.'

'O nee! Dat kunnen we niet doen,' zei ik snel. 'Het ritueel is veel te belangrijk om uit te stellen.'

Hij wierp me een vragende blik toe, maar zei alleen maar: 'Dat zei Neferet ook. Ze heeft Shekinah ervan overtuigd dat ze gewoon door moest gaan met de plannen voor vannacht.'

'O?' peinsde ik hardop, terwijl ik me afvroeg waarom Neferet het zo belangrijk vond om het ritueel vannacht gewoon door te laten gaan. Misschien had ze het vermoeden dat Aphrodite haar affiniteit voor aarde kwijt was en verheugde ze zich op een naar ze hoopte enorme afgang voor Aphrodite en mij. Nou, Neferet zou lelijk op haar neus kijken als dat was wat ze verwachtte.

'Maar je zult je moeten haasten,' zei Darius, met een blik op de digitale klok in het dashboard. 'Je hebt nauwelijks genoeg tijd om je te verkleden en naar de oostmuur te gaan.'

'Dat maakt niet uit. Ik functioneer geweldig onder extreme tijdsdruk,' loog ik.

'Nou, als ik het goed heb, hebben Aphrodite en de rest van de groep alles voor je voorbereid.'

Ik knikte en glimlachte naar hem. 'Aphrodite, hè?'

Hij glimlachte terug. 'Ja. Aphrodite.'

We stopten langs het trottoir en Darius stapte uit om het portier voor me open te maken. 'Bedankt, vriendje,' plaagde ik. 'Tot ziens bij het ritueel.'

'Ik zou het voor geen prijs willen missen,' zei hij.

'O-mijn-god! Gaat het goed met je oma? Ik had het niet meer toen ik het hoorde!' Jack kwam als een gay tornado mijn kamer binnenstormen en verstikte me bijna in een onstuimige omhelzing. Ook Duchess drukte zich tegen me aan. Ze kwispelde met haar staart en hijgde een honds welkom.

'Ja, we zijn ons echt wild geschrokken toen we het hoorden,' zei Damien, die vlak na Jack en Duchess binnenkwam en me ook omhelsde. 'Ik heb een lavendelkleurige kaars voor haar aangestoken en heb die de hele dag laten branden.'

'Dat zou oma fijn vinden,' zei ik.

'En, wat zegt de dokter? Komt het weer helemaal goed met haar?' vroeg Erin.

'Ja, Aphrodite wilde ons niks vertellen,' zei Shaunee.

'Ik heb jullie alles verteld wat ik wist,' zei Aphrodite, die nu ook mijn kamer binnenkwam. 'En wel dat we pas over vierentwintig uur meer zouden weten.'

'Dat is nog steeds het enige wat we weten,' zei ik. 'Maar het schijnt een goed teken te zijn dat ze niet verslechtert.'

'Is het ongeluk echt door Raafspotters veroorzaakt?' vroeg Jack.

'Dat weet ik zeker,' zei ik. 'Ik hoorde er een in haar kamer toen ik binnenkwam.'

'Kun je haar dan wel alleen laten? Ik bedoel, kunnen ze haar geen kwaad doen?' vroeg Jack.

'Vast wel, maar ze is niet alleen. Weet je nog dat Aphrodite en ik jullie over de non vertelden die Street Cats runt? Zij zit naast oma's bed en zal ervoor zorgen dat haar niets overkomt.'

'Van nonnen krijg ik de griebels,' zei Erin.

'Ze maken me bang, zeker weten. Ik heb vijf jaar basisonderwijs gehad op een particuliere katholieke school en geloof me als ik zeg dat die vrouwen behoorlijk gemeen zijn,' zei Shaunee.

'Zuster Mary Angela staat haar mannetje,' zei Aphrodite.

'En ze maakt korte metten met elke Raafspotter die probeert oma iets aan te doen,' zei ik.

'De non weet dus van de Raafspotters af?' vroeg Damien.

'Ze weet alles: de profetie en noem maar op. Ik moest het haar wel vertellen zodat ze zou weten waarom het zo belangrijk is dat ze oma niet alleen laat.' Ik zweeg even en besloot om alles op te biechten. 'Bovendien vertrouw ik haar. Ik bespeur een enorme kracht voor het goede als ik bij haar ben. Eigenlijk doet ze me sterk aan oma denken.'

'Bovendien gelooft ze dat Nux niets anders is dan een andere versie van hun Maagd Maria, wat betekent dat ze ons niet als kwade wezens beschouwt die op de hel afstevenen,' voegde Aphrodite eraan toe.

'Dat is interessant,' zei Damien. 'Ik zou haar graag leren kennen... zodra die Kalona-waanzin is afgehandeld.'

'O, over waanzin gesproken: hebben jullie de oppascamera in het oog gehouden?' vroeg ik.

Jack knikte en klopte op zijn altijd aanwezige pukkel. 'Jazeker, en alles is nog steeds, nou ja, doodstil.' Hij giechelde en sloeg meteen zijn hand voor zijn mond. 'Sorry! Het was echt niet mijn bedoeling om zo oneerbiedig over een mogelijke d-o-d-e te praten,' zei hij.

'Het geeft niet, schat,' zei Damien, en hij sloeg een arm om hem heen. 'Humor helpt in dergelijke situaties. En je bent echt schattig als je giechelt.'

'Oké, voor ik misselijk word en mijn beeldige nieuwe jurk onderkots: kunnen we misschien de hoofdlijnen van het ritueel doornemen en dan maken dat we bij de oostmuur komen? Het zou niet best zijn als we vannacht te laat komen,' zei Aphrodite.

'Ja, je hebt gelijk. We moeten opschieten. Maar jullie zien er fantastisch uit,' zei ik, terwijl ik breed glimlachend mijn blik over hen heen liet glijden. 'We zijn een verdomd mooi groepje.'

Iedereen lachte en ze maakten om de beurt een reverence of een buiging of een zwierige pirouette. Het was een idee van de tweeling geweest om ons in het nieuw te steken voor het zuiveringsritueel. Ze zeiden dat we nieuwe kleren nodig hadden als symbool voor het nieuwe jaar en de nieuwheid van een gezuiverde school. Ik had het erg veel 'nieuw' gevonden, maar ik had te veel aan mijn hoofd gehad om me daar echt druk over te maken. Dus terwijl ik naast oma's bed zat was de tweeling gaan shoppen. (Ik vroeg maar niet wat voor excuus ze hadden aangevoerd om niet naar school te hoeven; sommige dingen kun je maar beter niet weten.) We droegen allemaal zwart, maar elke outfit was anders. Aphrodites jurkje was van zwart fluweel en had een traanvormige halslijn en een ultrakort rokje. Het stond fantastisch met haar zwarte laarzen met naaldhakken. Ik vermoed dat ze haar motto in praktijk bracht: *Wat er ook gebeurt, het is altijd beter als je er goed uitziet.* Damien en Jack droegen zwarte jongenskleren. Ik heb totaal geen verstand van jongenskleren, maar ze zagen er geweldig uit. Erin en Shaunee droegen een kort zwart rokje en zo'n bloezend, zwartzijden topje waarvan ik nog steeds niet kan zeggen of ik ze leuk vind of dat je erin uitziet alsof je zwanger bent. Uiteraard zou ik dat nooit tegen de tweeling zeggen. Ik had een nieuwe jurk aangetrokken die Erin voor me had uitgezocht. Een zwarte jurk met kleine rode glazen kraaltjes om de halslijn en langs de lange, nauwsluitende mouwen, en ook langs de zoom van de rok, die tot net boven mijn knieën viel. Hij paste me perfect, en ik wist dat als ik mijn armen hief om de elementen op te roepen, de kraaltjes in het maanlicht zouden glanzen als bloed. Met andere woorden, het zou er vet cool uitzien.

We droegen natuurlijk allemaal onze hanger met de drie manen van de Duistere Dochters en Zonen. Mijn hanger was omringd door rode stenen die net zo fonkelden als mijn jurk.

Ik lachte naar mijn vrienden; ik voelde me trots en zelfverzekerd. Oma was bij zuster Mary Angela in uitstekende handen. Mijn vrienden waren bij me, deze keer zonder dat er geheimen tussen ons waren. Het ritueel zou goed verlopen, en Stevie Rae en de rode halfwassen zouden in de openbaarheid worden gebracht, wat betekende dat Neferet zich niet langer zou kunnen verbergen, ongeacht of ze haar rol in hun bestaan toegaf of niet. Erik praatte weer min of meer tegen me. En over jongens gesproken, ik voelde me zelfs optimistisch over Starks ondood worden. Deze keer zou de vampierkracht van Shekinah getuige zijn van het feit dat een jongen uit de dood opstond. En ik ging me niet druk maken over de mogelijkheid dat ik tegelijkertijd in twee jongens geïnteresseerd was (alweer). Althans, nu nog niet.

Al met al voelde ik me goed, en we waren er klaar voor om het op te nemen tegen om het even welk idioot eeuwenoud kwaad dat ons het leven moeilijk probeerde te maken.

'Oké, het ritueel zal in grote lijnen hetzelfde verlopen als altijd. Ik kom binnen zodra Jack de muziek opzet.'

Jack knikte enthousiast. 'Ik ben klaar! Je komt binnen op de mooiste stukken van de soundtrack van *Memoirs of a Geisha* gemixt met iets anders. Maar ik zeg verder niets; dat "iets anders" is een verrassing.'

Ik keek hem fronsend aan. Alsof ik vannacht behoefte had aan een verrassing!

'Maak je geen zorgen,' zei Damien. 'Je vindt het echt mooi.'

Ik slaakte een zucht. Het was toch al te laat om wat het ook was te veranderen. 'Dan werp ik de cirkel door de elementen op te roepen. Aphrodite, jij moet recht voor die grote eik bij de oostmuur staan.'

'Dat is geregeld, Z,' zei Erin.

'Ja, we hebben de kaarsen en de tafel klaargezet terwijl Jack en Damien met de muziek bezig waren, en we hebben de kaars voor aarde bij de boom gezet.'

'Eh, jullie hebben toch niet toevallig Stevie Rae gezien, hè?'

'Nee,' zeiden de tweeling, Damien en Jack alle vier.

Ik zuchtte nog eens. Stel dat ze niet kwam opdagen?

'Wees maar niet bang. Ze komt wel,' zei Damien.

Aphrodite en ik wisselden een snelle blik. 'Dat hoop ik echt,' zei ik, 'want ik zou niet weten wat we moeten doen als de kaars uit Aphrodites handen vliegt als ik aarde probeer op te roepen.'

'Aphrodite kan de kaars gewoon neerzetten terwijl jij hem aansteekt en zij een zogenaamd aardedansje uitvoert,' zei Jack hulpvaardig.

Aphrodite rolde met haar ogen, maar ik zei: 'Laten we dat beschouwen als plan B en hopen dat het niet zover komt. Dus zodra Stevie Rae verschijnt, alle elementen zijn opgeroepen en de cirkel is geworpen, doe ik een algemene mededeling over de rode halfwassen en leg ik uit dat hun aanwezigheid kan bijdragen aan het zuiveren van de school van geheimen.'

'Dat is een voortreffelijk punt,' zei Damien.

'Bedankt,' zei ik. 'En ik verwacht dat er heel wat uitgelegd zal moeten worden en dat dat doorgaat tot na het ritueel, dus ik ben van plan om het kort te houden.'

'En dan kijken we hoe Neferet reageert,' zei Aphrodite.

'En als zij koningin Tsi Sgili is, zoals wij vermoeden, dan zal ze het veel te druk hebben met proberen onder Shekinahs woede uit te komen om zich bezig te kunnen houden met het vervullen van Kalona's profetie,' zei ik. *En in het ergste geval: als Stevie Rae of een van haar halfwassen koningin Tsi Sgili is, vertrouw ik erop dat Shekinah en Nux ook dat afhandelen.* Hardop voegde ik eraan toe: 'Damien, let goed op of je Raafspotters ziet of hoort. Als dat gebeurt, blaas je ze weg met wind.'

'Komt voor elkaar,' zei Damien.

'Zijn we er klaar voor?' vroeg ik mijn vrienden.

'Ja!' schreeuwden ze.

Toen haastten we ons naar buiten, en met vertrouwen in ons hart stevenden we recht op onze laatste momenten van onschuld af.

31

Het leek net of de hele school al op ons stond te wachten. Door de hoge kaarsen van tevoren op hun plek te zetten, had de tweeling het toneel ingericht, en de halfwassen en vampiers hadden een grote kring gevormd rondom de opgestelde kaarsen, waarbij de grote eik het middelpunt en het noordelijkste punt van de te werpen cirkel vormde.

Ik was blij alle Zonen van Erebus te zien. De krijgers hadden postgevat langs de buitenrand van de kring en ook boven op de muur die de school omringde. Ik wist dat ze het Stevie Rae en de rode halfwassen waarschijnlijk erg moeilijk maakten om op het schoolterrein te komen, maar gelet op de Raafspotters, Kalona en degene die de vampiers had vermoord, gaven ze me een gevoel van veiligheid.

Jack en ik hielden ons afzijdig terwijl Damien, de tweeling en Aphrodite hun plaats innamen, met hun gezicht naar het midden van de kring en de gekleurde kaars die hun element vertegenwoordigde in hun handen. Als ik op mijn tenen ging staan kon ik net Nux' tafel zien, die we soms midden in de cirkel zetten. Vannacht stonden daar waarschijnlijk gedroogde vruchten en ingemaakte groenten op, wat passend was voor hartje winter, en de rituele bokaal wijn en zo. Ik meende ook iemand naast de tafel te zien staan, maar er stonden zo veel mensen in de weg dat ik daar niet zeker van was.

'Wees welkom!' zei Shekinah tegen me.

'Wees welkom.' Ik glimlachte en bracht haar de vampiergroet.

'Hoe gaat het met je grootmoeder?'

'Ze gaat niet achteruit,' zei ik.

'Ik heb overwogen om het ritueel af te gelasten of op zijn minst uit te stellen, maar Neferet wilde er niet van horen en stond erop dat het volgens plan zou doorgaan. Ze leek te geloven dat het erg belangrijk voor je zou zijn.'

Ik zette een geïnteresseerd maar neutraal gezicht op.

'Ik vind het ritueel inderdaad belangrijk en zou niet graag zien dat het om mij werd afgelast,' zei ik. Ik keek om me heen. Vreemd dat Neferet er zelf niet was om naar me uit te halen. Ik was ervan overtuigd dat de enige reden dat ze erop aangedrongen had om het ritueel gewoon door te laten gaan was omdat ze wist dat ik diep geraakt was en in verwarring was gebracht door oma's ongeluk. 'Waar is Neferet?' vroeg ik.

Shekinah keek achterom, fronste en speurde met haar blik de menigte af. 'Ze stond hier net nog. Vreemd dat ik haar nu niet kan vinden...'

'Ze heeft waarschijnlijk al plaatsgenomen in de kring.' Ik hoopte dat mijn gezicht niet verried dat er alarmbelletjes in mijn hoofd rinkelden. Ik keek naar de plek waar Jack met de geluidsapparatuur bezig was. 'Goed, ik denk dat we maar eens moeten beginnen.'

'O, dat was ik nog bijna vergeten. Ik had eigenlijk verwacht dat Neferet het tegen je zou zeggen.' Shekinah zweeg even en keek weer om zich heen of ze Neferet ergens zag. 'Het doet er niet toe; ik kan het je net zo makkelijk vertellen. Neferet zei dat je nog nooit zo'n groot zuiveringsritueel hebt geleid en dat je, aangezien je nog zo'n jonge halfwas bent, misschien niet wist dat je tijdens een dergelijk ritueel het bloed van een vampier moet mengen met de wijn die je de elementen zult aanbieden.'

'Wat?' Dat had ik vast niet goed verstaan.

'Ja, maar dat is al geregeld. Erik Night heeft niet alleen aangeboden om je naar de cirkel te roepen en de plaats van onze arme Loren Blake in te nemen, maar hij zal ook de traditionele rol van gemaal van de priesteres op zich nemen en jou zijn bloed aanbieden als offer. Ik heb gehoord dat hij een begenadigd acteur is, dus zal hij het uitstekend doen. Je kunt je gewoon door hem laten leiden.'

'Dat was de verrassing waarover ik het had!' zei Jack, die plotseling naast Shekinah opdook. 'Nou ja, dat deel over dat Erik je naar de cirkel roept, bedoel ik. Dat bloedgedoe komt er gewoon bij.' Zei de jongen die nog maar zo kort een halfwas was dat bloed nog niet dezelfde uitwerking op hem had als op, bijvoorbeeld, mij. 'Is het niet cool dat Erik zich heeft aangeboden?'

'Ja, vet cool,' was het enige wat ik kon uitbrengen.

'Dan ga ik nu mijn plaats innemen,' zei Shekinah. 'Wees gezegend.'

Ik mompelde 'Wees gezegend' terug en wendde me toen woedend tot Jack.

'Jack,' fluisterde ik fel. 'Dat Erik vannacht Lorens rol overneemt is bepaald niet iets wat ik een leuke verrassing zou noemen!'

Jack fronste zijn voorhoofd. 'Damien en ik dachten van wel. Zo zie je maar weer dat het misschien handig zou zijn als jullie weer eens zouden proberen om met elkaar te praten.'

'Niet in aanwezigheid van de hele school!'

'O. Mm. Zo had ik het niet bekeken.' Jacks lip begon te bibberen. 'Sorry. Als ik had geweten dat je kwaad zou worden, zou ik het je meteen hebben verteld.'

Ik haalde een hand over mijn voorhoofd en streek mijn haar uit mijn gezicht. Het laatste wat ik nu kon gebruiken was dat Jack in tranen zou uitbarsten. Nee, het laatste wat ik nu kon gebruiken was in bijzijn van de hele school tegenover die ongelooflijke spetter van een Erik en zijn verrukkelijke bloed te moeten staan! *Oké, oké, rustig doorademen... je hebt je al door gênantere situaties heen geworsteld.*

'Zoey?' snotterde Jack.

'Jack, het is al goed. Echt waar. Ik was gewoon, nou ja, verrast. Wat natuurlijk de bedoeling is van een verrassing. Niks aan de hand.'

'O-oké. Zeker weten? Ben je zover?'

'Ja en ja,' zei ik, voor ik gillend weg kon rennen. 'Start de muziek maar.'

'Zet 'm op, Z!' zei hij, en toen rende hij terug naar de geluidsapparatuur en startte de muziek.

Ik deed mijn ogen dicht en ademde diep in en uit om mijn hoofd vrij te maken en me voor te bereiden op het aanroepen van de elementen en het werpen van de cirkel – en door de Erik-verrassing vergat ik helemaal om tegen Jack te zeggen dat hij af en toe een blik op de oppascamera moest werpen.

Zoals altijd was ik één bonk zenuwen tot ik me in beweging zette en opging in de muziek. De soundtrack van *Memoirs of a Geisha* was betoverend. Ik hief mijn armen en liet mijn lichaam zich gracieus voegen naar het orkest. Toen mengde Eriks stem zich met de muziek en de nacht en schiep magie.

Onder het fonk'lende sterrenlicht,
Onder de stralende maan,
Als de nacht de littekens heeft gedicht
Die door de brandende dag zijn ontstaan...

De woorden van het gedicht grepen me aan en droegen me mee op het getij van Eriks stem. Ik wierp mijn hoofd achterover en liet mijn haar om me heen vallen terwijl ik langzaam de cirkel binnenging en woorden met muziek en dans en magie vervlocht.

... Dan zeg ik u nu, zo ik dat mag,
Als haat uw hart beknelt,
Na de hete strijd van de dag
Zeg dan uw haat vaarwel...

Ik danste feilloos door de cirkel en genoot van de volmaaktheid van het gedicht dat Erik voordroeg. Het voelde zo goed, en ik wist dat eerder, toen Loren me naar de cirkel had geroepen, hij dat had gebruikt als een gelegenheid om me te verleiden en te verblinden. Hij had er niet bij stilgestaan wat het ritueel voor mij of voor de andere halfwassen of zelfs voor Nux zou moeten betekenen. Lorens drijfveer was altijd eigenbelang geweest. Dat was me nu zo duidelijk dat ik me afvroeg hoe ik me zo door hem om de tuin had kunnen laten leiden. Erik was zo anders dan hij als de maan anders was dan de zon. Het gedicht dat hij had uitgekozen ging over vergiffenis en genezing, en hoewel het leuk zou zijn om te denken dat het voor een deel op mij was gericht, wist ik dat hij voornamelijk had gedacht aan wat goed zou zijn voor de school en de halfwassen die de dood van twee docenten probeerden te verwerken.

De verdwijnende dag is niet meer,
Hoeveel pijn die misschien ook bracht,
Die dag is weg en komt nooit weer,
En is overgegaan in de nacht.
Vergeet, vergeef de littekens die zijn gedicht,
En slaap zal u de ogen neer doen slaan
Onder het fonk'lende sterrenlicht,
Onder de stralende maan.

Toen de laatste woorden wegstierven stond ik bij Erik, midden in de cirkel en voor Nux' tafel. Ik keek naar hem op. Hij was lang en adembenemend knap en geheel in het zwart gekleed, wat zijn donkere haar completeerde en het blauw van zijn ogen versterkte.

'Hallo, priesteres,' zei hij zacht.

'Hallo, gemaal,' antwoordde ik.

Hij groette me formeel met een diepe buiging en zijn rechtervuist op zijn hart, waarna hij zich omdraaide naar de tafel. Toen hij zich weer naar mij omdraaide, had hij Nux' sierlijke zilveren bokaal in zijn ene hand en een ceremonieel mes in de andere. Oké, met 'ceremonieel' bedoel ik niet dat het geen echt mes was. Het was scherp, vlijmscherp, maar het was ook prachtig. Er waren woorden en symbolen in geëtst die heilig waren voor Nux.

'Je zult dit nodig hebben,' zei hij, terwijl hij me het mes aanreikte.

Ik pakte het aan, verontrust door de manier waarop het maanlicht werd weerkaatst door het lemmet, terwijl ik geen flauw idee had wat ik nu moest doen. Gelukkig was de muziek nog niet afgelopen, en de toekijkende menigte stond zachtjes te wiegen op de hypnotiserende *Geisha*-melodie. Met andere woorden: iedereen stond naar ons te kijken, maar in ontspannen verwachting, en als we onze stem dempten konden ze ons niet horen. Ik wierp wel een snelle blik op Damien, en hij wiebelde met zijn wenkbrauwen naar me en gaf me een knipoogje. Ik wendde snel mijn blik af.

'Zoey? Gaat het wel?' fluisterde Erik. 'Je weet toch dat het me echt niet veel pijn gaat doen?'

'Nee?'

'Je hebt het nog nooit gedaan, hè?'

Ik schudde nauwelijks waarneembaar mijn hoofd.

Hij raakte mijn wang aan. 'Ik vergeet steeds hoe nieuw dit alles voor je is. Goed, het is heel makkelijk. Ik hou mijn rechterhand, met de palm naar boven, boven de bokaal.' Hij tilde de bokaal op, die hij al naar zijn linkerhand had overgebracht. Ik kon de rode wijn ruiken die er al in zat. 'Je heft de dolk boven je hoofd, begroet alle vier de windrichtingen ermee en maakt dan een snee in mijn handpalm.'

'Een snee!' Ik slikte krampachtig.

'Gewoon een klein sneetje. Je haalt gewoon het mes over het vlezige deel onder mijn duim. Het is vlijmscherp dus je hoeft helemaal geen kracht te zetten. Dan draai ik mijn hand om en terwijl jij me namens Nux bedankt voor mijn offer aan haar, druppelt mijn bloed in de wijn. Dan maak ik een vuist en op dat moment pak jij de bokaal op en loop je naar Damien om te beginnen met het werpen van de cirkel. Vannacht geef je ieder van de vertegenwoordigers van de elementen een slokje van de wijn, waarmee je de elementen ritueel zuivert voordat je het grote schoolzuiveringsdeel doet. Snap je?'

'Ja,' zei ik beverig.

'Laten we het dan maar doen. Wees maar niet bang. Je kunt het,' zei hij.

Ik knikte en hief de dolk boven mijn hoofd. 'Wind! Vuur! Water! Aarde! Ik groet u!' zei ik, waarbij ik het mes van oost naar zuid naar west en naar noord draaide terwijl ik de naam van het betreffende element uitsprak. Mijn zenuwen kwamen wat tot rust toen ik de kracht van de elementen zich om me heen voelde opbouwen, gretig om gehoor te geven aan mijn komende ontbieding. Terwijl ik nog steeds de echo van mijn groet voelde, bracht ik de dolk omlaag. Ik zette de punt op de muis van Eriks hand, die hij doodstil hield om het me makkelijk te maken, en trok met een snelle beweging het vlijmscherpe lemmet over zijn huid, precies op de plek die hij had aangewezen.

De geur van zijn bloed overweldigde me onmiddellijk, warm en donker en onbeschrijflijk verrukkelijk. Ik kon mijn blik er niet van afwenden en keek gebiologeerd naar de druppels die als robijnen opwelden, en toen draaide Erik zijn hand om zodat ze in de wachtende wijn konden vallen. Ik keek op in zijn heldere blauwe ogen.

'Namens Nux dank ik je voor je offer vannacht en voor je liefde en trouw. Je bent gezegend door Nux en bemind door haar priesteres.' En toen boog ik me voorover en kuste ik de rug van zijn bloedende hand.

Toen ik hem weer in de ogen keek, zag ik dat ze ongewoon helder waren, en in zijn gezicht zag ik tederheid, intimiteit, maar ik wist niet of hij alleen maar de rol van Nux' assistent vervulde of dat hij werkelijk de gevoelens ervoer die hij me toonde. Hij maakte een vuist en groette me weer, terwijl hij zei: 'Ik ben nu trouw aan Nux en aan haar hogepriesteres en zal dat altijd zijn.'

Ik had geen tijd om me af te vragen of hij mij bedoelde of dat het deel uitmaakte van zijn rol. Ik had werk te doen. Ik pakte dus de bokaal met met bloed vermengde wijn op en liep naar Damien. Hij bracht zijn gele kaars omhoog en glimlachte naar me.

'Wind, u bent me even dierbaar en vertrouwd als levensadem. Vannacht heb ik uw kracht nodig om ons te zuiveren van de stilstaande adem van dood en angst. Ik vraag u om tot me te komen, wind!' Dit ritueel was een beetje anders dan normaal en Damien was er klaarblijkelijk beter op voorbereid dan ik, want hij stond klaar met een aansteker om zijn kaars aan te steken. Zodra die opvlamde, stonden we in een minitornado van voortreffelijk beheerste wind. Damien en ik glimlachten naar elkaar en toen hief ik de bokaal zodat hij een slokje van de wijn kon nemen.

Ik liep met de wijzers van de klok mee, oftewel deosil, de cirkel rond naar Shaunee, die haar rode kaars al omhooghield en gretig glimlachte.

'Vuur, u verwarmt en zuivert. Vannacht hebben we uw zuiverende kracht nodig om de duisternis uit onze harten te branden. Kom tot mij, vuur!' Zoals gewoonlijk hoefde niemand Shaunees kaars aan te steken en ontvlamde de pit als uit zichzelf en werden we vervuld met de warmte en het licht van een uitnodigend haardvuur. Ik gaf de bokaal aan Shaunee en ze nam een slok van de wijn.

Van vuur liep ik door naar water, en Erin die haar blauwe kaars omhooghield.

'Water, onrein komen we naar u toe en schoon komen we bij u vandaan. Vannacht vraag ik u om eventuele smetten die aan ons zouden willen blijven kleven, weg te spoelen. Kom tot mij, water!' Erin stak haar kaars aan en ik zweer dat ik golven op een strand hoorde breken en de frisheid van dauw op mijn huid voelde. Ik hief de bokaal voor Erin en toen ze een slokje had genomen, fluisterde ze: 'Succes, Z.'

Ik knikte en liep vastberaden naar Aphrodite, die bleek en gespannen de groene kaars vasthield, die naar ze wist uit haar handen zou vliegen als we probeerden aarde op te roepen. 'Waar is ze?' fluisterde ik binnensmonds.

Aphrodite haalde zenuwachtig haar schouders op.

Ik deed mijn ogen dicht en bad. *Godin, ik reken erop dat u ons helpt ons plan te laten slagen. En als ik me belachelijk maak, hoop ik dat u me er op de een of andere manier uit zult redden. Voor de zoveelste keer.* Toen ik mijn ogen opendeed was ik tot een besluit gekomen. Er veranderde in wezen niets als Stevie Rae niet kwam opdagen. Ik zou het toch aan iedereen vertellen. Sommigen zouden me zelfs zonder bewijs geloven. Anderen niet. Ik zou wel zien hoe het afliep. Ik wist dat ik de waarheid vertelde en dat wisten mijn vrienden ook.

Dus in plaats van de aarde op te roepen, knipoogde ik naar Aphrodite en fluisterde: 'Goed, daar gaan we dan,' en toen draaide ik me met mijn gezicht naar de cirkel en de vragende blikken van de menigte toeschouwers.

'Nu moet ik aarde oproepen. Dat weten we allemaal. Maar er is een probleem. Iedereen heeft gezien dat Nux Aphrodite heeft begiftigd met een affiniteit voor aarde. Maar dit bleek slechts tijdelijk te zijn. Aphrodite heeft het element slechts veilig bewaard voor degene die aarde daadwerkelijk vertegenwoordigde: Stevie Rae.'

Zodra ik haar naam had uitgesproken, was er een fladderende beweging in de grote eik en de door de nacht verduisterde takken boven ons hoofd, en toen liet Stevie Rae zich soepel van de tak vlak boven ons vallen.

'Verdikkeme, Z, ik begon al te denken dat ik nooit aan de beurt zou komen,' zei ze. Toen liep ze naar Aphrodite en pakte de groene kaars van haar aan. 'Bedankt dat je mijn plek warm hebt gehouden.'

'Ik ben blij dat je er bent,' zei Aphrodite, en ze maakte plaats voor Stevie Rae.

Stevie Rae nam plaats op de aarde-positie, draaide zich om, schudde haar blonde krullen uit haar gezicht en keek breed grijnzend de kring rond, terwijl het ingewikkelde patroon van ranken, vogels en bloemen van haar scharlakenrode tatoeage even fel straalde als haar glimlach. 'Oké, nu kun je aarde oproepen.'

32

Uiteraard brak toen de hel los. Zonen van Erebus kwamen schreeuwend op onze cirkel af. Vampiers slaakten geschokte kreten, en ik zweer dat een meisje begon te gillen.

'Oeps,' hoorde ik Stevie Rae fluisteren. 'Ik zou maar snel iets doen, Z.'

Ik draaide me met een ruk met mijn gezicht naar Stevie Rae. Ik nam geen tijd voor plichtplegingen en zei: 'Aarde, kom tot mij!' Ik voelde even paniek opkomen omdat ik geen aansteker had en Stevie Rae evenmin, maar Aphrodite, de onverstoorbaarheid zelf, boog zich naar ons toe, knipte de aansteker die ze nog in haar hand had aan en hield die bij de kaars. We werden onmiddellijk omringd door de geuren en geluiden van een zomerweiland. 'Hier, neem een slokje.' Ik gaf haar de bokaal en Stevie Rae nam een flinke teug. Ik keek haar fronsend aan.

'Wat nou?' fluisterde ze. 'Erik is verrukkelijk.'

Ik rolde met mijn ogen naar haar en rende terug naar het midden van de cirkel, waar Erik met open mond naar Stevie Rae stond te kijken. Ik hief een arm boven mijn hoofd. 'Geest! Kom tot mij,' zei ik, zonder inleiding. Terwijl mijn ziel zich verhief, pakte ik de ceremoniële aansteker van Nux' tafel en stak de paarse geestkaars aan die daar stond. Toen nam ook ik een grote slok van de met bloed gemengde wijn.

Wat een roes! Stevie Rae had gelijk: Erik was verrukkelijk, maar dat wist ik eigenlijk al. Overlopend van de versterking van wijn, bloed en geest liep ik doelbewust naar de omtrek van de cirkel die ik zojuist had geworpen. Ik was apetrots op mijn vrienden. Ze waren op hun plek in de cirkel blijven staan, hielden hun kaars omhoog en bedwongen hun element zodat onze cirkel sterk en ondoorbreekbaar bleef. Ik liep langs de glinsterende draad die de omtrek van de cirkel aangaf, verhief mijn stem en schreeuwde over het helse lawaai dat ons omringde heen.

'Huis van de Nacht, hoor mij aan!' Iedereen viel stil bij het horen van de kracht van de godin die mijn stem versterkte. Ik schrok er zelf ook van en viel ook bijna stil. Maar ik schraapte mijn keel en begon opnieuw, en nu hoefde ik niet te schreeuwen om boven het geluid van een krijsende menigte uit te komen. 'Stevie Rae is niet gestorven. Ze heeft een ander soort Verandering doorgemaakt. Dat is niet makkelijk voor haar geweest en het heeft haar bijna haar menselijkheid gekost, maar ze heeft het doorstaan, en nu is ze een nieuw soort vampier.' Ik liep langzaam langs de binnenkant van de cirkelomtrek en probeerde zo veel mogelijk van de aanwezigen in de ogen te kijken terwijl ik het uitlegde. 'Nux heeft haar echter nooit in de steek gelaten. Zoals jullie kunnen zien, heeft ze nog altijd haar affiniteit voor aarde, een geschenk van Nux dat haar nogmaals is geschonken.'

'Ik begrijp het niet. Dit meisje was een halfwas die stierf en toen weer tot leven is gebracht?' Shekinah was naar voren gekomen en stond vlak bij Stevie Rae, en ze staarde haar doordringend aan.

Voor ik antwoord kon geven, zei Stevie Rae: 'Ja, mevrouw. Ik ben gestorven. Maar toen kwam ik terug, en toen ik terugkwam, was ik veranderd. Ik was mezelf kwijt, dat wil zeggen het meeste van mezelf, maar Zoey, Damien, Shaunee, Erin en vooral Aphrodite hebben me geholpen mezelf terug te vinden, en toen dat gebeurde ontdekte ik ook dat ik in een ander soort vampier was Veranderd.' Ze wees naar haar prachtige rode tatoeage.

Aphrodite kwam naar voren; ze stapte zelfs op de gloeiende zilveren draad die onze cirkel bijeenhield. Ik verwachtte dat ze achteruit zou worden geslingerd of zoiets, maar in plaats daarvan liet de draad haar de cirkel binnen. Toen ze naar me toe kwam zag ik dat haar lichaam was omlijnd met dezelfde gloeiende zilveren draad die onze cirkel omsloot.

'Toen Stevie Rae Veranderde, ben ik ook Veranderd.' Aphrodite bracht haar hand naar haar voorhoofd en veegde de blauwe maansikkel weg die daarop was getekend. Ik hoorde overal in de menigte de adem stokken toen ze vervolgde: 'Nux heeft me in een mens Veranderd, maar ik ben een nieuw soort mens, zoals Stevie Rae een nieuw soort vampier is. Ik ben een mens die door Nux is gezegend. Ik heb nog altijd de gave van visioenen die Nux me heeft geschonken toen ik een halfwas was. De godin heeft me niet de rug toegekeerd.' Aphrodite hief trots haar hoofd en liet haar blik over de bewoners van het Huis van de Nacht gaan, alsof ze iedereen uitdaagde om nog meer onzin over haar uit te kramen.

'We hebben dus een nieuw soort vampier en een nieuw soort mens,' zei ik. Ik keek naar Stevie Rae, die lachend knikte. 'En we hebben ook een nieuw soort halfwas.' Zodra ik was uitgesproken, leken er halfwassen uit de eik te regenen. Ik nam me voor om Stevie Rae later te vragen hoe ze al die halfwassen in de boom had kunnen verbergen, want het waren er minstens vijf. Ik herkende Venus, die naar ik wist Aphrodites vroegere kamergenote was, en ik vroeg me vluchtig af of die twee al met elkaar hadden gesproken. Ik zag ook die afschuwelijke Elliott, die ik, dat zweer ik, nog steeds niet aardig zou gaan vinden. Ze stonden binnen de cirkel, aan weerszijden van Stevie Rae, de omtrektekening van de felrode maansikkel op hun voorhoofd was duidelijk te zien, en ze waren zo te zien behoorlijk zenuwachtig.

Ik hoorde verscheidene halfwassen buiten de kring huilen en de namen van de rode halfwassen roepen die ze herkenden als dode kamergenootjes en vrienden, en ik voelde met hen mee. Ik wist hoe het was om te denken dat je vriendin dood was om haar vervolgens weer te zien lopen, praten en ademen.

'Ze zijn niet dood,' zei ik beslist. 'Ze zijn een nieuw soort halfwas, een nieuw ras. Maar ze zijn ons soort, en het wordt tijd dat we een plek voor hen vinden bij ons en proberen erachter te komen waarom Nux ze ons heeft gebracht.'

'Leugens!' Het woord was een schrille kreet, zo luid dat mijn oren er pijn van deden. Uit de menigte steeg gemompel op, en toen gingen de aanwezigen buiten de zuidelijkste punt van de cirkel uiteen om Neferet erdoor te laten.

Ze leek op een wraakzuchtige godin en zelfs ik was met stomheid geslagen door haar woeste schoonheid. Ze was gekleed in een prachtige zwartzijden jurk die zich voegde naar haar bevallige lichaam en haar gladde, blanke schouders bloot liet. Haar dikke kastanjebruine haar hing los en viel golvend tot om haar slanke taille. Haar groene ogen schitterden en haar lippen hadden de dieprode kleur van vers bloed.

'Je vraagt ons om een pervertering van de natuur te accepteren als iets wat de godin heeft geschapen?' zei ze met haar diepe, melodieuze stem. 'Die wezens waren dood. Ze horen weer dood te zijn.'

De scherpe woede die in me opwelde, verbrijzelde haar aantrekkingskracht. 'U weet alles over deze wezens, zoals u ze noemt.' Ik rechtte mijn schouders en keek haar recht in de ogen. Ik mocht dan niet beschikken over haar geoefende stem of haar verpletterende schoonheid, maar ik had de waarheid en ik had mijn godin. 'U hebt geprobeerd om ze te gebruiken. U hebt geprobeerd om ze te vervormen. U hebt ze gevangengehouden tot Nux ze via ons heeft genezen en vervolgens bevrijd.'

Haar ogen werden groot in een perfecte verbaasde blik. 'Je geeft mij de schuld van deze wanstaltige wezens?'

'Hé, mijn vrienden en ik zijn geen wanstaltige wezens!' kwam Stevie Raes stem van achter mijn rug.

'Zwijg, beest!' beval Neferet. 'Genoeg is genoeg!' Ze draaide zich om en liet haar blik over de met stomheid geslagen menigte gaan. 'Vannacht heb ik nog zo'n wezen ontdekt dat Zoey en haar trawanten uit de dood wekten.' Ze bukte zich, pakte iets wat aan haar voeten lag en slingerde het de cirkel in. Ik herkende Jacks pukkel toen die neerkwam, openging en de monitor van de oppascamera en de camera zelf (die veilig in het lijkenhuis verstopt had moeten zijn) eruit vlogen. Neferets blik vloog over de menigte tot ze hem had gevonden en toen snauwde ze: 'Jack! Ontken jij dat Zoey je dit in het lijkenhuis heeft laten plaatsen, waar jullie het lichaam van de onlangs gestorven James Stark hebben opgesloten, opdat ze kon zien wanneer haar verdorven betoveringen hem zouden doen herrijzen?'

'Nee. Ja. Zo was het niet,' bracht Jack schril uit. Duchess drukte zich tegen zijn benen aan en jankte meelijwekkend.

'Laat hem met rust!' riep Damien vanaf zijn plek in de cirkel.

Neferet keerde zich nu woedend tot hem. 'Je bent dus nog steeds verblind door haar? Je volgt nog steeds liever haar dan Nux?'

Voor hij antwoord kon geven, zei Aphrodite, die naast me stond: 'Zeg, Neferet, waar is uw insigne van de godin?'

Neferet keek van Damien naar Aphrodite en haar ogen vernauwden zich van woede. Maar iedereen keek nu naar Neferet en zag dat Neferet op de borst van haar prachtige zwarte jurk geen speld van Nux droeg. En toen zag ik nog iets. Ze droeg een hanger die ik nooit eerder had gezien. Ik knipperde met mijn ogen omdat ik niet wist of ik het wel goed zag, maar toen, jawel hoor, ik had het goed gezien. Aan een gouden ketting om haar hals hingen vleugels, grote, zwarte, uit onyx gesneden ravenvleugels.

'Wat is dat om uw hals?' vroeg ik.

Neferets hand ging werktuiglijk omhoog om de zwarte vleugels die tussen haar borsten hingen te strelen. 'De vleugels van Erebus, Nux' gade.'

'Eh, neem me niet kwalijk, maar nee, dat is niet waar,' zei Damien. 'De vleugels van Erebus zijn van goud. Ze zijn nooit zwart. Dat hebt u me zelf geleerd bij vampiersociologie.'

'Ik heb genoeg van dit gewauwel,' snauwde Neferet. 'Het is tijd dat deze schertsvertoning tot een einde komt.'

'Dat vind ik nu eens een uitstekend idee,' zei ik.

Ik wilde juist met mijn blik de menigte afspeuren om Shekinah te zoeken toen Neferet een stap opzij deed, haar vinger kromde en wenkte naar een schimmige gedaante die achter haar leek te materialiseren. 'Kom en laat zien wat ze vannacht hebben geschapen.'

Duchess' kreet van ondraaglijke pijn gevolgd door haar meelijwekkend gejammer zal voor altijd onuitwisbaar in mijn geest gegrift blijven met mijn eerste aanblik van de nieuwe Stark. Hij kwam als een geestverschijning naar voren. Zijn huid was griezelig bleek en zijn ogen hadden de kleur rood van oud bloed. De maansikkel op zijn voorhoofd was ook rood, net als bij de halfwassen die in mijn cirkel stonden, maar hij was anders dan zij. Het wezen dat Stark was geworden stond naast Neferet, dreigend, en waanzin schitterde in zijn ogen. Terwijl ik naar hem keek, voelde ik misselijkheid opkomen.

'Stark!' In plaats van luid en krachtig, wat ik had gewild, kwam zijn naam als een zwakke fluistering mijn mond uit.

Maar hij keek me wel aan. Ik zag de bloedkleur in zijn ogen vervagen, en heel even ving ik een glimp op van de jongen die ik kende.

'Zzzoey...' zei hij sissend, maar ik voelde hoop in me opwellen.

Ik deed een struikelende stap naar hem toe. 'Ja, Stark, ik ben het,' zei ik, terwijl ik mijn best deed om niet in huilen uit te barsten.

'Ik zzzei toch dat ik terug zzzou komen,' mompelde hij.

Ik glimlachte door de tranen heen die in mijn ogen opwelden terwijl ik dichter naar de plek toe liep waar hij net buiten de cirkel stond. Ik deed mijn mond open om tegen hem te zeggen dat alles goed zou komen, dat we er wel iets op zouden vinden, maar opeens stond Aphrodite naast me. Ze pakte me bij mijn pols en trok me bij de rand van de cirkel vandaan.

'Ga niet naar hem toe,' fluisterde ze. 'Neferet probeert je erin te luizen.'

Ik wilde me losrukken uit haar greep, vooral toen Shekinahs stem van de andere kant van de cirkel kwam. 'Wat deze jongen is aangedaan, is afschuwelijk. Zoey, ik sta erop dat je dit ritueel voor vannacht afsluit. We nemen de halfwassen mee naar binnen en nemen contact op met de Raad van Nux om die te verzoeken hierheen te komen en deze gebeurtenissen te beoordelen.'

Ik kon voelen dat de halfwassen achter me onrustig werden, wat mijn aandacht bij Stark vandaan trok. Ik draaide me om en ontmoette Stevie Raes blik. 'Het is oké. Dat is Shekinah. Zij kan leugens van waarheid onderscheiden.'

'Ik kan leugens van waarheid onderscheiden en mijn oordeelskracht is sterker dan die van een verre Raad,' hoorde ik Neferet zeggen, en ik draaide me naar haar om.

'U bent door de mand gevallen!' schreeuwde ik tegen haar. 'Ik heb dit Stark noch de andere rode halfwassen aangedaan. Dat hebt u gedaan, en nu zult u onder ogen moeten zien wat u hebt gedaan.'

Neferets glimlach was eerder een spotlach. 'En toch riep het wezen jouw naam.'

'Zzzoey,' zei Stark nog eens.

Ik keek naar hem en probeerde in zijn gekwelde gezicht de jongen te zien die ik kende. 'Stark, ik vind het echt verschrikkelijk dat dit je is overkomen.'

'Zoey Redbird!' Shekinahs stem was net een zweepslag. 'Sluit onmiddellijk de cirkel. De gebeurtenissen moeten worden beoordeeld door degenen op wier oordeel vertrouwd kan worden. En ik zal deze arme halfwas onder mijn hoede nemen.'

Om de een of andere reden bracht Shekinahs bevel Neferet aan het lachen.

'Ik heb hier een slecht gevoel over,' zei Aphrodite, terwijl ze me achteruittrok naar het midden van de cirkel.

'Ik ook,' zei Stevie Rae, vanaf het noordelijkste punt in de cirkel.

'Niet de cirkel sluiten,' zei Aphrodite.

Toen fluisterde Neferets stem over de cirkel heen: *Sluit de cirkel niet en je lijkt schuldig. Sluit de cirkel en je bent kwetsbaar. Waarvoor kies je?*

Ik keek Neferet recht in de ogen. 'Ik kies voor de kracht van mijn cirkel en de waarheid,' zei ik.

Haar glimlach was triomfantelijk. Ze wendde zich tot Stark. 'Richt op het ware doelwit, het doelwit dat de aarde laat bloeden. Nu!' beval Neferet hem. Ik zag hem aarzelen, alsof hij tegen zichzelf streed. 'Gehoorzaam mijn bevel en dan vervul ik je vurigste wens.' Neferet fluisterde de woorden, die alleen voor Starks oren bestemd waren, maar ik las ze op haar robijnrode lippen. Ze hadden een onmiddellijk effect op hem. Starks ogen laaiden rood op en met de snelheid van een aanvallende slang bracht hij de boog omhoog die hij naast zijn lichaam vasthield, wat ik niet had opgemerkt, plaatste een pijl op de pees en schoot hem af. De pijl doorkliefde de lucht in een dodelijke lijn en trof Stevie Rae met zo veel kracht in het midden van haar borst, dat hij zich tot aan de donkere veren op het uiteinde van de schacht erin begroef.

Stevie Raes adem stokte en ze zakte op de grond in elkaar. Ik gilde en rende naar haar toe. Ik hoorde Aphrodite tegen Damien en de tweeling schreeuwen dat ze vooral de cirkel niet mochten breken, en inwendig zegende ik haar voor het feit dat ze haar hoofd erbij hield. Ik liet me naast Stevie Rae op mijn knieën vallen. Ze ademde pijnlijk en haperend, en haar hoofd was gebogen.

'Stevie Rae! O godin! Stevie Rae.'

Ze hief langzaam haar hoofd op en keek me aan. Bloed stroomde uit haar borst, meer bloed dan ik ooit had gedacht dat één iemand kon bevatten. Het doorweekte de grond om haar heen, die hobbelig was door de wortels van de grote eik. Het bloed hypnotiseerde me. Niet door de zoete, bedwelmende geur, maar door het besef waar het op leek. Het leek net of de aarde aan de voet van de grote eik bloedde.

Ik keek over mijn schouder naar Neferet, die net buiten mijn cirkel nog steeds triomfantelijk stond te lachen. Stark was naast haar op zijn knieën gevallen en hij keek me aan met ogen die niet langer rood waren, maar nu vervuld waren van afgrijzen. 'Neferet, niet Stevie Rae maar u bent het wanstaltige wezen!' schreeuwde ik.

Mijn naam is niet langer Neferet. Voortaan kun je me koningin Tsi Sgili noemen. De woorden klonken net zo duidelijk in mijn hoofd als dat Neferet naast me had gestaan en ze in mijn oor had gefluisterd.

'Nee!' schreeuwde ik, en toen spatte de nacht uiteen.

33

De grond onder mijn voeten, doorweekt van Stevie Raes bloed, begon te beven en te golven alsof de aarde plotseling in water was veranderd. Door het paniekerige geschreeuw heen hoorde ik Aphrodites stem, even kalm alsof ze alleen maar tegen Damien en de tweeling tekeerging over hun modekeuzes.

'Kom naar ons toe, maar zonder de cirkel te verbreken!'

'Zoey.' Stevie Rae bracht hijgend mijn naam uit. Ze keek met pijn in haar ogen naar me op. 'Luister naar Aphrodite. Zorg dat de cirkel niet verbroken raakt. Wat er ook gebeurt!'

'Maar jij...'

'Nee! Ik ben niet stervende. Geloof me. Hij heeft alleen mijn bloed genomen, niet mijn leven. Hou de cirkel in stand.'

Ik knikte en stond op. Erik en Venus stonden het dichtst bij. 'Ga ieder aan een kant van Stevie Rae staan en help haar overeind. Help haar de kaars vast te houden en wat er ook gebeurt, laat de vlam niet doven en zorg dat de cirkel in stand blijft.'

Venus huiverde, maar ze knikte en ging naar Stevie Rae. Erik staarde me alleen maar aan; zijn geschokte gezicht was lijkbleek.

'Je moet nu kiezen,' zei ik. 'Of je staat aan onze kant of aan de kant van Neferet en de rest.'

Erik aarzelde geen moment. 'Ik heb mijn keus al gemaakt toen ik heb aangeboden om vannacht je gemaal te zijn. Ik sta aan jouw kant.' Toen haastte hij zich om samen met Venus Stevie Rae overeind te helpen.

Struikelend over de golvende grond strompelde ik naar Nux' tafel en pakte mijn paarse geestkaars net op tijd op om te voorkomen dat hij omviel en doofde. Ik hield de kaars stevig vast en richtte mijn aandacht op Damien en de tweeling. Ze volgden Aphrodites rustige instructies op en liepen, te midden van de krijsende chaos buiten onze cirkel, langzaam naar elkaar toe en verkleinden daardoor de omtrek van de zilveren draad, tot wij allemaal: Damien, de tweeling, Aphrodite, Erik, de rode halfwassen en ik, om Stevie Rae heen stonden.

'Nu halen we haar bij de boom vandaan,' zei Aphrodite. 'Met z'n allen, zonder de cirkel te breken. We moeten naar de geheime deur in de muur. Nu.'

Ik keek Aphrodite aan en ze knikte ernstig. 'Ik weet wat er zo meteen gaat gebeuren, en dat is niet best.'

'Laten we dan maar snel maken dat we hier wegkomen,' zei ik.

We zetten ons als groep in beweging, namen kleine stapjes over de bokkende aarde, angstvallig voorzichtig vanwege Stevie Rae en de kaarsen en de cirkel die we koste wat kost in stand moesten zien te houden. Je zou denken dat halfwassen en vampiers in de weg hadden gestaan. Je zou denken dat op zijn minst Shekinah iets tegen ons zou hebben gezegd, maar het was net of we in een bizarre bubbel van sereniteit bestonden, te midden van een wereld die plotseling werd overspoeld door bloed, paniek en chaos. We liepen steeds verder bij de boom vandaan, volgden de muur, en kwamen langzaam en heel voorzichtig vooruit. Het viel me op dat het gras onder onze voeten gladder was en niet besmeurd was met Stevie Raes bloed, en op dat moment bereikte Neferets afschuwelijke lach mijn oren.

De eik spleet met een afgrijselijk scheurend geluid open. Ik liep achteruit zodat ik Stevie Rae van voren kon steunen en had dus zicht op de boom toen die openscheurde. Uit het midden van de verwoeste eik verrees een gedaante uit de grond. Het eerste wat ik zag, waren reusachtige zwarte vleugels die iets volledig omhulden. Toen stapte hij uit de verwoeste eik, richtte zijn kolossale lichaam op en ontvouwde zijn nachtkleurige vleugels.

'O godin!' De kreet werd me ontrukt door mijn eerste aanblik van Kalona. Hij was het mooiste wezen dat ik ooit had gezien. Zijn huid was glad en gaaf en verguld door wat leek op de kus van liefdevolle zonnestralen. Zijn haar was net zo zwart als zijn vleugels, en het viel los en dik om zijn schouders, wat hem het aanzien gaf van een eeuwenoude krijger. Zijn gezicht... hoe kan ik ooit de schoonheid van zijn gezicht beschrijven? Het was als een tot leven gekomen beeldhouwwerk en het deed zelfs de knapste sterveling, mens of vampier, een ziekelijke, mislukte poging tot imitatie van zijn luister lijken. Zijn ogen hadden de kleur van barnsteen, zo perfect dat ze bijna goud leken. Ik werd me bewust van het gevoel dat ik mezelf daarin wilde verliezen. Die ogen riepen me... hij riep me...

Ik was struikelend tot stilstand gekomen en ik zweer dat ik op dat moment de cirkel zou hebben verbroken zodat ik terug kon rennen om me aan zijn voeten te werpen, als hij niet zijn prachtige armen had geheven en met een stem die diep en welluidend en vervuld van kracht was had geroepen: 'Herrijs met mij, kinderen!'

Raafspotters vlogen op uit het gat in de grond en vulden de hemel, en de angst die me overspoelde bij het zien van hun bekende, wanstaltige lichamen verbrak de betovering van Kalona's schoonheid. Ze cirkelden krijsend boven hun vader rond. Hij strekte lachend zijn armen omhoog zodat hun vleugels hem konden strelen.

'We moeten maken dat we hier wegkomen!' zei Aphrodite dringend.

'Ja, nu! Snel,' zei ik, weer helemaal mezelf. De grond beefde niet meer en we konden nu sneller lopen. Ik liep nog steeds achteruit en keek met gefascineerd afgrijzen toe toen Neferet naar de bevrijde engel liep. Ze bleef voor hem staan en maakte een diepe, elegante reverence.

Hij neigde vorstelijk zijn hoofd; zijn ogen schitterden al van zinnelijke lust toen hij naar haar keek. 'Mijn koningin,' zei hij.

'Mijn gade,' zei ze. Toen draaide ze zich met haar gezicht naar de menigte, die niet meer paniekerig rondrende en nu gefascineerd naar Kalona staarde.

'Dit is Erebus, eindelijk op aarde!' verkondigde Neferet. 'Buig voor Nux' gade en onze nieuwe heer op aarde.'

Een groot deel van de toeschouwers, vooral de halfwassen, liet zich onmiddellijk op de knieën vallen. Ik zocht Stark, maar zag hem niet. Ik zag wel dat Shekinah met grote stappen naar voren kwam, zigzaggend om de knielende halfwassen heen, op haar hoede, met een diepe frons op haar wijze gezicht. Er sloten zich steeds meer Zonen van Erebus bij haar aan, met een waakzame blik in hun ogen, maar ik kon niet uitmaken of ze Kalona in twijfel trokken, zoals Shekinah duidelijk deed, of dat ze hem tegen de hogepriesteres wilden beschermen. Voordat Shekinah zich door de menigte heen had geworsteld en de verrezen engel had bereikt, hief Neferet haar hand en maakte een snelle polsbeweging. Het was zo'n minuscule beweging dat ik het niet eens zou hebben gezien als ik haar niet in de gaten had gehouden.

Shekinahs ogen werden groot, haar adem stokte, ze greep naar haar keel en toen zakte ze op de grond in elkaar. De Zonen van Erebus bogen zich over haar heen.

Op dat moment haalde ik mijn mobieltje uit mijn zak en belde ik het nummer van zuster Mary Angela.

'Zoey?' Ze nam na één keer overgaan op.

'U moet daar weg. Onmiddellijk,' zei ik.

'Ik begrijp het.' Ze klonk volkomen kalm.

'Neem oma mee! U moet oma meenemen!'

'Natuurlijk neem ik haar mee. Zorg jij maar voor jezelf en je mensen. Ik zorg wel voor haar.'

'Ik bel u zodra ik dat kan.' Ik klapte de telefoon dicht.

Toen ik opkeek van de telefoon zag ik dat Neferets aandacht nu op ons was gericht.

'We zijn er!' zei Aphrodite. 'Maak onmiddellijk die vervloekte deur open!'

'Die is al open,' zei een bekende stem. Ik keek achterom naar de muur en zag Darius naast een op een kier staande deur staan, die als door toverkracht in de muur was verschenen. En tot mijn grote opluchting zag ik dat Jack naast de krijger stond. Hij huilde tranen met tuiten, maar hij was ongedeerd en had Duchess bij zich.

'Als je aan onze kant staat, moet je tegen hen zijn,' zei ik tegen Darius, met een ruk van mijn kin in de richting van het Huis van de

Nacht en de Zonen van Erebus op het schoolterrein die niets tegen Kalona ondernamen.

'Ik heb mijn keus al gemaakt,' zei de krijger.

'Kunnen we alsjeblieft maken dat we hier wegkomen? Ze kijkt naar ons!' zei Jack.

'Zoey! Je moet tijd voor ons winnen,' zei Aphrodite. 'Gebruik de elementen, allemaal. Scherm ons af.'

Ik knikte, deed mijn ogen dicht en concentreerde me. Ik was me er vaag van bewust dat Aphrodite tegen de rode halfwassen zei dat ze binnen onze cirkel moesten blijven, zelfs nu die verwrongen was en niet meer helemaal cirkelvormig terwijl we ons door de deur persten. Maar ik was er maar voor een deel bij. De rest van me beval wind, vuur, water, aarde en geest om ons te dekken, te beschermen, ons te onttrekken aan Neferets zicht. Toen ze zich haastten om me te gehoorzamen, vergde het meer van mijn kracht dan ik ooit had ervaren. Ik had natuurlijk nog nooit alle vijf de elementen tegelijkertijd bevolen om zich zo voor me in te spannen; ik had het gevoel dat mijn geest, mijn wil, probeerde sprintend een marathon te lopen.

Ik klemde mijn tanden op elkaar en zette hardnekkig door. De elementen verdrongen zich boven ons en om ons heen. Ik hoorde de wind en rook het zout van de oceaan op het moment dat een krachtige wind een dikke mist om ons heen deed wervelen. Toen rommelde donder in de plotseling bewolkte lucht en tegelijk met een donderslag schoot een bliksemschicht knetterend naar beneden, die insloeg in een boom een paar meter bij ons vandaan. De boom leek zich uit te zetten toen aarde hem uitvergrootte. Ik deed mijn ogen open toen een van de rode halfwassen me achteruit naar de deur leidde en zag dat ons groepje volledig was afgeschermd door de toorn van de elementen. Te midden van de chaos hoorde ik een heerlijk geluid: *mi-uf-auw!* en ik keek door de deur en zag Nala op de grond buiten het schoolterrein zitten, voor een schare katten, inclusief die akelige, nu ietwat verfomfaaide Malafide, die dicht in de buurt bleef van Beëlzebub, de boosaardige kat van de tweeling.

Ik ving nog een vluchtige glimp op van Neferet, die woest om zich heen keek en duidelijk niet wilde geloven dat we aan haar hadden weten te ontsnappen, en toen ging de deur dicht en waren we afgesloten van het Huis van de Nacht.

'Oké, herstel de cirkel. Trek hem strak. Tweeling! Jullie staan te dicht bij elkaar. Jullie trekken hem scheef. Katten! Hou op met naar Duchess blazen. Daar hebben we nu geen tijd voor.' Aphrodite deelde bevelen uit als een drilsergeant.

'De tunnels.' Stevie Raes zwakke stem leek de nacht te doorsnijden.

Ik keek naar haar. Ze kon niet op haar benen staan. Erik had haar in zijn armen opgetild en hield haar vast als een baby, waarbij hij erop lette dat hij niet de pijl aanraakte die uit haar rug stak. Op de rode tatoeages na was haar gezicht krijtwit.

'We moeten naar de tunnels. Daar zijn we veilig,' zei ze.

'Stevie Rae heeft gelijk. Hij zal ons niet de tunnels in volgen, en Neferet evenmin, niet meer,' zei Aphrodite.

'Welke tunnels?' vroeg Darius.

'Onder de stad, schuilplaatsen uit de tijd van de drooglegging. Ze zijn bereikbaar via de oude remise in de binnenstad,' zei ik.

'De remise. Dat is een kleine vijf kilometer hiervandaan, dwars door de stad,' zei hij. 'Hoe komen we...?' Zijn woorden braken af toen overal om ons heen buiten het Huis van de Nacht afschuwelijk gegil opsteeg. Felle ballen van vuur bloeiden aan de hemel op als gruwelijke, dodelijke bloemen.

'Wat gebeurt er?' vroeg Jack, die dicht tegen Damien aan ging staan.

'Het zijn de Raafspotters. Ze hebben hun lichaam terug en ze hebben honger. Ze doen zich te goed aan mensen,' zei Aphrodite.

'Kunnen ze vuur gebruiken?' vroeg Shaunee, die ronduit pissig om zich heen keek.

'Ja,' zei Aphrodite.

'Om de donder niet!' Shaunee bracht haar arm omhoog en ik voelde hitte rondwervelen in de lucht om ons heen.

'Nee!' schreeuwde Aphrodite. 'Je mag geen aandacht trekken. Niet vannacht. Als je dat doet, dan zijn we er geweest.'

'Heb je dit gezien?' vroeg ik.

Ze knikte. 'Dit en nog veel meer. Iedereen die bovengronds blijft, wordt hun prooi.'

'Dan moeten we zo snel mogelijk naar Stevie Raes tunnels,' zei ik.

'Maar hoe dan?' vroeg een van de rode halfwassen, die ik niet herkende. Ze klonk jong en doodsbang.

Ik vermande me; ik was al uitgeput na het in zo'n sterke mate manipuleren van alle vijf de elementen tegelijk. Ik wilde niet dat ze wisten hoeveel dit van me vergde. Ze moesten geloven dat ik sterk was en zeker van mezelf en de situatie meester. Ik ademde een keer diep in en uit. 'Wees maar niet bang. Ik weet hoe we ons kunnen verplaatsen zonder gezien te worden. Dat heb ik eerder gedaan.' Ik glimlachte vermoeid naar Stevie Rae. 'Wij hebben het eerder gedaan.' Mijn blik omvatte ook Aphrodite. 'Niet dan?'

Stevie Rae knikte zwak.

'Ja, nou en of,' zei Aphrodite.

'Dus wat is het plan?' vroeg Damien.

'Ja, laten we opschieten,' zei Erin.

'Dito. Ik krijg kramp van zo dicht tegen iedereen aan kruipen,' mopperde Shaunee, die duidelijk nog pissig was dat ze vuur niet met vuur kon bestrijden.

'Dit is het plan. We worden mist en schaduwen, nacht en duisternis. We bestaan niet. Niemand ziet ons. Wij zijn de nacht en de nacht is wij.' Terwijl ik het uitlegde, voelde ik mijn lichaam huiveren, en ik zag de rode halfwassen naar lucht happen en wist dat ze als ze naar me keken alleen maar mist bedekt met duisternis omhuld in schaduw zagen. Bizar genoeg leek het nu ik zo moe was makkelijker om in de nacht over te vloeien... het was alsof ik gewoon kon vervagen en eindelijk kon slapen...

'Zoey!' Eriks stem rukte me uit mijn gevaarlijke trance.

'Ik ben er weer! Niks aan de hand!' zei ik snel. 'Nu moeten jullie het doen. Concentreer je. Het is niet anders dan wat jullie deden als jullie uit het Huis van de Nacht wegglipten om vriendjes te ontmoeten of naar rituelen buiten de campus te gaan, behalve dat jullie je sterker moeten concentreren. Jullie kunnen het. Jullie zijn mist en schaduw. Niemand kan jullie zien. Niemand kan jullie horen. Er is alleen de nacht en jullie maken deel uit van de nacht.'

Ik keek toe terwijl mijn groepje trillend begon te verdwijnen. Het was niet perfect, en Duchess was nog steeds een vaste, grote, blonde labrador – in tegenstelling tot onze katten kon ze niet in de nacht opgaan – maar de jongen bij wie ze dicht in de buurt bleef, was weinig meer dan een schaduw.

'Vooruit, op weg dan maar. Blijf bij elkaar. Hou elkaars hand vast. Laat je door niets uit je concentratie halen. Darius, ga jij maar voor,' zei ik.

We betraden een stad die een levende nachtmerrie was geworden. Later vroeg ik me af hoe we het ooit hadden gered en ik had het me nog niet afgevraagd of ik wist het antwoord al. We hebben het gered dankzij de leidende hand van Nux. We verplaatsten ons in haar schaduw. Omhuld door haar kracht werden we de nacht, hoewel de rest van de nacht tot waanzin was verworden.

De Raafspotters waren overal. Het was oudejaarsavond, vlak na middernacht, en de wezens hadden hun prooi voor het uitkiezen onder de aangeschoten, feestvierende mensen die uit nachtclubs, restaurants en prachtige, met oud oliegeld gebouwde villa's naar buiten stroomden. Ze hadden het geknetter en geknal gehoord van het onmenselijke vuur van de wezens en renden naar buiten om de voorstelling te bekijken, met het idee dat de stad vuurwerk afstak. Ik vroeg me met bizar afstandelijk afgrijzen af hoeveel van hen hadden opgekeken naar de lucht en hoe het laatste wat ze hadden gezien de angstaanjagende rode mensenogen waren geweest, die hen vanuit een monsterlijk gezicht aankeken.

Voor we de helft van de afstand hadden afgelegd, in de buurt van Cincinnati en Thirteenth Street, hoorde ik politie- en brandweersirenes, begeleid door pistoolschoten, wat me grimmig deed glimlachen. Dit was Oklahoma, en tjonge, wat waren we dol op ons schiettuig. Ja, we maakten met trots en geestdrift gebruik van ons recht volgens het tweede amendement om wapens te dragen. Ik had geen flauw idee of moderne wapens effect hadden op uit magie en mythe geboren wezens, maar wist dat ik me dat niet lang zou hoeven af te vragen. Daar zouden we maar al te snel allemaal achter komen.

We waren nog één huizenblok van de verlaten Tulsa-remise verwijderd toen het begon te regenen. Het was een koude, miserabele, nevelige nattigheid die ons tot op het bot verkilde, maar die wel hielp om ons groepje te verbergen voor speurende blikken, zowel van mensen als van beesten.

We haastten ons naar de kelder van de verlaten Tulsa-remise. We hoefden alleen maar een metalen rooster open te trekken dat bedrieglijk stevig vergrendeld leek. Zodra de duisternis van de kelder ons verzwolg, slaakten we als groep een zucht van opluchting.

'Oké, nu kunnen we de cirkel sluiten.'

'Dank u geest, u mag weggaan,' begon ik. Ik draaide me om naar Stevie Rae, die nog steeds in Eriks armen lag. 'Ik ben u dankbaar, aarde; u mag weggaan.' Erin stond links van me en ik glimlachte naar haar door de duisternis. 'Water, u hebt het vannacht goed gedaan. U mag weggaan.' Ik draaide me verder naar links en vond Shaunee. 'Vuur, ik dank u, gaat u alstublieft weg.' En toen sloot ik de cirkel met het element dat die had geopend. 'Wind, u hebt zoals altijd mijn dankbaarheid. U mag weggaan.' En met een zacht knalletje en licht geknetter verdween de zilveren draad die ons had verbonden en gered.

Ik knarsetandde tegen de uitputting die me dreigde te overweldigen, en ik zou waarschijnlijk zijn gevallen als Darius me niet bij mijn arm had vastgepakt om me te ondersteunen en mijn trillerige knieën te ontlasten.

'We moeten naar beneden. We zijn hier nog niet helemaal veilig,' zei Aphrodite.

We liepen allemaal naar de achterkant van de kelder, naar de afvoerroosters waarachter een groot netwerk van tunnels lag. Het opnieuw betreden van die tunnels was net zo onwerkelijk als de nacht was geworden. De laatste keer dat ik hier was geweest, had er een sneeuwstorm gewoed. Ik had me ingespannen om Heath te redden van Stevie Rae en een stel halfwassen dat ik nu probeerde te redden.

Heath!

'Zoey, loop nou door,' zei Erik, toen ik aarzelde. Hij had Stevie Rae aan Darius overgegeven, en hij en ik waren de laatsten die nog bovengronds waren.

'Ik moet eerst twee telefoontjes plegen. Er is beneden geen bereik.'

'Vlug dan,' zei hij. 'Ik zal zeggen dat je eraan komt.'

'Bedankt.' Ik glimlachte vermoeid naar hem. 'Ik zal opschieten.'

Hij knikte gespannen en verdween toen langs de stalen ladder de tunnels in.

Ik was verbaasd toen Heath na de eerste keer overgaan al opnam. 'Wat is er, Zoey?'

'Luister naar me, Heath. Ik moet snel zijn. Er is in het Huis van de Nacht iets afschuwelijks ontketend. Het gaat gevaarlijk worden, heel erg gevaarlijk. Ik weet niet hoe lang het gaat duren omdat ik niet weet hoe ik het moet tegenhouden. Maar de enige manier om veilig te zijn, is ondergronds gaan. Het heeft er een hekel aan om onder de grond te zijn. Begrijp je?'

'Ja,' zei hij.

'Geloof je me?'

Hij aarzelde niet eens. 'Ja.'

Ik slaakte een zucht van opluchting. 'Verzamel je familie en iedereen om wie je geeft en zorg dat jullie onder de grond komen. Heeft het huis van je opa niet een grote kelder?'

'Ja, daar kunnen we heen.'

'Goed, ik bel je weer zodra ik dat kan.'

'Zoey, ben jij in veiligheid?'

Mijn hart verkrampte. 'Ja.'

'Waar dan?'

'In de oude tunnels onder de remise,' zei ik.

'Maar die zijn gevaarlijk!'

'Nee, alles is nu anders. Wees maar niet bang. Zorg alleen dat jij ook veilig blijft. Oké?'

'Oké,' zei hij.

Ik verbrak de verbinding voor ik iets kon zeggen waar we allebei spijt van zouden krijgen. Toen toetste ik het tweede nummer in dat ik moest bellen. Mijn moeder nam niet op. Na vijf keer overgaan werd ik naar de voicemail doorgeschakeld. Haar overdreven opgewekte stem zei: 'Dit is de voicemail van de familie Heffer. Wij beminnen en vrezen de Heer en wensen u een gezegende dag. Laat een boodschap achter. Amen!' Ik rolde met mijn ogen en na de piep zei ik: 'Mam, je zult geloven dat Satan op aarde is losgelaten en voor de verandering zit je er niet ver naast. Dit wezen is de belichaming van het kwaad en de enige veilige plek is ondergronds, een kelder of een grot of zo. Ga dus naar de kelder van de kerk en blijf daar. Oké? Ik hou echt wel van je, mam, en ik heb er ook voor gezorgd dat oma veilig is. Ze is bij...' Haar telefonische boodschappendienst verbrak de verbinding. Ik slaakte een zucht en hoopte dat ze voor het eerst in lange tijd naar me zou luisteren. Toen volgde ik de anderen de tunnels in.

Mijn groepje wachtte op me bij de ingang. Verderop in de tunnel, die zich donker en angstaanjagend voor ons uitstrekte, zag ik licht flakkeren.

'Ik heb de rode halfwassen vooruitgestuurd om de lampen aan te steken en zo,' zei Aphrodite, en toen keek ze naar Stevie Rae. 'Dat "en zo" betekent dekens en droge kleren bij elkaar scharrelen.'

'Goed. Heel goed.'

Ik dwong mezelf om door mijn vermoeidheid heen te denken. De halfwassen hadden al een paar olielampen aangestoken, van die ouderwetse lantaarns met een hengsel, die heen en weer zwaaiden als je ermee rondliep. Ze hadden ze op ooghoogte aan haken gehangen, waardoor ik de uitdrukking op de gezichten van mijn vrienden kon zien toen ze naar me opkeken. Op alle gezichten zag ik hetzelfde, zelfs bij Aphrodite. Angst.

Alstublieft, Nux, bad ik inwendig, *geef me kracht en help me de juiste woorden te vinden, want hoe we hier beginnen zal de toon zetten voor hoe we hier wonen. Alstublieft, zorg dat ik het niet verknal.*

Ik kreeg geen verbaal antwoord, maar werd wel overspoeld door een golf warmte, liefde en zelfvertrouwen die mijn hart een slag deed overslaan en me vulde met kracht.

'Ja, het is niet best,' begon ik. 'Dat valt niet te ontkennen. We zijn jong. We zijn alleen. We zijn gehavend. Neferet en Kalona zijn machtig en voor zover wij weten staat de rest van de halfwassen en vampiers aan hun kant. Maar wij hebben iets wat zij nooit zullen hebben. Wij hebben liefde en waarheid en elkaar. En we hebben Nux. Ze heeft ieder van ons gemerkt, op een bijzondere manier, en ieder van ons uitverkoren. Er is nog nooit een groep als de onze geweest; we zijn volslagen nieuw.' Ik zweeg even en probeerde iedereen in de ogen te kijken en ze met mijn glimlach zelfvertrouwen te geven. In de stilte sprak Darius.

'Priesteres, dit kwaad is anders dan wat ik ooit eerder heb ervaren,' zei hij. 'Ik heb er zelfs nog nooit van gehoord. Het is iets ongetemds en het kolkt van haat. Toen het uit de aarde verrees, had ik het gevoel dat het kwaad herboren werd.'

'Maar jij hebt het herkend, Darius. En een heleboel andere krijgers niet. Ik heb gezien hoe ze erop reageerden. Ze hebben niet naar hun wapens gegrepen of gemaakt dat ze wegkwamen, zoals jij.'

'Een moediger krijger zou misschien zijn gebleven,' zei hij.

'Bullshit,' zei Aphrodite. 'Een dommer krijger zou zijn gebleven. Jij bent hier bij ons en hebt een kans om ertegen te vechten. Voor hetzelfde geld zijn die andere krijgers allemaal neergemaaid door die duivelse vogelkrengen of onder een bizarre betovering gebracht zoals de rest van de halfwassen.'

'Ja,' zei Jack. 'Wij zijn hier omdat wij anders zijn.'

'Bijzonder,' zei Damien.

'Verrekte bijzonder,' zei Shaunee.

'Dat ben ik helemaal met je eens, tweelingzus,' zei Erin.

'We zijn zo bijzonder dat als je in het woordenboek kijkt onder "curieuze club" je een groepsfoto van ons ziet staan,' zei Stevie Rae; ze klonk zwak, maar zo levendig als wat.

'Goed. Wat nu?' zei Erik.

Ze keken allemaal naar mij. Ik keek naar hen.

'Nou, eh, we maken een plan,' zei ik.

'Een plan?' zei Erik. 'Meer niet?'

'Jawel. We maken een plan en dan gaan we uitpuzzelen hoe we onze school gaan heroveren. Samen.' Ik stak mijn hand uit tot midden in de groep als een mallotige softbalspeler. 'Kan ik op jullie rekenen?'

Aphrodite rolde met haar ogen maar ze was de eerste die haar hand op de mijne legde. 'Ja, ik doe mee,' zei ze.

'En ik,' zei Damien.

'Ik ook,' zei Jack.

'Dito,' zei de tweeling in koor.

'Ik doe ook mee,' zei Stevie Rae.

'Ik zou het voor geen goud willen missen,' zei Erik, terwijl hij zijn hand boven op de stapel legde en me glimlachend in de ogen keek.

'Goed,' zei ik. 'Korte metten met het kwaad!' En toen ze allemaal mijn kreet overnamen, voelde ik een tinteling vanuit mijn vingers over mijn handpalmen trekken, en ik wist dat ik, als ik ze uit de berg handen trok, gloednieuwe tatoeages op mijn handpalmen zou aantreffen, alsof ik een exotische, eeuwenoude priesteres was die door haar godin met henna als bijzonder was gemerkt. En zelfs te midden van waanzin, uitputting en levensveranderende chaos, was ik vervuld van vrede en de heerlijke wetenschap dat ik de weg volgde die mijn godin voor me had uitgestippeld.

Niet dat die weg effen was en vrij van valkuilen, maar het was mijn weg, en net als ik, zou die vast en zeker uniek zijn.

Dankwoord

Dank aan onze geweldige agent Meredith Bernstein, zonder wie het Huis van de Nacht nooit het levenslicht zou hebben gezien.

Een groot WIJ HARTJE JULLIE gaat naar ons fantastische team bij St. Martin's: Jennifer Weis, Anne Marie Tallberg, Matthew Shear, Carly Wilkins, Brittney Kleinfelter, Katy Hershberger, Talia Ross en Michael Storrings. Het is heerlijk om zo plezierig met een groep mensen te werken.

Dank aan de fans van het Huis van de Nacht – we zijn reuzeblij met jullie!

Dank aan Tulsa Street Cats voor hun steun, gevoel voor humor en alles wat ze voor katten doen. Voor meer informatie over de organisatie en een eventuele donatie: www.streetcatstulsa.org. Kristin en ik HARTJE Street Cats!